Steve Jobs

The Exclusive Biography

スティーブ・ジョブズ

I

ウォルター・アイザックソン
Walter Isaacson
井口耕二 訳
Koji Inokuchi

講談社

はじめに
本書が生まれた経緯

２００４年の初夏、私のところにスティーブ・ジョブズから電話があった。ジョブズは、折々、友だちのような感じで連絡をしてくるのだ——私が働いていたタイム誌やＣＮＮに、新しく発表する製品を取り上げてほしい場合などは熱心に。このころ私はタイムもＣＮＮも辞めたあとで、ジョブズからの連絡もめっきり減っていた。転職先のアスペン研究所について少々話をしたあと、研究所のあるコロラド州まで来てサマーキャンパスで話をしてくれないかと頼んでみた。彼の答えは、喜んで行くけど話はしない、ただ、散歩をしながら私とゆっくり話がしたい、だった。私は、変な話だなと思った。大事な話はえんえん歩きながらするのがジョブズ流だとまだ知らなかったからだ。

散歩をしながら彼に頼まれたのは、

「僕の伝記を書いてくれ」

だった。

そのころ私はベンジャミン・フランクリンの伝記を出版し、アルベルト・アインシュタインの伝記を書きはじめたところだったので、一瞬、ジョブズが自分のことをそのふたりに連なるべき人物だと考えているのかなどと半《なか》ば冗談で思ったりした。ジョブズはキャリアの途中で、まだまだ上りも下りもたくさんあるはずだと思っていた私は、彼の依頼を断った。いまじゃない、10年後か20年後か、君が引退するころに書くよ、と。

彼と知りあったのは1984年、ジョブズが編集者との昼食会で新しいマッキントッシュのプロモーションを絶賛しようとマンハッタンのタイムライフビルを訪れたときだ。あのころすでにこらえ性がなく、行きすぎた暴露記事で彼を傷つけたタイム誌の記者を攻撃していた。だが、その後彼といろいろ話をしていくと、多くの人がそうであったように、私も、その激しさにむしろ惹《ひ》かれている自分に気づく。彼がアップルを追放されても付き合いは続いた。ネクストのコンピュータやピクサーの映画など宣伝したいことがあると、彼は〝魅力ビーム〟を私に照射し、ロウアーマンハッタンの寿司屋で、これこそが過去最高の作品なんだと熱く語るのだ。私は、そんな彼が好きだった。

アップルの玉座に返り咲いたとき、我々はタイム誌の特集記事として彼を表紙に取り上げた。その少しあとから、ジョブズは、20世紀に大きな影響を与えた人物を取り上げるタイム誌のシリーズに対して意見を言ってくるようになる。ジョブズ自身も、歴史に残る偶像となった人々の写真を使ってアップルで「シンク・ディファレント」キャンペーンをはじめ（我々も取り上げようと検討していた人物が何人もいた）、歴史的な影響を評価する試みに興味を引かれたらしい。

伝記を書いてほしいという提案を退けたあと、ときどき連絡をもらうようになった。戦時中にドイツの暗号を解読したことでも有名なコンピュータの父、アラン・チューリングは、青酸化合物が塗られたリンゴをかじって自殺したと言われているが、アップルのロゴはその話にちなんだものだと娘から聞かされ、それは本当かとジョブズに電子メールで聞いたこともある。この質問には、「それは思いつかなかった、思いついていればよかったのだが」と返ってきた。これをきっかけに、アップル初期の歴史についてやりとりがはじまり、やはりジョブズの伝記を書こうと思う日が来たときのためにと資料集めもはじめることにした。

アインシュタインの伝記が完成したとき、ジョブズはサンフランシスコ・ベイエリアのパロアルトでおこなわれた出版記念パーティーにやって来ると、私を隅に連れてゆき、また、自分はいい題材になるはずだと耳打ちしてきた。

とても熱心なのが私には不思議だった。プライバシーをかたく守ることで有名な人物だし、私の過去の本を読んだことがあるとも思えなかったからだ。だから、そのうちにと言い続けた。

２００９年、彼の妻、ローリーン・パウエルからざっくばらんな話がきた。

「スティーブの本をいつか書くつもりがあるのなら、いま、やるべきよ」

ジョブズは、2回目の病気療養休暇を取ったところだった。最初に話をもらったとき、まさか病気だとは思わなかったと弁明すると、知っている人はほとんどいなかった、私が電話をもらったのはがんの手術をする直前だったと教えられた。そして病気のことはいまも秘密になっているとも。

こうして私は本書を書きはじめた。ジョブズは最初から、本書に口は挟まない、それどころか、あらかじめ見せてもらう必要もないと宣言して私を驚かせた。

「これは君の本だ。僕は読みもしないよ」

しかしその年の秋ごろ、伝記への協力はやはりやめようかと彼は思ったようだった。私は知らなかったのだが、当時は、がんの合併症で大変なことになってもいたらしい。電話をかけても折り返しがなくなり、私はプロジェクトをしばらく休止することにした。

もう連絡はないかもしれないと思っていた２００９年大みそかの夕方、突然、ジョブズから電話がかかってきた。ジョブズは、実の妹で作家でもあるモナ・シンプソンとふたりでパロアルトの自宅にいた。妻と3人の子どもはスキーに行ったが、自分はスキーができるほど元気じゃないからというのだ。いろいろと思い出していたらしく、1時間以上も昔話をしてくれた。

12歳のときどうしても周波数カウンターが作りたくて、HP（ヒューレット・パッカード）社を創業したビル・ヒューレットの番号を電話帳で調べて部品をもらったことから話ははじまった。新しい製品を作るという意味でもっとも生産的だったのは、アップルに戻ってからのここ12年間だという話もあった。しかし、もっと大事なゴールがあると彼は言った。ヒューレットとその友人、デビッド・パッカードがしたこと――革新的な創造性がたっぷりと吹き込まれ、創業者よりも長生きする会社を作ることだ。

「僕は子どものころ、自分は文系だと思っていたのに、エレクトロニクスが好きになってしまった。その後、『文系と理系の交差点に立てる人にこそ大きな価値がある』と、僕のヒーローのひとり、ポラロイド社のエドウィン・ランドが語った話を読んで、そういう人間になろうと思ったんだ」

この伝記のテーマを提案されたのかと思った（少なくともこの場合、妥当なテーマだった）。文系と理系、つまり、人文科学と自然科学、両方の感覚を兼ねそなえた強烈なパーソナリティーから生まれる創造性こそ、フランクリンやアインシュタインの伝記で私が興味を引かれたトピックだったし、21世紀に革新的な経済を生みだす鍵になるものだとも思う。

どうして私に伝記を書いてほしいと思ったのか、ジョブズに訊ねてみた。

「話を聞きだすのが上手だろうと思ったからさ」

このような答えが返ってくるとは思ってもみなかった。もちろん本を書く上では、彼が首にしたり、ひどい目にあわせたり、捨てたり、あるいはまた怒らせたりした人々からも話を聞かなければならないわけで、じつは、そういう人から私がいろいろと話を聞きだすのを、ジョブズが不愉快に思うのではないかと心配していた。実際、インタビューした人々の言葉が彼の耳になんとなく伝わったりしたときには、おじけづいたように感じられたこともある。しかし、1～2ヵ月もすると、ジョブズは、かつての敵や恋人も含めた知り合いに、私に話をするよう声をかけはじめた。一部についてオフレコ扱いを要求することもなかった。

「23でガールフレンドを妊娠させ、それにどう対処したかなど、僕は、人様に誇れないこともたくさんしてきたよ。でも、〝これだけは外に出せない秘密〟なんてものはないんだ」

ジョブズへの取材は40回ほどもおこなった。パロアルトの自宅の居間で本格的におこなったインタビューもあれば、えんえんと散歩しながら、あるいは車中、電話でおこなったものもある。彼のところへは18ヵ月ほど通ったが、その間、ジョブズはどんどん打ち解け、細かなところまで教えてくれるようになっていった。なお、アップルの昔の仲間が〝現実歪曲《わいきょく》フィールド〟と呼ぶ、彼の特殊な性格を目の当たりにしたこともある。誰にでもある記憶違いのたぐいもあったが、自分にとっての現実を私と自分自身に語り続けたこともある。彼から聞いた話の裏取りや肉付けをおこなうため、合計100人を超える彼の友人、親族、競争相手、敵、仲間などからも話を聞いた。

この伝記執筆プロジェクトを支えてくれた彼の妻、ローリーンからも、あれはだめ、これはこうしてくれといった類の話は一切出なかったし、出版前に原稿を見せてほしいと言われることもなかった。それどころか、逆に、ジョブズの強さだけでなく、弱さも正面から取り上げてほしいと言われた。彼女ほど頭がよく、地に足がついた人には会ったことがない。

「彼の人生や性格には、どうにもめちゃくちゃな部分がありますが、それが真実ですから。それをごまかす必要はありません。彼は操るのが上手なんです。でも同時に、注目に値する並はずれた人生を歩んでも来ました。それらを、すべて、うそ偽りなく語っていただきたいと思います」

この依頼に応えることができたか否かは読者諸氏の判断にお任せしよう。

このドラマの登場人物のなかには、自分の記憶と違うと思う人や、ところどころ私がジョブズの現実歪曲フィールドに捕《と》らえられていると感じる人もいるはずだ。ヘンリー・キッシンジャーの伝記を書いたときにも同じような体験をしたが（余談ながら、この伝記は本書の準備体操的な効果があった）、ジョブズに対しては、皆、プラスかマイナスか、とにかく強い感情を抱くため、同じ事実が見る人によって違って見える「羅生門効果」がはっきり出てしまう。とにかく、私としては、矛盾する記憶はなるべく公平に取り扱うとともに、情報源を明確に示すように努めたつもりだ。

本書に描かれているのは、完璧を求める情熱とその猛烈な実行力とで、6つもの業界に革命を起こしたクリエイティブなアントレプレナー（起業家）の、ジェットコースターのような人生、そして、やけどをしそうなほど熱い個性である。6つの業界とはパーソナルコンピュータ、アニメーション映画、音楽、電話、タブレットコンピュータ、デジタルパブリッシングだが、これに小売店を加えて7つとする人もいるだろう。革命を起こしたとまでは言えないかもしれないが、小売店という概念を大きく変えて再創造したのは確かだからだ。このほか、ウェブサイトだけでなく、アプリを基本としたデジタルコンテンツの市場も新たに生み出した。その過程で、画期的な製品を世に送り出しただけでなく、二度目のトライで永続的な会社も作り上げた。自分のDNAをもつ会社、クリエイティブなデザイナーにがむしゃらなエンジニアがたくさんいて、自分のビジョンを推進してくれる会社を——。

じつは、本書はイノベーションの書としても読んでもらえるのではないかと期待している。

イノベーション力を維持できる方法を米国が模索し、クリエイティブなデジタル時代の経済を構築しようと世界中でさまざまな努力がおこなわれているいま、ジョブズは、創意工夫、想像力、持続的イノベーションを象徴する究極の偶像となっている。21世紀という時代に価値を生み出す最良の方法は創造性と技術をつなぐことだとジョブズは理解していた。だから、想像力の飛躍にすばらしいエンジニアリングを結びつける会社を作ったのだ。

ジョブズもアップルの人々も、他人と違う考え方、〝シンク・ディファレント〟ができる。だから、ユーザーを集めて話を聞くフォーカスグループでそれなりに進化した製品を作るのではなく、消費者自身が「欲しい」と気づいてもいなかった、まったく新しい機器やサービスを開発できたのだ。

ジョブズは上司としても人間としてもモデルになるような人物ではない。わかりやすくて皆がまねしたいと思うような人物でもない。悪鬼《あっき》につかれているかのように、周囲の人間を怒らせ、絶望させるのだ。しかし、彼の個性と情熱と製品は全体がひとつのシステムであるかのように絡《から》み合っている——アップルのハードウェアとソフトウェアがそうなっていることが多いように。だからこそ、彼の物語には示唆に富む部分と注意しなければならない部分の両面があり、そしてイノベーション、キャラクター、リーダーシップ、価値についての教訓があふれているのだ。

シェイクスピアの『ヘンリー五世』は、未熟でわがままだったハル王子が、情熱的だが感受性が強く、冷淡だが感傷的、創造性にあふれるも欠点の多い王となった時代の話で、「輝く創造の天空へと昇る炎のミューズよ」という口上ではじまる。ハル王子の場合はまだしもシンプルだった。ひとりの父親が残したものに対処すればよかったからだ。

スティーブ・ジョブズの場合、「輝く創造の天空へと昇る道」は、２組の両親の話と、そしてシリコンを金に換える術《すべ》を発見しつつあった谷で生まれ育つ場面からはじまる。

スティーブ・ジョブズ I

目次

第21章 『トイ・ストーリー』 バズとウッディの救出作戦

スティーブ・ジョブズII　目次

ジョブズの世界

撮影：ダイアナ・ウォーカー　©Diana Walker

写真家のダイアナ・ウォーカーはスティーブ・ジョブズの友人で、ほかの人では撮らせてもらえないであろう写真を30年近くも撮り続けてきた。彼女が撮ったジョブズの写真から一部を選んで紹介する。

1982年、クパチーノの自宅にて。ジョブズは完璧主義すぎて、家具がなかなか選べなかった

実家のキッチンにて。「インドの田舎で7ヵ月を過ごしたおかげで、僕は、西洋世界と合理的思考の親和性も、西洋世界のおかしなところも見えるようになった」

1982年、スタンフォード大学にて。「君たちのなかで、童貞や処女はどのくらいいるのかな？　じゃあ、LSDをやったことがあるのは何人くらいいるの？」

Lisa（リサ）を使うジョブズ。「ピカソも、『優れた芸術家はまねる、偉大な芸術家は盗む』と言っています。我々は、偉大なアイデアをどん欲に盗んできました」

1982年、アップルのオフィスにて。市場調査をするかとたずねられ、「いや、欲しいモノを見せてあげなければ、みんな、それが欲しいかなんてわからないんだ」と否定する

1984年、ジョン・スカリーとセントラルパークにて。「一生、砂糖水を売り続ける気かい？　それとも世界を変えるチャンスに賭けてみるかい？」

1988年、ネクストにて。アップルでのさまざまな束縛から解放され、ジョブズは良くも悪くも心のままに突き進んだ

1997年8月、ジョン・ラセターと。ラセターは、丸い顔とおだやかそうな性格のかげに、ジョブズに匹敵するほどの完璧癖を隠した芸術家である

1997年、アップルに返り咲いたあと、ボストンのマックワールドのスピーチを自宅で準備するジョブズ。「その異常さこそ天賦の才の表れなんだ」

マイクロソフトとの提携を電話でゲイツと詰めるジョブズ。「ビル、この会社に対する君の支援に感謝するよ。おかげで世界は少し良くなるはずだと思う」

ボストンのマックワールドで提携の説明をするゲイツ。「あれは
最低最悪のステージだった。あれでは僕が小さく見えてしまう」

1997年8月、妻のローリーン・パウエルとパロアルトの自宅の庭にて。
ローリーンは、彼の人生にとって賢明な錨となる人物だった

2004年、パロアルトの自宅の仕事部屋にて。「人文科学と技術の交差点で生きるのが好きなんだ」

スティーブ・ジョブズ I

養父ポールとジョブズ

ハイスクール時代のジョブズ

第1章

子ども時代
捨てられて、選ばれる

養子縁組

第二次世界大戦が終わって沿岸警備隊を除隊となるとき、ポール・ジョブズは仲間と賭けをした。最後の航海でサンフランシスコについたとき(乗っていた船もここで退役する)、2週間以内に結婚相手を見つけてみせると宣言したのだ。身長180センチ、タトゥーはあるがこざっぱりした感じのエンジン整備士で、ジェームズ・ディーンにちょっと似ていた。とは言っても、ちゃめっ気にあふれたアルメニア移民の娘、クララ・ハゴピアンがポール・ジョブズとデートしたのは、見た目がよかったからではない。彼女がその日デートする予定だったグループは車がなかったが、ポールたちは車を持っていた――それが理由だった。ともかく、その10日後、1946年3月にポールはクララと婚約し、友だちとの賭けに勝つ。ふたりはそれから40年あまり、死がふたりを分かつまで幸せな結婚生活を送ることになる。

ポール・ラインホルド・ジョブズは、ウィスコンシン州ジャーマンタウンの酪農家に生まれた。父親はアル中で暴力をふるうこともあったが、ポールはやさしく、落ちついた性格の壮健な少年に育つ。高校中退後、機械工として働きながら中西部を転々としたのち、泳げないにもかかわらず、19歳で沿岸警備隊に入隊する。MCメイグスに配属となり、戦争中は、イタリアで戦うパットン将軍のもとに兵員を輸送する任務に就いた。機械工としても機関兵としても有能で褒賞《ほうしょう》をたびたび獲得したがちょっとした問題もときどきあり、上等水兵までしか昇進しなかった。

クララはニュージャージー州の生まれである。両親がトルコ人によるアルメニア人迫害から逃げた先がそこだったのだ。その後、まだ小さいうちに、家族でサンフランシスコのミッション・ディストリクトへ引っ越し、そこで育った。じつは彼女にはあまり知られていない秘密がある。戦争未亡人だったのだ。だから、ポールとはじめてデートしたとき、新しい生活をはじめたいと思っていた。

戦争世代だから当然だが、ふたりとも刺激はもう十分だ、落ちついて子どもを育てながら静かな暮らしをしたいと考えていた。お金がなかったためウィスコンシン州で2～3年、ポールの両親と同居したあと、インディアナ州に転居。ポールは機械工としてインターナショナル・ハーベスター社で働きながら、中古車を買って修理し、それを売るという大好きな仕事をはじめる。そのうち副業が本業となり、退社・独立して、中古車の販売に専念した。

1952年、サンフランシスコが忘れられなかったクララに説得され、ふたりが出会った街に戻る。ゴールデンゲートパークのすぐ南、太平洋を望むサンセット・ディストリクトにアパートを借り、ポールは信販会社の「レポマン」になった。自動車ローンの支払いが滞《とどこお》ったとき、鍵をピッキングして車を差し押さえる仕事だ。その一部を自分で購入し、修理・販売して副収入とした。

こうして暮らし向きはよくなったが、欠けているものがあった。子どもだ。ふたりとも子どもが欲しいと思っていたが、クララが子宮外妊娠を経験したこともあって子宝に恵まれなかったのだ。結婚から9年がたった1955年ごろ、ふたりは養子を迎えることを考えていた。

ポール・ジョブズと同じように、ジョアン・シーブルもウィスコンシン州の田舎の出身である。ドイツ系移民の父親、アーサー・シーブルはグリーンベイ郊外でミンクの飼育のほか、不動産業や写真製版業など、手広く事業を展開していた。とても厳格な父親で娘の交友関係にうるさく、娘がはじめて好きになったアーティストはカトリックでないからと強く反対したほどだ。まして、シリアから来たイスラム教徒のティーチングアシスタント、アブドゥルファター・ジョン・ジャンダーリと付き合うなどもってのほかで、ウィスコンシン大学大学院生だった娘を勘当すると宣言したのも、ある意味、当然だった。

ジャンダーリはシリアの有力者の子どもで、9人兄弟の末っ子である。父親は製油所などさまざまな事業を展開していた。首都ダマスカスと第三の都市ホムスには広大な土地を所有しており、この地域における小麦の値段を決められる立場にあった時期もある。ジャンダーリ家は、シーブル家同様、教育を重視しており、昔から、トルコのイスタンブールやフランスのソルボンヌへ子どもを留学させてきた。アブドゥルファター・ジャンダーリはイスラム教徒だったがイエズス会の寄宿学校にゆき、ベイルート・アメリカン大学を卒業後、米国ウィスコンシン大学政治学科でティーチングアシスタントをしながら学ぶ大学院生となった。

1954年の夏休み、ジョアンはアブドゥルファターとシリアを訪れる。ホムスで2ヵ月をすごし、アブドゥルファターの家族からはシリア料理を習った。ウィスコンシンに戻ったあと、妊娠がわかる。ふたりとも23歳だったが、結婚は難しかった。アブドゥルファターと結婚するなら親子の縁を切ると、死の床にあった父親に言われたからだ。しかも、カトリックの小さな田舎町では中絶も難しい。明けて1955年、いろいろと悩んだ末、ジョアンは親切な医師を頼ってサンフランシスコへ行く。未婚の母を保護し、出産後には養子縁組を秘密裏にアレンジしてくれる医師がいたのだ。

養子縁組をするにあたり、ジョアンは「大卒の家庭」という条件をつけた。当初は弁護士の一家に引き取られることになっていたが、1955年2月24日に男の子が生まれると、女の子がいいと断られてしまう。こうして男の子は弁護士の息子になりそこね、その代わりに、機械に情熱を傾ける高校中退の父・ポールと会計事務の仕事に就くまじめな母・クララの息子、スティーブン・ポール・ジョブズとなることになった。

しかし、大卒の家庭という条件が問題だった。養親が大学どころか高校さえも卒業していないと知ったジョアンは書類へのサインを拒む。数週間たち、赤ん坊がジョブズ家に到着しても問題は解決しなかった。最終的にジョアンは、お金を貯めて子どもを必ず大学にやると養親が約束——宣誓書にサイン——するならばという条件で承諾する。

じつはジョアンには、養子縁組の書類にサインをしたくない理由があった。父親が死んでしまったらジャンダーリと結婚するつもりで、結婚したら、子どもを取り戻せるのではないかとかすかな希望を抱いていたのだ。のちに、家族にそう語っては涙を流していたという。

アーサー・シーブルは1955年8月に亡くなった。養子縁組が正式に決まった数週間後だった。その年のクリスマスのあと、ジョアンとアブドゥルファター・ジャンダーリは、グリーンベイのセントフィリップ・カトリック使徒教会で結婚。翌年にはアブドゥルファターが博士号を取得し、モナという女の子を授かる。その後、ジョアンは1962年にアブドゥルファターと離婚し、夢を抱いて娘とともに各地を転々とする生活に入る。この様子は、のちに、娘、モナ・シンプソンにより、『ここではないどこかへ』という胸を打つ小説に描かれる。ともあれ、スティーブの養子縁組は秘密のうちにおこなわれたため、両者が対面したのは20年もたってからだった。

スティーブ・ジョブズは、自分が養子だと小さいころから知っていた。

「そのことについて、両親はとてもオープンだった」

とスティーブは言う。6歳か7歳のころ、向かいの女の子と芝生の庭で話していたときもそうだった。

「『じゃあ、本当のお父さんやお母さんは、あなたをいらないって思ったの?』と聞かれ、頭に電撃をくらったように感じた。あ〜〜っ！　って感じで。泣きながら家に駆け込んだのを覚えている。そしたら、両親に言われたんだ。『落ちついて、しっかり聞いて』って。ふたりとも真剣な顔で僕をまっすぐ見つめていた。『わたしたちは、あなたを選んだの』。ふたりとも、そう、ゆっくりと繰り返し語ってくれたよ。一語一語、しっかりとね」

捨てられた。選ばれた。特別。このような観念はジョブズの血肉となり、自分自身のとらえ方に大きな影響を与えた。生まれたときに見限られたという思いは、傷となって残っているとジョブズに近い友人は感じている。

「なにかを作るとき、すべてをコントロールしようとするのは彼の個性そのもので、それは『生まれたときに捨てられた』という事実からくるものだと思う。環境をコントロールしたいと考えるし、製品は自分の延長だと感じているようだ」

そう語るのは、長年、いっしょに仕事をしてきたデル・ヨーカムだ。

ジョブズが大学を中退したころからの友人、グレッグ・カルホーンは見方が少し違う。

「スティーブは、『捨てられてつらかった』とよく言っていました。だから、彼は他人に頼らなくなったのです。生まれと異なる世界で育ったから、違う考え方をするようになったのです」

のちにジョブズは、父親が自分を捨てた年齢（23歳）のとき、自分の子どもを捨てる（最終的には親としての責任を受け入れるが）。その子の母親であるクリスアン・ブレナンは、次のように考えている――養子に出された結果、ジョブズの内面は「壊れたガラスがぎっしり」という状態になってしまい、それが彼の行動にさまざまな影響を与えているのだ、と。

「あの人は、捨てられたから捨てる側にまわったのよ」

ブレナンとジョブズ、両方といまも親しく付き合っている人は少ないが、そのひとりが、1980年代初頭、アップルでジョブズといっしょに仕事をしたアンディ・ハーツフェルドである。

「スティーブの不可解な点は、ときどき自分を抑えられず、一部の人に対して反射的にひどいことをしてしまうところです。その原因は、生まれたときに捨てられたからだと思います。根本的な問題は、スティーブの人生において放棄が大きな意味を持っていることなのです」

そんなことはないと、スティーブは否定する。

「僕は捨てられたから、帰ってきてほしいと両親に思ってもらえるように一生懸命働き、成功しようとしたとかなんとかくだらないことを言う人がいるが、そんなことはない。養子だと知っていたから独立心が強くなったという面はあるかもしれない。でも、捨てられたと思ったことはないんだ。いつも、自分は特別な存在だと感じていた。両親が大事にしてくれたからだ」

ポール・ジョブズとクララ・ジョブズを「養」親だと言われたり、「本当の」両親ではないと言われたりすると、スティーブは激怒する。「ふたりは、1000パーセント、僕の両親だ」と。これに対して、血がつながっている両親の扱いはすげない。「僕を生んだ精子銀行と卵子銀行さ――別にひどい表現だとは思わない。事実、そうだったのだから。ただ単に、精子銀行のようなもの、さ」

シリコンバレー

ポール・ジョブズとクララ・ジョブズのもとで経験したのは、いろいろな意味で1950年代アメリカの典型的な子ども時代だった。スティーブが2歳のとき、2歳年下のパティが養女として家族に加わり、その3年後には、郊外の建売住宅に引っ越す。ポールがレポマン（取り立て屋）として働く会社、CITがサンフランシスコ・ベイエリアのパロアルトにオフィスを移転したが、パロアルトは高すぎたので、少し南のマウンテンビューに家を買ったのだ。

ここでスティーブは、父親から機械や車について手ほどきを受ける。「スティーブ、ここがおまえの作業台だよ」と言いながら、父親は、ガレージにあったテーブルの一部に印をつけてくれた。ものに対する父親の姿勢に感銘を受けたとスティーブは言う。

「おやじはデザインの感覚が鋭いと思ったね。なんでも作れたんだ。戸棚が必要ならおやじが作ってくれた。柵《さく》を作ったときは、金づちで手伝わせてくれたなぁ」

50年後のいまも、スティーブの父親が作った柵がマウンテンビューの家を囲んでいる。その柵を私に見せてくれたとき、スティーブは柵をそっとなで、父親に教え込まれたことを思い出していた。戸棚や柵を作るときは、見えない裏側までしっかり作らなければならないと教えられたのだ。

「きちんとするのが大好きな人だった。見えない部品にさえ、ちゃんと気を配っていたんだ」

父親は中古車をレストアして販売する仕事を続けており、お気に入りの車の写真をガレージに飾っていた。そして、車体のカーブや三角窓、クローム部品、シートの状態など、細かなデザインの優れている点を息子に教えた。毎日、会社の仕事から戻るとデニムでできた胸当て付きの作業着に着替えてガレージに向かう。その後ろには、たいてい、小さなスティーブの姿があった。ポールはのちにこう語っている。

「機械工作をすごいと言ってくれたけど、スティーブは手を汚したがらなくてね。機械には、最後まであまり興味が持てなかったみたいだ」

スティーブは、ボンネットをあけて車をいじりたいとは思っていなかった。

「車の修理にはあまり興味がなかったんだ。でも、おやじとはいっしょにいたかった」

養子の意味がわかる年ごろになりつつあったが、父親とは親密になってゆく。8歳のころ、沿岸警備隊時代の父親の写真を見つけたことがある。

「機関室で、シャツを脱いでたんだけど、これがジェームズ・ディーンそっくりでね。おお〜って思ったよ。おお〜、僕のおやじも昔は若くてかっこよかったんだなって」

スティーブがエレクトロニクスに触れたのは、父親の車いじりを通じてだった。

「エレクトロニクスについて詳しくはなかったけど、車なんかの修理でかなりの経験を積んでいてね。基本は教えてもらった。それで、エレクトロニクスにとっても興味を引かれたんだ」

そのころ、とても楽しみにしていたのが部品の買い物で、売り主との交渉が印象的だった。

「週末ごとにジャンクヤードへ行ったよ。発電機とかキャブレターとか、いろんな部品を探しにね。おやじは交渉上手だった。その部品がいくらするものなのか、売り手よりもよく知っていたからね」

スティーブを養子に迎えたときの約束を両親が果たせたのは、この能力のおかげとも言える。

「僕の学費は、そうやっておやじが稼いでくれたんだ。フォードのファルコンとか、走らなくなった車を50ドルで買い、何週間かかけて直して250ドルで売る——国税局には内緒でね」

スティーブの実家（ディアブロ通り286番地）のあたりは、ジョセフ・アイクラーというディベロッパーの建売住宅だった。アイクラー・ホームズは1950年から1974年にかけ、カリフォルニア州のあちこちで宅地開発をおこない、ぜんぶで1万1000戸以上を販売した。シンプルモダンな家をふつうの米国人に、というフランク・ロイド・ライトのビジョンに触発され、アイクラーは、天井から床まで全面ガラスの壁、オープンな間取り、柱や梁《はり》が見えるポストアンドビーム構造、コンクリートの床、ガラス引き戸の多用などを特徴とする安価な住宅を数多く建設した。

実家の周辺を案内してくれたとき、スティーブはこう語った。

「アイクラーはすごい。彼の家はおしゃれで安く、よくできている。こぎれいなデザインとシンプルなセンスを低所得の人々にもたらした。優れた機能があれこれと用意されていたのもいい。床暖房とか、ね。そこにカーペットを敷くと、ほかほかと暖かく、子どもにとって最高の床になるんだ」

子どものころ、アイクラー・ホームズはすごいと思ったからこそ、のちに、くっきりとしたデザインを持つ量販品の提供に情熱を燃やすようになったと、スティーブはアイクラーのクリーンなエレガンスをたたえる。

「すばらしいデザインとシンプルな機能を高価ではない製品で実現できたらいいなと思ってきた。それこそ、アップルがスタートしたときのビジョンだ。それこそ、初代マックで実現しようとしたことだ。それこそ、iPodで実現したことなんだ」

ジョブズ家の向かいには、不動産業で成功した男が住んでいた。

「あまり頭のいい人物じゃなかったけど、かなり儲《もう》けているみたいだった。だから、『あのくらいなら俺にもできる』とおやじは思ったんだ。本気で勉強していたよ。夜間クラスに通い、免許試験に合格して、不動産業をはじめた。ところが市況の底が抜けてしまった」

その結果、スティーブが小学生のころ、1年ほど、お金に困るようになる。母親は科学用計測器メーカーのバリアン・アソシエーツ社で会計事務の仕事をはじめ、借り入れも二番抵当で設定した。「宇宙についてなにかわからないことはありますか?」と授業中に聞かれたとき、4年生だったスティーブが「ウチが突然貧乏になったわけがわかりません」と答えたのはそういう背景があったからだ。

それでも、父親は口先だけうまくなったりこびへつらったりはしなかった。そのほうがセールスマンとしては成功したかもしれないのだが。父親のこの態度をスティーブは誇りに思っている。

「不動産を売るにはおべっかが必要だけど、おやじは得意じゃなかった。そういう人間じゃなかったんだ。そういう人でよかったと思う」

そして、ポール・ジョブズは機械工に戻った。

スティーブの父親は優しく物静かだった。父親似とは言いがたい息子も、その性格は絶賛するようになる。彼は勇敢な男でもあった。

隣には、ウェスティングハウス社のエンジニアが住んでいた。奇抜な服や言動が多いビート世代の独身男だ。僕はときどき、その彼女に遊んでもらっていた。両親とも働いていたから、学校からまっすぐお隣に行き、何時間かをそこで過ごしたんだ。お隣さんはよく飲んでいて、酔うと彼女を殴ることがあった。ある晩、彼女がうちに来たんだ。おびえた彼女を追って隣のエンジニアも来た。酔っぱらってね。でも、おやじが家に入れなかった。彼女はうちにいるが、おまえは家に入れないって言ってね。立ちはだかったんだ。1950年代は牧歌的な時代だったって思われることが多いけど、彼のように身を持ち崩したエンジニアもいたんだ。

この時代は全米各地に新興住宅地があふれていたが、スティーブの実家のあたりが変わっていたのは、その日暮らしをしているような人もエンジニアだった点だ。ちょうど、軍関係の投資があった。

「住みはじめたころは、あんずやプラムの果樹園がそこここにあった。ちょうど、軍関係の投資があってブームがはじまる時期だったんだ」

シリコンバレーの歴史にどっぷりつかって育ったスティーブは、やがて自分もなにかをしたいと思うようになる。ポラロイド社のエドウィン・ランドは、アイゼンハワー大統領に頼まれ、ソ連の脅威を確認するU2戦略偵察機用のカメラを開発したという。撮影したフィルムはキャニスターという容器にいれて落とし、サニーベールのNASA（米国航空宇宙局）エイムズ研究所へと戻された。つまり、スティーブが住んでいたあたりだ。

「コンピュータ端末をはじめて見たのも、おやじに連れられて行ったエイムズ研究所だった。すっごく気に入ったよ」

1950年代、防衛関連のコントラクターがこの地域に次々と拠点をかまえた。エイムズ研究所の隣には、1956年、潜水艦発射弾道ミサイルを作るロッキード社のミサイル航空宇宙部門がおかれ、その4年後、近くにジョブズ家が越してきたころには社員数が2万人に達していた。そこから数百メートルほど離れた場所には、ミサイル装置に使われる真空管やトランスを作る工場をウェスティングハウス社が建設した。

「最先端の軍需企業がせいぞろいしていた。ハイテクで謎めいた雰囲気があってね。あそこでの暮らしがわくわくしたのはそのせいだと思う」

軍需産業だけでなく、その関連で技術系の企業がたくさん集まり、活発に活動していた。

そのはじまりは1938年、デイブ・パッカードと新婚の妻がパロアルトに入居したときまでさかのぼる。納屋にはデイブの友人、ビル・ヒューレットが住みつく。この家にはガレージがあった。のちにシリコンバレーの象徴ともなる便利な設備だ。ふたりはここでさまざまな工夫をし、最初の製品、低周波発振器を作り上げる。ふたりが創業したヒューレット・パッカード（HP）は、1950年代、計測器メーカーとして急速に発展していた。

幸いなことに、ガレージに収まらなくなったアントレプレナーにぴったりの場所も近くにあった。ここを技術革新の発信地とするため、スタンフォード大学のフレデリック・ターマン工学部長が大学の土地に2・8平方キロメートルあまりもの工業団地を作り、学生のアイデアを商業化してくれる企業に提供していたのだ。この工業団地へ最初に入居した企業が、のちにクララ・ジョブズが勤めるバリアン・アソシエーツ社である。「ターマンのこの構想ほど、技術系企業の成長を支援してくれたものはないと言える」とスティーブも絶賛する。スティーブが10歳になったころ、HPは9000人の社員を抱える優良企業で、安定を望むエンジニアのあいだで人気トップとなっていた。

この地域が成長する原動力となったもっとも重要な技術は、もちろん、半導体である。トランジスタ発明者のひとり、ウィリアム・ショックレーがニュージャージー州のベル研究所からマウンテンビューに移り、当時一般的だったゲルマニウムではなく、安価なシリコンを使ったトランジスタを作る会社を1956年に創業したのがはじまりだ。だが、ショックレーはしだいにおかしな言動が目立つようになり、シリコントランジスタのプロジェクトもやめてしまう。

研究をおこなっていたロバート・ノイスやゴードン・ムーアら、8人のエンジニアは独立してフェアチャイルドセミコンダクター社を設立。同社は社員1万2000人という大会社に発展するが、1968年、CEO争いに敗れたノイスが退社し、ゴードン・ムーアらとともにふたたび新会社を設立する。これがインテグレーテッド・エレクトロニクス・コーポレーションを略したインテルである。

インテル3人目の社員がアンドリュー・グローブ。1980年代にメモリーチップからマイクロプロセッサーへと事業を転換し、インテルを大きく成長させた立て役者である。こうして、この地域では、半導体企業が数年のうちに50社以上にも増えることになる。

この業界は指数関数的に成長したが、その背景にはムーアが発見した有名な現象があった。1チップに集積できるトランジスタの個数から集積回路の速度をグラフにしたところ、ほぼ2年ごとに倍増していることがわかったのだ。これが発見されたのは1965年で、この関係はその後も続くのではないかと考えられた。実際、1971年にはインテルが中央処理装置を1チップで作ることに成功し(インテル4004プロセッサー)、この法則が続いていることが実証された。この「ムーアの法則」は今日にいたるまでおおむね成立しており、スティーブ・ジョブズやビル・ゲイツのような若手アントレプレナーは、この法則から先駆的な製品の将来コストを予測してきた。

チップ産業がこの地の代名詞となったきっかけは、エレクトロニック・ニュースという業界誌のコラムニスト、ドン・ホーフラーが1971年1月にはじめた「シリコンバレーUSA」という連載である。サウスサンフランシスコからパロアルトを通り、サンノゼにいたるサンタクララバレーは全長70キロメートルほど。その中心を貫く道はエル・カミーノ・レアル(スペイン語で「王の道」を意味する)と呼ばれ、もともと、カリフォルニアにあった21の宣教教会をつなぐ道だった。それがいまは、この道がつなぐ会社やスタートアップだけで、毎年、米国における投資の3分の1を占めるほど活気にあふれた地域となっている。

「自分が育ったこの場所の歴史に心を打たれてね。だから、自分も参加したいと思ったんだ」

子どもとはそういうものだが、スティーブも、周囲の大人から強い影響を受けた。

「あのあたりには、太陽電池とかバッテリーとかレーダーとか、かっこいい仕事をしている人がたくさんいたんだ。そういうのってすごいなと思い、いろいろ質問しながら僕は大きくなった」

とくに大きな影響を受けたラリー・ラングは、7軒向こうに住んでいた。

「HPのエンジニアって、アマチュア無線が大好きで、コテコテのエレクトロニクスが趣味という彼みたいな人のことを言うんだと思ってた」

ラングが住んでいた家を案内してくれたとき、スティーブはガレージ前のアプローチを指さした。

「いつも、おもしろいものを見せてくれてたんだけど、ある日、彼は、カーボンマイクとバッテリー、スピーカーを持ってきてここに置いたんだ。カーボンマイクになにかしゃべってごらんって言われてそうしたら、スピーカーから大きな音で自分の声が出てきた」

でも、父親にはマイクにはアンプが必要だと言われていた。だから急いで家に帰り、おやじは間違っていると訴えた。

「そんなことはない。アンプが必要だ」

でも……と納得できずにいると、そんなばかな話はないとまで言われる。

「アンプなしでは使えない。なにかからくりがあるんだ」

それでも違うんだと繰り返し、自分で確かめてくれと頼んだ。父はいっしょに来て確認してくれた。

「そうか。これは一本取られたな」

この事件をスティーブは、いまでもはっきり覚えているという。父親はなんでも知っているわけではないとわかった瞬間だからだ。そして、もっと心が乱れることにも気づいてしまう。自分は両親よりも頭がいい――と。それまでスティーブは、父親の知識や能力を単純にすごいと思っていた。

「教育はあまり受けていなかったけど、おやじはとっても頭がいいと思っていた。本はあまり読まないけど、いろいろとできたからね。機械に関する話なら、ほぼなんでもわかったんだ」

カーボンマイクの事件のあと、両親よりも自分のほうが頭がいいらしいと思うようになった。

「あれは重大事件として僕の心に焼きついている。両親より頭がいいとわかったとき、そんなことを考えるなんてと、とても恥ずかしく感じたんだ。あの瞬間は忘れられない」

このような認識に達し、また、自分が養子であったことから、スティーブは、家族においても世界においても自分は異分子だ、ひとり孤立していると、なんとなく感じるようになったらしい。

このすぐあと、気づいたことがもうひとつあった。自分のほうが頭がいいことを両親もわかっていると知ったのだ。ポールとクララはスティーブを愛しており、とても頭がよく、同時に我《が》の強い我が子に自分たちを合わせてゆこうとしていた。彼が必要とするものを与え、特別な人間として扱おうとさまざまな努力をしていた。そのことにスティーブも気づいたのだ。

「両親はふたりとも僕を理解してくれていた。僕がふつうの子じゃないとわかって大きな責任を感じたんだ。新しいものに触れられるようにいろいろと工夫してくれたし、いい学校にいれる努力をしてくれた。僕のニーズを尊重しようとしてくれた」

このようにジョブズは、捨てられたという感覚だけでなく、自分は特別だという感覚も持ちながら成長していった。自分の性格に対し、後者のほうが大きな影響を与えたと本人は感じている。

飛び級して中学へ

文字は小学校に上がる前に母親が教えてくれたが、これには問題もあった。

「低学年のころは退屈で、つい、やっかいごとをいろいろと起こしたんだ」

権威に弱いタイプでないこともすぐにあきらかとなる。生まれと育ち、両方の影響だろう。

「それまでとは比べものにならないほど多くの権威に直面した。嫌だったねぇ。あやうくつぶされるところだったよ。好奇心の芽をぜんぶ摘《つ》まれて、ね」

入学したのは、自宅から4ブロックのところにあるモンタ・ロマ小学校。1950年代らしい低層建築の学校だった。ジョブズは、いたずらで退屈をまぎらわせた。

「リック・フェレンティーノっていう友だちがいてね、ふたりでいろいろとやらかしたよ。『学校にペットを連れてこよう』っていうポスターなんかも作った。すごかったよ。あっちでもこっちでも犬が猫を追いかけていて、先生たちはおおわらわさ」

自転車の鍵の番号を友だちから聞き出したこともある。

「そっと抜け出して鍵の番号を変え、みんなが自転車に乗れないようにした。みんな、夜中までかかって解錠していたよ」

3年生になると危ないいたずらもするようになった。

「担任はサーマン先生っていう女の先生だったんだけど、先生の椅子の下に爆薬をしかけたことがあってね。先生は引きつけを起こしちゃったよ」

当然だが、3年が終わるまでにジョブズは2～3回、家に帰されたことがある。しかし、父親はそのころすでにジョブズを特別な子どもだと考えており、学校にも同じように考えることを求めた。

「この子が悪いわけではないでしょう。授業をおもしろいと思えないのは、先生方の問題です」

学校で悪さをしたからと家で怒られた記憶はないとジョブズは言う。

「祖父はアル中で、ベルトで父をなぐったりしたらしいけど、僕は殴られた記憶がない」

「興味を持つようにしむけず、しょうもないことを覚えさせようとする学校が悪い」と両親はふたりとも理解してくれていた。ジョブズは感受性と無神経、短気と超然性が渾然《こんぜん》一体となっていることで有名だが、その一端がこのころすでに現れていたのだろう。

４年生になるとき、学校側はジョブズとフェレンティーノを別々のクラスに分けた。ジョブズが入った上級クラスは、みんなに「テディ」と呼ばれるイモジーン・ヒルが担任だった。活発な女性で、ジョブズにとって「僕の救い主のひとり」となる。しばらく様子をみて、スティーブにはにんじんをぶら下げるのが一番だと彼女は考えた。

「ある日、算数の学習帳を渡され、家でやってきてほしいと言われたんだ。『この先生、アホか？』と思ったよ。ところがでっかいぺろぺろキャンデーが出てきた。こんなでかいのあったんだと思うほどのヤツだ。そして、できがよかったら、これと5ドル、あげるわよと言われた。２日で提出したよ」

数ヵ月もするとにんじんはいらなくなる。

「勉強がおもしろくなったし、先生を喜ばせたいと思うようになったからね」

担任は、ご褒美《ほうび》として、レンズを磨いてカメラを作るキットなどをくれた。

「あの先生ほど多くを教えてくれた人はいなかった。彼女と出会わなかったら、僕は刑務所行きになっていたと思う」

このときの体験から、ジョブズは、自分は特別だという思いをいっそう強くした。

「担任が気にかけていたのは、クラスで僕ひとりだった。僕にはなにかがあると感じたんだ」

彼女が目の当たりにしたのは、知力だけではなかった。彼女のお気に入りの1枚で人にもよく見せる写真が、ハワイ・デイのクラス写真だ。この日、ジョブズは、皆で約束したアロハを着てこなかった。なのに、最前列のど真ん中にはアロハを着たジョブズが写っている。後ろのほうの子どもと交渉し、そのシャツを拝借したのだ。

4年生が終わるころ、ヒル先生がジョブズに知能検査を受けさせたところ、高校2年生レベルの成績だった。この結果、ジョブズの知能が並はずれていると学校側も認め、4年生が終わったら7年生へと2年飛び級したらどうかと驚くような提案をしてきた。そうすれば、ジョブズも授業に興味を持てるだろうというわけだ。両親は、無理があってもよくないと1年だけ飛び級させることにする。

飛び級はつらい経験となった。ひとつ年上の子どもたちのなかに放り込まれ、孤立した。しかも6年生からは中学という学制で、学校もかわった。クリッテンデン中学はモンタ・ロマ小学校から8ブロックしか離れていなかったが、移民が多い地域でまるで別世界だった。「毎日のようにけんかがあったし、トイレで恐喝も珍しくなかった。力の象徴としてナイフを持ってきている子どもも多かった」とシリコンバレーのジャーナリスト、マイケル・S・マローンも書いている。ジョブズが入学したころにも、強姦罪で刑務所に送られたグループがあったり、レスリングの試合で負けた隣の学校のバスをたたき壊す事件があったりした。

ジョブズはいじめられることが多く、7年生の半ば、両親に最後通告をつきつける。

「もっといい学校に行かせてくれって頼んだ」

そのためにはお金がかかるが、そのころジョブズ家はかつかつの生活をしていた。しかし、ジョブズの要求をけるという選択肢はなかった。

「難しいって言われたけど、だったらもう学校には行かないって宣言したんだ。そうしたら、どこがいいかいろいろと調べ、2万1000ドルもお金をかき集めて、もっといい地域に家を買ってくれたよ」

引っ越し先は5キロほど南のサウスロスアルトス。あんず農園だったところを開発した地域で、よく似た建売住宅が並んでいた。クリストドライブ2066番地の新しい家はベッドルームが3つある平屋で、最重要設備のガレージもあった。ポール・ジョブズの車いじりと息子のエレクトロニクス工作の作業場となるガレージには、道路側にシャッターがついていた。この家を選んだ大きな理由は、安全で優れていると評判が高いクパチーノ・サニーベール校区にぎりぎり引っかかっていたことだ。

実家の前でジョブズはこう語る。

「僕が越してきたとき、その角はまだ果樹園だった。そこに住んでた人には、有機栽培やコンポストのやり方を教えてもらったなぁ。なんでも上手に育てる人でね。あのころが一番いいものを食べていたかもしれない。そうそう、有機栽培の果物や野菜がいいと思うようになったのも、あのころだった」

両親は信心深いほうではなかったが信仰の大切さを子どもに教えたいと考えており、日曜日には子どもをルーテル教会に連れて行くことが多かった。しかしジョブズが13歳のとき、その習慣は終わる。きっかけは定期購読していたライフ誌の1968年7月号だ。その表紙には、がりがりにやせたビアフラの子どもが写っていた。ジョブズはこの雑誌を日曜学校へ持ってゆき、牧師にこうたずねた。

「指を動かそうとしたら、どの指を動かそうとしているのか、神さまはおわかりになるのですよね？」

「そうですよ。神さまはなんでもご存じですから」

ジョブズはライフ誌を取り出す。

「では、神さまはこれについてもご存じで、この子たちがどうなるのかもおわかりなのですか？」

「スティーブ、君にはまだわからないと思うけれど……でも、そうです。神さまはなんでもご存じなのです」

そんな神さまなど信じる気になれないと、ジョブズは教会に通うのをやめた。しかし、禅宗については若いころから長年にわたって学び、実践しようと努力をする。一般的な教義より精神的体験を重視すべきだというのが、ジョブズの宗教観なのだ。私には、こう語ってくれた。

「キリストのように生きるとかキリストのように世界を見るとかではなく、信仰心ばかりを重視するようになると大事なことが失われてしまう。いろいろな宗教というのは、同じ家に付けられた異なるドアのようなものだと僕は思うんだ。不思議なのは、その家がそこにあると思うときと思えないときがあることだ」

そのころ父親はサンタクララのスペクトラ・フィジックス社で働いていた。エレクトロニクス機器や医療機器に使うレーザーを作る会社だ。そこで熟練機械工として、開発段階のプロトタイプを作る仕事をはじめたのだ。スティーブは、高いレベルの仕上がりが求められるその仕事をすごいと思った。

「レーザーには正確な位置関係が求められる。航空機用や医療用など精巧な製品は、必要な特性がこまかく決まっていてね。『こういうものが欲しい』それを、膨張率がどこも等しくなるようにひとかたまりの金属から作ってもらいたい』などと頼まれ、実際にどう作るかはおやじが自分が考えなければならなかったんだ」

部品もほとんどすべて、一から作る必要があった。つまり、加工に使う工具や金型から自分で作る必要があった。スティーブはすごいと思いつつも、機械工場にはあまり足を踏み入れなかった。

「フライス盤や旋盤《せんばん》の使い方をおやじに習えたらおもしろかっただろうと思うよ。でも、僕はめったに行かなかった。エレクトロニクスに夢中だったからだ」

ある年の夏、スティーブは父親に連れられ、ウィスコンシンにある祖父の酪農場を訪れた。田舎暮らしがいいとは思えなかったが、印象に強く刻み込まれた光景があった。生まれたばかりの子牛が立ち上がり、歩こうとする姿を見たのだ。

「歩くのを学んだんじゃない。もともと子牛に組み込まれているんだ。あんなこと、人間の赤ん坊にはできない。まわりはみんな当然だと思ってたみたいだけど、僕はすごいと思った」

ジョブズはこれをハードウェアとソフトウェアの関係になぞらえる。

「学ばなくてもなにをどうすればいいのかわかるように、体や頭に組み込まれた状態で生まれてくると言ってもいいだろう」

アルバイトとマリファナ

中学を卒業したジョブズはホームステッド・ハイスクールに進学する。生徒数は約２０００人。不規則に広がった２階建ての校舎はブロック造りでピンク色に塗られていた。ジョブズが語る。

「あの学校は刑務所の設計で有名な建築家が設計したもので、壊れにくい造りになっていたんだ」

家から学校まで15ブロックあったが、歩くのが好きだったジョブズは歩いて登校した。

同い年の友だちはほとんどおらず、１９６０年代末のカウンターカルチャーにどっぷりはまった年上の友だちが多かった。ちょうどギークの世界とヒッピーの世界が重なろうとしていた時代だ。

「友だちはみんな頭がよくてね。僕は数学とか科学とかエレクトロニクスとかに興味があった。友だちもそうだった。あと、ＬＳＤとかカウンターカルチャー系のトリップにもね」

そのころ、いたずらはエレクトロニクス系が多くなっていた。家中にスピーカーを設置したこともある。スピーカーはマイクとしても機能するので、自室のクローゼットを制御室として、別室の音が聞けるようにした。ある晩、ヘッドホンをつけて両親の寝室の様子をうかがっていたとき父親に見つかり、大目玉をくらってばらさざるをえなくなったが。近くに住むエンジニア、ラリー・ラングのところにもよく通った。夢中になったカーボンマイクももらったし、ヒースキットも教えてもらった。ヒースキットとは、アマチュア無線などの電子機器を自分ではんだ付けして作るキットで、そのころ大人気だった。

「ヒースキットには基板もそろっていたし、部品もみんなカラーコードがついていた。それに、動作原理が説明されたマニュアルも用意されていた。あれを作ると、どんなモノでも作れるし理解できるってわかるんだ。ラジオをいくつか作ってみれば、カタログのテレビを見たとき、作ったことはないけどやろうと思えば作れるぞって思える。僕はとても幸運だったと思う。だって、おやじとヒースキットのおかげで、なんでも作れると信じて育ったんだから」

ラングの紹介でHP社の「探求クラブ」にも参加した。火曜日の夜、会社の食堂に15人ほどの生徒を集めて開催される会だ。

「毎週、どこかの研究室からエンジニアがひとり来て、どういう仕事をしているのか、話をしてくれるんだ。会場までは車でおやじに送ってもらった。天国にいるような気分だったよ。HPは発光ダイオード（LED）の開発もしていたから、LEDでなにができるのかという話もあった」

父親がレーザー会社で仕事をしていたこともあり、LEDには強い興味を持っていた。HP社のレーザーエンジニアが返答に困るほどするどい質問をして、ホログラフィーの研究室を特別に見せてもらったこともある。でも、一番印象に残っているのは開発中の小型コンピュータだった。

「デスクトップコンピュータというものを、あそこではじめて見たんだ。9100Aというすごい電卓という感じだったけど、あれこそが最初のデスクトップコンピュータだったんだ。20キロ近くもあるような大きくて重いものだったけど、美しくてね。ひとめで気に入ったよ」

探求クラブでは自分でものを作ることが推奨されており、ジョブズは周波数カウンターを作ることにした。電気信号の波が1秒間にいくつあるのかをはかる測定器だ。ＨＰ社製の部品が必要だからと、ジョブズは大胆にもＣＥＯに電話をかける。

「あのころ、電話番号はぜんぶ電話帳に載っていた。だからパロアルトのビル・ヒューレットを探して自宅に電話をしたんだ。本人が出て20分くらい話をしたよ。で、部品ももらったけど、周波数カウンターの工場でバイトをさせてもらうことにもなった」

こうしてジョブズは、ホームステッド・ハイスクールの1年生が終わった夏休み、父親に送り迎えをしてもらいながらＨＰの工場で働いた。

仕事は、組み立てラインで「ビスやナットを取り付ける」作業がほとんどだった。ＣＥＯへ電話をして仕事に就くなど厚かましい子どもだと腹を立てる人もいた。

「あるスーパーバイザーに『おもしろい、とってもおもしろい』って言って、あなたが一番したいことはなんですかって聞いたことがある。答えは『ファックにファックさ』だった」

ひとつ上の階で仕事をしていたエンジニアとは友だちになった。

「毎朝10時にドーナツとコーヒーが出るんだ。毎日、ごちそうになっていろいろと話をしたよ」

ジョブズは仕事をするのが好きだった。新聞配達をしたこともある――雨の日は父親が車で送ってくれた。２年生の週末と夏休みは、洞穴のようなエレクトロニクスショップ、ハルテクで倉庫係をした。父親が連れて行ってくれたジャンクヤードは車の部品を扱っていたが、ハルテクはそのエレクトロニクス版で、新品から中古品、回収品、余剰品までさまざまな部品がごちゃごちゃと棚に積まれたり、仕分けもないままビンにいれられたり、屋外に山と積まれたりしていた。１ブロックがすべてその状態なのだ。

「湾に近い店の裏側には柵で囲った場所があって、そこには、ポラリス潜水艦からはずしてきたものまで売られていた。部品を取って使うんだ。制御装置とかボタンとかだ。軍用だからみんなグリーンかグレーなんだけど、アンバー（琥珀色）やレッドのスイッチカバーやバルブカバーもあった。古めかしいおっきなレバースイッチもあってね、こいつをカチャッと切り替えるのがいい感じなんだ。シカゴをドカンとやったぜって気分でさ」

店の表には木製のカウンターがあり、分厚いカタログが入ったぼろぼろのバインダーがたくさん置いてあった。客は、そこでスイッチや抵抗、コンデンサー、場合によっては最新のメモリーチップなどの値段交渉をして買ってゆく。ジョブズの父親がやっていたように。彼は部品の価値を店員よりもよく知っていたから交渉が上手だった。ジョブズは父のあとを追う。電子部品の知識を身につけ、お得意の交渉と組み合わせただけでなく、サンノゼスワップミートなど電子部品の不要品交換市に出かけては価値の高いチップや部品が載っている中古回路基板を安く買いたたき、それをハルテクのマネジャーに売って利益をあげるようなこともした。

ジョブズは15歳のとき、自分の車を手に入れた。ツートンのナッシュメトロポリタンで、エンジンは英国のスポーツカー、MGのものに父親が交換してくれた。気に入らない車だったが、そう父親に言うのははばかられたし、それで自分の車が持てなくなるのも嫌で黙っていた。

「いま思いかえすと、ナッシュメトロポリタンはすごくかっこよかったと思う。でもあのころは、こんなダサい車はないと思った。それでも車は車だからね。持ててうれしかったよ」

それから1年もたたずに、ジョブズは、アバルトのエンジンを積んだ真っ赤なフィアット850クーペに買い換える。いろいろな仕事をして、それだけのお金が貯まったのだ。

「あの車を買うときもおやじがいろいろとチェックしてくれた。お金を稼ぎ、それを貯めてなにかを買うっていうのはすばらしいと思ったよ」

ホームステッド・ハイスクールの２年生から３年生になる夏休みに、ジョブズはマリファナをはじめる。

「はじめてラリったのはあの夏、15のときで、それからよく使うようになった」

マリファナをフィアットの車内に置きわすれ、父親に見つけられたこともある。

「なんだ、これは？」

ジョブズはあわてない。

「マリファナだよ」

珍しいことだが、父親は烈火のごとく怒った。

「おやじと本気でけんかになったのはあのときくらいかもしれない」

しかしこのときもジョブズは折れなかった。

「二度と使わないと約束しろって言われたけど、僕は約束しなかった」

それどころか、最終学年の４年生になるころにはＬＳＤやハシシを試したり、断眠による幻覚を試したりもした。

「ラリる回数が少し増えた。ＬＳＤも、原っぱや車内とかで何度か試してみた」

ジョブズはハイスクールの後半２年間で知的に大きく成長し、自分はエレクトロニクスが大好きなギークであると同時に、文学やクリエイティブなことが好きな人間らしいと思うようになった。

「音楽をよく聞くようになったし、シェイクスピアやプラトンなど、科学やテクノロジー以外の本もよく読むようになった。当時は『リア王』が大好きだった」

このほか、メルビルの『白鯨』やディラン・トマスの詩もお気に入りだった。リア王もエイハブ船長も、文学作品の登場人物としてはトップクラスの、意固地でまわりが見えずに突っ走るタイプだ。だから気に入ったのかと本人にたずねてみたが、残念ながら回答はもらえなかった。

「4年のとき、大学の単位がもらえるAP英語クラスを取ったのだけど、これがすごかった。アーネスト・ヘミングウェイそっくりの先生でね。ヨセミテ国立公園のスノーシューに連れて行ってくれたんだ」

ジョブズが取った授業で、のちにシリコンバレーの伝説となったものがある。ジョン・マッカラムによるエレクトロニクスの授業だ。マッカラムは元海軍パイロットで、テスラコイルによる放電を実演してみせるなど、上手に子どもたちの興味を引く先生だった。校内の小さな倉庫にはトランジスタなどの部品が山のように蓄えられており、先生のお気に入りになるとそこの鍵を渡してもらえた。『チップス先生さようなら』のようにすごい先生で、電子回路理論の説明から、抵抗やコンデンサーの直列接続・並列接続などの応用までをたくみに説明し、その知識を活用してアンプやラジオなどを作れるようにしてくれるのだ。

マッカラム先生の授業はキャンパスのはずれ、駐車場のすぐ隣にある大きなガレージのような建物でおこなわれた。

「ここだ」とジョブズが窓からなかをのぞき込む。

「隣は自動車修理のクラスだった」

自動車とエレクトロニクスの授業が並んでおこなわれていたのは、父親の世代から興味の対象が変化しつつあったことを示している。

「これからは自動車修理からエレクトロニクスの時代になる、とマッカラム先生は思っていたんだ」

ただ、マッカラムは軍隊的な規律を信じ、権威を尊重する人物だった。ジョブズは違う。そのころには権威に対する反感を隠そうともしなくなっており、一風変わった激しい言動と超然とした反体制的なふるまいが増えていた。

「いつも隅っこでなにかしていて、他の生徒や私となにかをしようという気はなかったようです」

と当のマッカラムは言う。だから、ジョブズがその倉庫の鍵をもらうことはなかった。

そんなある日、ジョブズはちょっと特殊な部品が必要となったので、デトロイトのバローズ社までコレクトコールをかけ、新製品の設計中で御社の部品も試験したいと部品の提供を頼む。部品は、数日後、航空便で届いた。マッカラム先生にどうやって手に入れたのかと聞かれたジョブズは、コレクトコールや作り話を自慢げに話した。

「怒りましたよ。生徒がしていいことじゃありませんからね」

それでもジョブズは「僕には電話するお金さえない。向こうは金持ちなんだ」と譲らなかった。

マッカラム先生の授業は3年間のコースだったが、ジョブズは1年しか受講しなかった。その授業でジョブズは、光があたると他の回路のスイッチが入る、光電セルを使った装置など、理系の高校生なら誰でも作れそうなものしか作らなかった。

しかし授業以外では、友だち数人と協力してミュージックライトを作っている。父親から学んだレーザーを応用し、スピーカーの上に置いた鏡でレーザーを反射させ、パーティーの雰囲気を盛り上げるための装置を作ったのだった。

第2章 おかしなふたり ふたりのスティーブ

もうひとりの天才・ウォズ

マッカラム先生の授業を取っていたとき、ジョブズはひとりの卒業生と知り合った。当時から「天才だ」と伝説になっており、また、マッカラム先生にとっても歴代トップのお気に入りだった少年――スティーブ・ウォズニアックである。5歳年上で、彼の弟がジョブズと同じ水泳チームにおり、エレクトロニクスについてはジョブズなど足元にもおよばないほど詳しかった。しかしその内面は、感情的にも社会的にもハイスクールギークらしさを失っていなかった。

ジョブズと同じようにウォズニアックも父親から多くを学んで育った。ただ、内容は大きく異なっていた。ポール・ジョブズは高校を中退し、自動車の修理を通じて、上手に部品を手配しながら利益を得る方法を身につけた。一方、フランシス・ウォズニアック（皆、ジェリーと呼んでいた）はカリフォルニア工科大学時代、フットボールのクォーターバックとしても活躍した優れたエンジニアで、最高の仕事はエンジニアリングであり、ビジネスやマーケティング、営業などの仕事は下だと考えていた。大学卒業後は、ロッキード社のミサイル誘導システムを開発する部門でロケットの研究をしていた。

「エンジニアリングは世界でもっとも重要なことだっておやじは言っていた。社会を一歩、前に進められるものなんだって」とスティーブ・ウォズニアックは言う。

まだ小さかったころ、ウォズニアックは週末に父親の仕事場へ行き、いろいろな電子部品を「机の上に出してもらい、それで遊んだ」そうだ。隣で父親はスクリーンに表示される波形をフラットな形に安定させ、自分が設計した回路が正しく動作していることを息子に示そうとしていた。それを見て、ウォズニアックはすごいなぁと思った。

「おやじがしていることはそれがなんであれ、とっても大事ですごいことだってわかったんだ」

家のなかにはあちこちに抵抗やトランジスタなどがころがっており、それについてウォズ（小さいころからこう呼ばれていた）が質問することも多かった。そういうとき、父親は黒板を持ち出して説明してくれるのだ。

「抵抗とはなんであるか、原子や電子までさかのぼって説明してくれるんだ。小学校2年生のぼくにもわかるように、数式を使わず、イメージがつかめるように抵抗の説明をしてくれた」

子どもっぽく、人付き合いが苦手なウォズは、父親からもうひとつ、大事なことを教えられた。うそをつくな、だ。

「おやじは正直であることをとっても大事にしていた。くそまじめといえるほど。そして、正直であることが一番大事だと教えてくれた。だから、ぼくはうそをつかない。ついたことがない」（すごいいたずらをするのに必要な場合だけは半ば例外だといえる）

さらにもうひとつ、大望をきらう姿勢も父親に教えられた。これが、ウォズがジョブズと大きく異なる点だ。ふたりの出会いから40年後の２０１０年、アップルの新製品発表イベントで本人がこう語っている。

「父からは、中庸《ちゅうよう》が一番だと教えられた。ぼくはスティーブと違い、上にのぼりたいと思わないんだ。おやじはエンジニアだったし、ぼくもそうなりたいと思った。ぼくは恥ずかしがり屋だから、スティーブのように会社のトップになるなんてできないよ」

ウォズは小学校の4年ですでに「電気少年」となっていた。女の子と目を合わせるよりトランジスタと目を合わせるほうがいいというタイプで、いつも背中を丸めて回路基板をいじるずんぐりした少年だ。ジョブズがカーボンマイクを不思議に思ったのと同じ年齢で、ウォズはトランジスタを使いこなしていた。アンプ、リレー、ライト、ブザーからなるインターホンシステムを構築し、近所の仲良し6人の家をつないだのだ。ジョブズがヒースキットを作った歳に、ウォズは、高度な無線機として有名なハリクラフターズの送信機と受信機を作り、父親とともにアマチュア無線の免許を取るなどしていた。

家では、父親が取っていた電子工学の専門誌を読みふけり、パワフルなＥＮＩＡＣ《エニアック》など、新しく登場してきたコンピュータに心を奪われていた。コンピュータ処理の基礎となるブール代数はわかりにくいとよく言われるが、ウォズは、シンプルでわかりやすい、ごく自然な計算方法だと感動した。8年生（日本の中学2年生）のときには、トランジスタ１００個、ダイオード２００個、抵抗２００個を10枚の回路基板にまとめ、2進法で計算する電卓を作ってしまった。この作品は、空軍が主催する地域のサイエンス・フェアで最優秀賞となった。高校3年生までが対象のコンテストだったのに、である。

年ごろとなり、友だちが女の子とのデートやパーティーに熱中するようになると、ウォズはひとりで過ごすことが増えていく。デートやパーティーはウォズにとって回路設計よりもずっと難しく、友だちと同じようにはできなかったのだ。

「それまでは人気者でいっしょに自転車を乗りまわしたりいろいろしてたのに、急に人気がなくなって仲間はずれにされたんだ。ずっとシカトされてたような気がする」

そのはけ口となったのがいたずらだった。たとえば高校3年のとき電子メトロノームを作ったのだが、音楽の練習に使うカチ、カチという音が爆弾に似ていることにふと気づく。それではと大きな電池のラベルをはがしてガムテープでまとめ、学校のロッカーに仕込んだ。ロッカーを開けるとスピードが速くなる仕掛けも用意した。その日の午後、呼び出しを受け、数学コンテストに入賞した話かなと思いながら校長室に行くと……なぜか警官がいる。装置が発見されたとき、呼ばれたブリルド校長が勇敢にもそれをしっかりと抱え、フットボール場の真ん中まで走って配線を引きちぎったというのだ。笑いをこらえようとしたが、こらえきれるはずもなかった。

結局、その日は一晩、少年院に入れられることになる。だが、ウォズは少年院さえも楽しんだ。天井についている扇風機から配線をはずして鉄格子につなぎ、触れると感電する方法を同房の囚人に教えたのだ。

ウォズにとって感電は勲章だった。ハードウェアエンジニアであることに誇りを持っており、ハードウェアをいじっていれば感電は日常茶飯事だからだ。ウォズが作ったルーレットゲームは、4人が親指をあてておくと誰かひとりが感電するというもの。

「ハードウェア屋はこのゲームが好きだけど、ソフトウェアの連中はやりたがらないんだよねぇ」

高校最後の年、ウォズはシルバニアという会社でアルバイトとして働き、コンピュータに触れるチャンスをはじめて得た。プログラミング言語のFORTRAN《フォートラン》を本で独習したほか、ディジタル・イクイップメントのPDP－8など、当時販売されていたさまざまなシステムのマニュアルも読みあさる。最新のマイクロチップの仕様も勉強し、新しい部品でコンピュータを設計し直すことを試みた。目標は、なるべく少ない部品で同じ機能を実現すること。

「ぼくはただひとり、部屋にこもって設計を繰り返した」

毎晩、前の晩に書いた回路図を改良しようと頭をひねったのだ。こうして、高校卒業までにコンピュータ設計をマスターしてしまった。

「本物のコンピュータの半分のチップしか使わずに同じものを設計できるようになっていたんだ。もちろん、紙の上で、だけどね」

友だちにはこの趣味を隠していた。17歳の少年が興味を持つようなことではなかったからだ。

感謝祭の週末、ウォズはコロラド大学の見学に出かけた。祭日で大学自体は休みだったが、工学部の学生をつかまえて研究室を案内してもらう。帰宅したウォズは、ここに進学させてくれと父親に頼み込んだ。だが、州外から進学すると授業料が高く、簡単に払える額ではない。妥協案として、1年間はコロラド大学、そのあとは実家近くのデアンザ・コミュニティーカレッジに行くことになった。

ウォズとしては不満だったが、結局、この約束を守らざるをえなくなる。ウォズは1969年秋にコロラド大学へ入学したが、いたずらばかりしていたため（プリントアウトすると「ニクソンのどあほう」と続けて印字されるようにしたり）、単位をいくつか落として仮及第という形になったのだ。それだけでなく、フィボナッチ数列の計算をするプログラムを作ったところ、コンピュータの計算時間をものすごく消費してしまい、すさまじい金額を自己負担にするぞと学校から脅されることもあった。この話が両親にばれるよりはましと、ウォズは2年進級を前に、デアンザに転校する。

デアンザに1年通ったあと、ウォズは休学し、働いてお金を貯めることにした。見つけた職場は、自動車会社向けのコンピュータを作っている会社だが、そこですばらしい提案をもらう。紙の上で設計していたコンピュータを作ってみたいなら、予備の部品をくれるというのだ。

このときも、ウォズはできるかぎり少ないチップで作ろうとした。そのほうがやりがいがあるし、会社の人にあまり迷惑をかけてもいけないと思ったからだ。

作業は、近所の友だちでホームステッド・ハイスクールに通うビル・フェルナンデスの家のガレージでおこなった。作業をしながら飲んでいたのがクレイモントのクリームソーダ。セーフウェイ・スーパーまで自転車で行っては空き瓶を返し、そのお金でまたクリームソーダを買う。

「だからぼくらは、このコンピュータをクリームソーダ・コンピュータと呼ぶようになった」とウォズは言う。

できあがったものは、一連のスイッチで数字をセットするとそれを掛けあわせ、小さなライトのオン・オフによる2進法で結果を示す電卓のようなマシンだった。

マシンが完成したとき、ウォズは、「会わせたいヤツがホームステッド・ハイスクールにいる」とフェルナンデスから言われる。

「スティーブっていうんだけど。君と同じように彼もいたずら好きだし、エレクトロニクス関係でいろいろと作るのも好きなんだ」

ふたりの出会いはシリコンバレーのガレージにおける有数のイベントであり、その32年前、ヒューレットがパッカードを訪れて以来、最大の意味を持つものとなった。

「スティーブとふたり、ビルの家の前で歩道に座り込み、それまでのいたずらの数々や、どんなエレクトロニクス機器を設計したかなど、えんえんと話し合った。いやぁ、似てるなぁって思ったよ。自分の設計を説明しようとすると苦労することが多いんだけど、スティーブはすぐにわかってくれたし。彼を気に入っちゃってね。あのころの彼はやせぎすだったけど、エネルギーの塊《かたまり》って感じだっ

「サンノゼからバークレーまであちこちをまわってディランの海賊盤テープを探し、集めて歩いたんだ。ディランの歌詞が載っている冊子も買い、夜遅くまでその意味を考えたりした。ディランの言葉は、クリエイティブな心に響くんだ」

ふたりは、いっしょにディランのテープ収集をするようになったとウォズは証言する。

「サンタクルーズのステファン・ピッカリングという男がディランのニューズレターを出していて、僕らはそこから情報を得ていた。ディランはコンサートの様子を必ず録音していたのだけれど、海賊盤とか、どうせすぐにいろいろなテープが出まわるからと細かいことを気にしない人がディランのまわりにいたんだ。このピッカリングというのは、そういうのをぜんぶ持っていた」

ジョブズがボブ・ディランに興味を持つようになったのもウォズのおかげだった。

「あのころは、音楽にとってもすごい時期だった。まじめな話、ベートーベンやモーツァルトが生きた時代のようなものだ。あの時代はそうふり返られるようになると思う。そして、ウォズも僕もそこにどっぷりひたっていた」

ふたりはコンピュータに対する興味のほか、音楽に対する情熱も共通していた。

「彼のことはすぐに好きになった。僕は少し大人びていたし、彼は少し子どもっぽかった。だからちょうどよかったんだ。ウォズはとても頭がよかったけど、精神的に僕らは同い年みたいなものだった」

自分の専門知識を伸ばしてくれる人物だと思ったのだ。

「自分よりもエレクトロニクスに詳しい人間は、ウォズがはじめてだった」

ジョブズも心に響くものがあった。

た」

たくさんのテープを集めたとジョブズも言う。

「集めたテープは100時間を超えていた。65年と66年ツアーのコンサートは、ぜんぶそろっていたはずだ」

ちょうど、ディランがエレキに転換したころだ。ウォズもジョブズもオープンリールのTEAC《ティアック》製高級テープデッキを購入。ウォズニアックは1本のテープにたくさんのコンサートをまとめられるよう、テープの速度を遅くして使っていた。一方、凝《こ》ることではジョブズも負けていない。

「大型のスピーカーはやめ、すごくいいヘッドホンを買ったんだ。そして自室のベッドに横になり、何時間も音楽を聴いていた」

ジョブズは、音楽と光のショーを楽しむクラブをホームステッド・ハイスクールに作った。いたずらもクラブの目的だった（金色に塗った便座をプランターに貼り付けたりした）。呼び名は、校長の名前をもじってバック・フライ・クラブ。卒業する4年生にさよならのあいさつをしようと3年生のジョブズが考えたときは、すでに卒業していたウォズとその友だち、アレン・ボームも協力した。

その40年後、ホームステッドのキャンパスでジョブズはとある場所を指さした。

「あそこにバルコニーがあるだろ？　あそこから垂れ幕を下げるいたずらをいっしょにして、僕らの友情を確かなものにしたんだ」

ボームの家の庭で、絞り染めで大きなシーツをスクールカラーの緑と白に染め、そこに、中指を立てた手の絵を描く。ボームの母親も手伝ってくれ、どんなふうに影をつければ本物の手のように見えるかを教えてくれた。「それ、知ってるわよ」と笑いながら。バルコニーの脇を卒業生が通るとき、垂れ幕がさっと広がるように、ロープと滑車《プーリー》による仕組みも用意した。「SWAB　JOB」というサインもいれた。ウォズニアックとボームのイニシャルにジョブズの名前を組み合わせたサインだ。

このいたずらはホームステッドの伝説となるが、ジョブズはまたも停学をくらうことになる。

ウォズが作った小さな装置のいたずらもクールだった。テレビ信号を発信する装置で、寮の談話室など、皆がテレビを見ているところで作動させると画面が乱れるのだ。誰かが立ち上がり、テレビをたたくとスイッチをはなす。こうして、皆を立ったり座ったりさせられるようになると、ハードルをすこし上げる。誰かがアンテナに触るまで、画面を乱れたままにするのだ。最後は、片足で立ってアンテナを支えなければならないと思わせたり、片手でテレビの上に触りながら、もう片方の手でアンテナを支えないとだめだと思わせたりした。

それから30年以上もあと、基調講演で動画がうまく表示されなかったとき、ジョブズはこのときの話を紹介した。

「こいつをポケットに入れ、ふたりでバークレーの寮の談話室に行ったと思ってくれ。そこでみんなが『スター・トレック』とか見てるわけだ。そのテレビをウォズが妨害する。そうしたら調整で直そうとするヤツがいるわけさ。そいつが足を上げたとたんに妨害をやめる。足を下ろすとまた妨害する。そんなことを5分もやっているとこんなふうになったりするんだ」

と言いながらプレッツェルのように手足を変な具合にすると、会場は大爆笑となった。

ブルーボックスの貴重な体験

とある日曜日の午後、母親が台所のテーブルに出しておいたエスクァイア誌をウォズが読んだとき、いたずらとエレクトロニクスの究極的組み合わせで、のちにアップルの創業につながったとも言える冒険がはじまった。時は1971年9月、翌日から3校目の大学となるバークレーに通うという日だった。問題の記事はロン・ローゼンボウムが書いた「小さなブルーボックスの大きな秘密」。AT&T社の交換機に使われるトーンを作りだすことで、長距離電話をタダでかける方法を見つけたハッカーや電話フリークの話が紹介されていた。

「途中まで読んだところでがまんできなくなり、親友のスティーブ・ジョブズに電話をかけ、長い記事のあちこちを読んで聞かせたよ」

ホームステッド・ハイスクールの4年生になろうとしていたジョブズなら、自分と同じように、この記事のすごさを理解してくれるとわかっていたからだ。

大きく取り上げられていたのがハッカーのジョン・ドレイパー、別名キャプテン・クランチだ。キャプテン・クランチというシリアルのおまけについてきた笛が交換機のトーンと同じ2600ヘルツの音を出すと気づいた人物である。この音を流すと、タダで長距離電話がかけられてしまうのだ。記事には、交換機がインバンドの単一周波数信号に使うトーンはすべてベル・システム・テクニカル・ジャーナルのある号に掲載されており、AT&T社が回収に乗り出しているとも書かれていた。

そのジャーナルをいますぐ手に入れる必要があるとジョブズは考えた。日曜日の午後だったが、「すぐにウォズの車でSLAC（スタンフォード大学線形加速器センター）へジャーナルを探しに行った」と言う。

日曜なので図書館は閉まっていたが、いつも鍵がかかっていないドアがあることを知っていたのだ。

「ふたりとも、山のようなジャーナルを必死で繰った。周波数の記事が載ってる号を見つけたのはウォズだ。『うっそー！』って感じだったね。でもたしかに、そこに載ってるんだ。『ホントかよ。うそだろ？　ホントなんだな』ってふたりとも言い続けてた。トーンも周波数も、ぜんぶ、書かれていたんだ」

ウォズは、その日のうちにサニーベールエレクトロニクスへ行き、アナログ式のトーンジェネレータに必要な部品をそろえた。調整に必要な周波数カウンターはジョブズがHP社の探求クラブで作っていた。ダイヤルを調整し、ジャーナルに記載されていた音をテープレコーダーに録音していく。夜中には試験の準備が完了した。しかし、この発信器は不安定で、電話会社のシステムをだませるほど正確な信号音を作り出すことはできなかった。

「スティーブの周波数カウンターで見ても不安定なことはあきらかで、いろいろと工夫したけどだめだった。翌日の朝にはバークレーへゆかなきゃならなかったから、向こうでデジタル版を作ることにしたんだ」

それまでデジタル式ブルーボックスを作った人はいなかったが、誰かが作れるとしたらウォズ以外にいなかっただろう。ダイオードとトランジスタを家電量販店のラジオシャックで買い求め、絶対音感を持つ音楽科の学生に手伝ってもらって、ウォズは感謝祭前にデジタル式ブルーボックスを完成させた。

「これほど誇りに思う回路はほかにない……あれはすごかったって、いまでも思うよ」

そしてある夜、ウォズはジョブズの家まで行き、ふたりでブルーボックスを試してみた。ロサンゼルスに住むウォズの叔父に電話をかけるつもりだったが、誰か知らない人のところにかかってしまった。でもそれは小さな問題だった。大事なのは、装置がちゃんと機能したことだ。ウォズは、

「こんばんは。タダで電話してるんですよ！　タダで！」

と叫んでいた。電話に出た人はなんのいたずらだと思っただろう。そこへジョブズが割って入る。

「カリフォルニアから電話してるんです！　カリフォルニアですよ！　ブルーボックスを使ってね」

相手はもっとまごついただろう。向こうもカリフォルニア州の人だったのだから。

ふたりは、まず、このブルーボックスを使っていろいろないたずらをしかけて楽しんだ。なかでも有名なのは、ヘンリー・キッシンジャーのふりをしてバチカン宮殿のローマ法王へ電話した話だろう。

「びま、モスクワでサミットに出席じでまず。ローマ法王どお話じじだいのでずが」

とウォズが訛《なま》りの強い英語で頼んだが、取り次ぎの人から、まだ朝の5時半でローマ法王はお休み中なのであとでもう一度かけてくれと断られてしまう。かけ直すと通訳の司教が出たが、ローマ法王にはつないでもらえなかった。

「キッシンジャーじゃないってわかってしまったんだ。あのとき、ウォズと僕は公衆電話ボックスからかけていたな」

じつはこのとき、ふたりの協力体制としてその後定着するパターンがはじめて登場する。ブルーボックスが単なる趣味以上のものになりうる、作って売ればいいとジョブズが気づいたのだ。

「僕がケースや電源、キーパッドなどの部品を集め、いくらで売ればいいのかを考えた」

と、ジョブズも、アップル創業時の役割分担がこのときはじまったと証言している。

完成した製品は、トランプ2組分くらいの大きさだった。材料費は約40ドル。ジョブズはこれを150ドルで売ろうと考えた。

キャプテン・クランチなど、ほかの電話フリークをまね、ふたりとも通称となるハンドル名を用意した。ウォズは「バークレー・ブルー」、ジョブズは「オーフ・トバーク」だ。寮の部屋をまわって興味を示す学生を見つけ、電話とスピーカーにブルーボックスをつないでデモをして歩く。目の前でロンドンのリッツホテルやオーストラリアのダイヤル・ア・ジョーク・サービスに電話をかけてみせたのだ。「100台ほど作り、ほとんどぜんぶを売ったよ」とジョブズは言う。

しかし、楽しみも金儲けも、サニーベールのピザパーラーでおしまいとなった。そのときふたりは、できたてのブルーボックスを持ってバークレーに戻ろうとしていた。お金が必要でなるべく早く売りさばきたかったジョブズが、隣のテーブルにいた男たちに声をかける。興味を示したので、外の電話ボックスからシカゴに電話をかけてみせた。

「車まで金を取りに行くと言われ、ウォズと僕もいっしょに行ったんだ。ブルーボックスは僕が持っていた。ひとりが車に乗り込むとシートの下から銃が出てきた」

銃を突きつけられるのははじめての経験ですごく怖かったという。

「僕のお腹に銃を突きつけ、『それをこっちに寄こしな』って言うんだ。必死で考えたよ。ドアを閉めれば相手は足を挟まれるから逃げられるかもしれない。でも、撃たれる可能性も高い。そう思ったから、ゆっくりとブルーボックスを渡した」

強盗事件なのだが、なんとも奇妙な強盗だった。ブルーボックスがきちんと使えたらあとで金を払うと電話番号を教えられたのだ。後日電話をすると、その男は使い方がわからずに困っていた。ジョブズは、うまく言いくるめて、人が多い場所でふたりと会うように説得することに成功。しかし結局、ふたりは会いに行くのをやめる。150ドルを払ってもらえる可能性は低いし、危ない橋は渡らないほうがいいと考えたのだ。

こういうバカを経験したから、自分たちはのちにもっと大きな冒険的事業に乗り出せたとジョブズは語る。

「ブルーボックスがなければアップルもなかったと思う。それは間違いない。この経験からウォズも僕も協力することを学んだし、技術的な問題を解決し、製品化できるという自信を得たんだ」

実際、ふたりは小さな回路基板を作り、何十億ドルもの費用をかけて作られたインフラストラクチャーを自由自在に動かしたのだ。

「おかげでものすごく自信がついた」

ウォズも同じように感じている。

「あれを売ったのはまずかったと思うけど、でも、ぼくのエンジニアリング力と彼のビジョンでなにができるのか、それがなんとなくわかったのは大きかった」

ふたりはその後もブルーボックスの経験から生まれたパターンで協力していく。ウォズはお人よしの魔法使いだ。かっこいいものを発明し、その成果は気軽に他人へ渡してしまう。ジョブズはそれをユーザーフレンドリーにする、パッケージにまとめる、マーケティングする、そして利益を上げる方法を思いつくのである。

第3章

ドロップアウト ターンオン、チューンイン

はじめてのガールフレンド、クリスアン・ブレナン

ホームステッド・ハイスクールの卒業が近づいた1972年春、ジョブズは、1学年下のクリスアン・ブレナンと付き合いはじめた。髪は明るいブラウン、瞳はグリーンで彫りが深く、きゃしゃな印象のとても魅力的な娘で、ヒッピー的な雰囲気を持っていた。両親が離婚したばかりで悲しい時期だったらしい。

「アニメーション映画をいっしょに作っているうちにデートするようになり、はじめてのガールフレンドとなった」

とジョブズは言う。一方ブレナンは、のちに、

「スティーブはかなりおかしかったわ。だから惹かれたの」

と評している。

ジョブズがおかしいのは、半分、わざとである。このころすでに、ホイペット犬くらいスリムにな

れるようにと、食事は果物と野菜だけにしていた。まばたきせずに相手を見つめる練習もしたし、長めの沈黙とたたみかけるようなマシンガントークとを織りまぜる話し方も練習した。このように激しさと超然とした態度とが混在し、かつ、肩までの長髪にひげもじゃで、まるで狂気のシャーマンというイメージだった。カリスマかと思えば嫌なヤツになったりと、揺れも大きかった。

「いつもうろうろと、ちょっとおかしくなってるっぽかったわ。いろいろと悩んでいたみたい。闇に呑まれていた感じよ」

ジョブズは、使いはじめていたLSDにブレナンを誘う。サニーベール郊外の麦畑でLSDをやったときはすごかったらしい。

「僕はバッハが好きでよく聞いていたんだけど、突然、麦畑がバッハを奏《かな》ではじめたんだ。あんなすばらしい経験ははじめてだった。麦畑のバッハで、指揮者になった気分だったよ」

1972年のその夏、ハイスクールを卒業したジョブズは、ロスアルトス山の小屋でブレナンと暮らしはじめる。

「小さな家でクリスアンと暮らすことにしたよ」

と両親に宣言。父親はかんかんに怒った。

「だめだ。俺が生きているうちは許さない」

しかし、マリファナでけんかしたときと同じように今回もジョブズが我を通し、さよならの一言で出ていってしまう。

その夏、ブレナンは絵をよく描いた。とても上手で、ジョブズは彼女が描いた道化師の絵を壁に飾っていた。ジョブズは詩を書き、ギターを弾いた。つらくあたられることもあったが、魅力も感じていて、いつも言いなりになってしまったとブレナンは言う。

「彼は賢くて残酷な人だったわ。不思議な組み合わせよね」

その夏、ジョブズは危うい経験をする。サンタクルーズ山脈のスカイラインをドライブしていたとき、真っ赤なフィアットに同乗していたハイスクールの友人、ティム・ブラウンが後ろをふり返るとエンジンが火を噴いていたのだ。友人は落ちついて、「止めたほうがいいぞ。燃えてるから」と教えてくれた。けんかしていたにもかかわらず、父親がフィアットを牽引《けんいん》しに来てくれた。

新しい車を買うお金が必要になったジョブズはウォズに頼み、求人情報を求めてデアンザ・カレッジへ行く。着ぐるみで子どもの相手をするアルバイトがあった。場所はサンノゼのウエストゲート・ショッピングセンターで、時給は3ドル。こうして、ジョブズとウォズとブレナンの3人は、『不思議の国のアリス』のマッド・ハッターと白ウサギの着ぐるみをかぶることになる。

子ども好きのウォズは、このアルバイトを心から楽しんだ。

「『これならやりたい。子どもが大好きだから』って言って、HPの仕事を休んでアルバイトをした。スティーブはこの仕事が気に入らなかったみたいだけど、ぼくはとっても楽しかったなぁ」

実際、ジョブズにはつらい仕事だったらしい。

「着ぐるみは暑いし重いし、殴りたくなる子どももいたし」

忍耐力という言葉はジョブズの辞書になかったのだろう。

リード・カレッジに進学

17年前、両親は、「大学に進学させる」と約束してジョブズを養子にした。その約束を果たそうと一生懸命働き、ジョブズがハイスクールを卒業するころには、なんとかなるくらいのお金が貯まっていた。しかし、ジョブズは我が道をゆくタイプなので話がややこしくなる。

最初は大学になど行かないと言っていた。

「大学に進まなければニューヨークへ行ってたんじゃないかと思う」

というのだから、本人の人生も、そして我々の人生も、大きく違っていた可能性があったらしい。どうしても進学するようにと言われたジョブズは、なんとも困る条件を持ち出す。ウォズがいたバークレーなど、学費面で在住者が優遇されるカリフォルニア州立の大学を拒否。家から近く、奨学金もあるスタンフォード大学もなし。

「スタンフォードに行くのは、自分のしたいことがわかっている学生だ。そんなのアートじゃない。僕は、もっとアートなこと、もっとおもしろいことがしたかった」

ジョブズが行ってもいいと言ったのはただ1校――リード・カレッジだった。オレゴン州ポートランドにあるリベラルアーツの私立大学で、学費が高いことでも有名なところだ。入学を許可するという書類がリードから届いたと父親から電話をもらったのは、バークレーのウォズを訪ねていたときだった。両親はふたりとも、リード行きをあきらめさせようと最後の努力をした。学費が高すぎるからだ。しかし、リードに行けないのなら大学には行かないとジョブズは突っぱねる。いつものことだが、両親はあきらめるしかなかった。

リードは学生総数が約1000人と、ホームステッド・ハイスクールの半分ほどしかいない小規模な大学である。授業と評価が厳しいにもかかわらず、なぜか、自由を重んじる校風とヒッピー的なライフスタイルで知られていた。

リーグ・フォー・スピリチュアル・ディスカバリー（LSD）なる組織を率いて大学をまわっていたサイケデリックの導師、ティモシー・リアリーがリード・カレッジの学食にあぐらをかき、「偉大なる宗教を見ればわかるように、神性とは自らの内に見出すものである……太古より受けつがれてきた目標を現代風にとらえ直せば、ターンオン（ドラッグで）、チューンイン（意識を解放し）、ドロップアウト（社会に背を向けよ）となる」と訓戒したのは、ジョブズ入学の5年前だった。リードの学生は多くがこの勧告をまじめに受けとめ、1970年代には中退率が3分の1を超えていた。

1972年秋、リードに入学するときは、ポートランドまで両親が車で送ってくれた。しかし、両親に反発していたジョブズは、ふたりがキャンパスまで来ることを拒む。それどころか、行ってきますともありがとうとも言わなかった。この件については、後に珍しく「後悔した」と認めている。

あのときは、本当に恥ずかしいことをした。思いやりのない言動で両親を傷つけてしまった。あんなことはすべきじゃなかったんだ。あそこに入れるようにといろいろ骨を折ってくれたというのに、両親といっしょにいたくないと思った。親がいると知られたくなかった。無賃乗車で放浪する孤児がたまたまそこに来たというイメージにしたかったんだ。ふるさともなく、天涯《てんがい》孤独《こどく》な孤児が。

ジョブズがリードに入学した1972年の後半、米国では大学の雰囲気が大きく変化しつつあった。ベトナム戦争への関与が縮小し、徴兵が削減されるのに伴い、大学生の政治活動も下火になり、学生寮で夜中に交わされる会話も、進路や自己実現の話が増えていた。

ジョブズは精神世界や悟りに関するさまざまな本に感銘を受ける。とくに、サイケデリックドラッグ（幻覚剤）のすばらしい作用と瞑想《めいそう》についてババ・ラム・ダス（本名リチャード・アルパート）が書いたガイドブック、『ビー・ヒア・ナウ』の影響を強く受けた。

「あれは強烈で、僕はもちろん、友だちも多くが感化されたんだ」

そのような友だちのひとりが、やはりひげをちょぼちょぼとはやした1年生、ダニエル・コトケである。ジョブズがリードに来て1週間くらいのころにふたりは出会い、禅にディランにLSDと趣味が似ていて仲良くなった。コトケはニューヨーク郊外に住む裕福な家庭の息子で頭がよかったが、少し頼りないタイプだ。フラワーチャイルドという、花を身につけたやさしいヒッピーが仏教に興味を持って物腰がさらに円《まる》くなったといえば感じがわかるかもしれない。精神修養で物欲が抑えられていたはずだが、それでも、ジョブズのテープデッキには驚いたらしい。

「スティーブはTEAC《ティアック》社のオープンリールとディランの海賊盤テープをたくさん持っていました。彼はとてもクールでハイテクだったのです」

やがてジョブズは、コトケとそのガールフレンド、エリザベス・ホームズとつるむようになる（はじめて会ったとき、ジョブズは、いくら払えばほかの男と寝るのかとひどい質問をしたらしい）。ヒッチハイクで海へ遊びにいったり、若者らしく人生の意義について語りあったり、クリシュナ教寺院における愛の祭典に参加したり、禅センターがただで提供するベジタリアン料理を食べにいったりという具合だ。コトケが語る。

「とても楽しかったことを覚えています。哲学的でもありました。また、私たちは禅とまじめに向き合っていました」

ジョブズは図書館に通い、コトケといっしょに禅の本をたくさん読むようになる。鈴木俊隆《しゅんりゅう》の『禅マインド ビギナーズ・マインド』やパラマハンサ・ヨガナンダの『あるヨギの自叙伝』、リチャード・モーリス・バックの『宇宙意識』、チョギャム・トゥルンパ・リンポチェの『タントラへの道―精神の物質主義を断ち切って』などだ。エリザベスの部屋の天井裏に瞑想室を作り、インドの絵に絨毯《じゅうたん》、ろうそく、香《こう》、座禅に使う座布団の坐蒲《ざふ》などを持ち込んだ。

「天井の一部が開くようになっていて、そこから天井裏に入ると大きな空間があったのです。そこでサイケデリックドラッグを使ったこともありますが、だいたいは瞑想をしていました」

ジョブズにとって、禅宗を中心とする東洋思想に傾倒したのは一時の気の迷いでも若気のいたりでもなかった。いかにも彼らしい激しさで追究し、東洋思想を自分のなかに取り込んでいく。ふたたびコトケの証言——。

「スティーブは禅と深くかかわり、大きな影響を受けています。ぎりぎりまでそぎ落としてミニマリスト的な美を追究するのも、厳しく絞り込んでゆく集中力も、皆、禅から来るものなのです」

ジョブズはまた、直感や洞察を重視する仏教の教えにも強い影響を受け、

「抽象的思考や論理的分析よりも直感的な理解や意識のほうが重要だと、このころに気づいたんだ」

とのちに語っている。ただ気性が激しかったため、解脱して涅槃《ねはん》にいたることはできなかった。禅を追究したが、心の安寧《あんねい》も得られなかったし、他人に対する姿勢が和《やわ》らぐこともなかったのだ。

ジョブズとコトケは、19世紀にドイツではやった衝立《ついたて》チェスが好きだった。このゲームはプレイヤーが背中合わせに座り、自分の前に置かれた盤面だけを見てプレイする。コマを動かそうとすると、審判が、その動きがしていいものか悪いものかを判定してくれるので、それをもとに相手のコマの位置を推測して進めるのだ。審判はエリザベスが務めた。

「大雨の日に暖炉のそばでプレイしたときはすごかったわ。ふたりともLSDでトリップしていてあまりに速くコマを動かすものだから、ついていくのが大変だったの」

もう1冊、大学1年のジョブズに大きな影響——大きすぎる影響かもしれない——を与えた本がある。フランシス・ムア・ラッペの『小さな惑星の緑の食卓—現代人のライフ・スタイルを変える新食

物読本』だ。この本では、菜食主義が個人にも地球にも大きなメリットをもたらすと絶賛されていた。

「あのとき以来、僕は肉をほとんど口にしなくなった」だけでなく、この本に影響され、浄化や断食、あるいはにんじんやリンゴなど、1~2種類の食べ物のみで何週間も過ごすといった極端な食事をすることが増えていった。

ジョブズもコトケも、1年生のときにベジタリアンとなった。

「スティーブのほうが本気で取り組んでいました。ローマンミール社の自然食系シリアルで暮らしていましたから」

ふたりは農協で、1週間分のシリアルや健康食品などを買い込んだ。

「スティーブはナツメヤシやアーモンドを箱で買っていました。ジューサーを持っていたので、にんじんも大量に仕入れてジュースにしたり、サラダにしたりして食べていました。にんじんの食べすぎでスティーブの肌がオレンジ色になったという話がありますが、ある程度は本当なのです」

実際、夕暮れ時のような色をしていたことがあったと多くの友人が証言している。

20世紀初頭、栄養学の普及を熱狂的に推進したアーノルド・エーレットの『無粘液食餌療法《むねんえきしょくじ》』を読んで、ジョブズはますます極端な食事をするようになってゆく。果物と、デンプンを含まない野菜しか食べないのが最善、そうすれば有害な粘液ができないと信じ込んだのだ。また、長期にわたる断食をときどきおこない、体内を浄化すべきだとも考えた。つまり、ローマンミールのシリアルもだめなら、お米もパンも穀類も、牛乳もだめなのだ。友だちにも、ベーグルを食べると粘液ができて危ないぞと言いはじめる。

「いかにも僕らしく、とんでもなくクレージーだったよ」

コトケとふたり、1週間リンゴだけという暮らしにトライしたりもした。ジョブズは断食も深く追求する。2日間から少しずつ延ばして最後は1週間以上も断食し、大量の水と葉物の野菜でそっと断食を終わらせるようにしたのだ。

「1週間断食するとすごくいい気分になれる。食べ物を消化する必要がないから、活力がみなぎるんだ。体調は最高だった。いつでもサンフランシスコまで歩いていけるって感じたくらいだ」（それほどジョブズが傾倒したエーレットは、歩いているときに倒れて頭を打ち、56歳で死亡した）。

菜食主義に禅宗、瞑想にスピリチュアリティ、LSDにロック——当時、大学キャンパスではやっていた、悟性《ごせい》を求めるサブカルチャーの象徴となっていたさまざまなものが、ジョブズのなかではひとつにまじり合っていた。また、リード時代は一休みしていたものの、心の奥底にはエレクトロニクスギークとしてのジョブズがひそんでおり、のちに、この時代に身につけたものと一体となって花開く日が来るわけだ。

最初のカリスマ、ロバート・フリードランド

現金が必要だったジョブズがIBMの電動タイプライターを売ろうとしたときのことだ。買おうと言ってくれた学生の部屋を訪れると、ガールフレンドとセックスの真っ最中だった。ジョブズは帰ろうとしたが、終わるまで座って待っていてくれと言われる。ジョブズは「『なんというか、これってすごくないか？』と思った」。

この出来事をきっかけに、ロバート・フリードランドと友人になった。ジョブズが強く惹かれた人間はごく少ないが、そのひとりとなる人物だ。ジョブズは彼のカリスマ的な個性を一部取り入れ、数

年間は彼を導師のように敬《うやま》った（最終的には、口先ばかりのうそつきだと思うようになるが）。

フリードランドはジョブズよりも4歳年上だったが、まだ学部生だった。アウシュビッツを生きのび、シカゴで建築家として成功した家の息子で、高校卒業後、メイン州の教養系大学、ボードンに進学。しかし2年生のとき、2万4000錠のLSD（12万5000ドル相当）を所持していたとして逮捕される。地方紙には、波打つブロンドを肩まで伸ばしたフリードランドがカメラ目線でにこやかに笑いながら警察に連行される写真付きで報道されている。裁判で2年の刑が確定してヴァージニア州の連邦刑務所に収監され、1972年に仮釈放となる。その秋、リード大学に入学すると学生自治会長に立候補し、「誤審」の汚名をすすぐ必要があると訴えて当選した。

フリードランドは『ビー・ヒア・ナウ』の著者、ババ・ラム・ダスがボストンでおこなった講演を聴いていたし、ジョブズやコトケと同じように東洋思想に傾倒していた。1973年夏にはインドへ行き、ラム・ダスの導師、ニーム・カロリ・ババ（ヒンズー教世界ではマハラジ・ジとして有名）に会ってもいる。インドから戻ったあとはスピリチュアルネームを名乗り、インド風のローブにサンダル履きで歩くようになった。彼は、大学の外に部屋を借りていた。下がガレージで、ジョブズはここをよく訪ねた。フリードランドは解脱の境地は存在する、悟りにいたることは可能だと強く信じており、その激しさにジョブズは魅了された。

「彼のおかげで、僕は別の意識レベルについて考えるようになった」

一方、フリードランドもジョブズをすごいと感じた。

「彼はいつもはだしだった。印象的だったのはその激しさだ。なにかに興味を持つとありえないレベルまで追究することが多かった」

そのころジョブズは、視線と沈黙で他人を従える術をマスターしていた。

「彼の得意技に、話し相手を見つめるというのがあった。相手の目をじっと見ながら話し、目をそらさせない。そうやって、自分が欲しい反応を手に入れるんだ」

ジョブズの性格には、彼の仕事人生を通じて発揮されるものを含め、フリードランドから吸収したものがかなりあるとコトケは言う。

「ジョブズの性格を表す有名な言葉に〝現実歪曲フィールド〟というのがありますが、もともとそれをスティーブに教えたのはロバートなのです。彼はカリスマ的でペテン師的なところもあり、強い意志で状況を都合よく変える力を持っていました。気まぐれで自信に満ちており、独断専行なところもありました。スティーブはそんなところを尊敬していましたし、ロバートと付き合うようになってそういう傾向が強くなりました」

注目を集める技もフリードランドから学んだものだ。

「ロバートはとても外向的でカリスマ性が高く、凄腕のセールスマンになれそうな人物でした。一方、私が出会ったころのスティーブは、恥ずかしがり屋でおとなしく、引っ込み思案な男でした。売り込みの技術や、自分の殻を破り、積極的に行動して状況をコントロールする方法などは、ロバートが教えたのだと思います」

フリードランドには輝くようなオーラがあった。

「彼が入ってくると、皆、すぐに気づくのです。リードに来たころのスティーブは真逆でした。それが、ロバートと付き合うようになって、少しずつオーラをまとうようになりました」

毎週日曜の夜、ジョブズとフリードランドはポートランド西端にあるクリシュナ教寺院に通った。コトケとホームズも誘われてよく同行した。寺院では、踊ったり、声を限りに歌ったりした。ホームズは言う。

「そうやって精神を高揚させ、法悦《ほうえつ》の状態に入ろうとしたの。ロバートはいつも一心不乱に踊っていたわ。スティーブはそうでもなくて、自分を解放するのは恥ずかしいと思っているようでした」

そのあとは、紙皿で出されるベジタリアン料理をたくさん食べて帰るのだ。

フリードランドはリンゴ農園の管理を任されていた。ポートランドから南西に60キロほどの位置にある1平方キロメートル弱の農園で、マルセル・ミュラーという奇矯《ききょう》な叔父が所有しているところだ。スイスから来た叔父は、昔のローデシアでメートルねじの市場を独占して億万長者となっていた。東洋思想に傾倒したフリードランドはこの農園をオールワンファームというコミューンとし、ジョブズやコトケ、ホームズなど、悟りを求める人々が週末を過ごす場所とした。母屋と大きな納屋のほか、庭には小屋があり、コトケとホームズはそこに泊まった。ジョブズはコミューンの仲間、グレッグ・カルホーンとふたりで、グラベンスタインというリンゴの木を剪定《せんてい》する作業を担当した。当時についてフリードランドはこう語っている。

「リンゴ農園はスティーブが切り盛りしてくれた。我々は、有機サイダーを作って販売していた。スティーブは仲間を率いて剪定をおこない、農園を復活させてくれたんだ」

クリシュナ教寺院から僧や弟子がやってきて、クミンやコリアンダー、ターメリックなどの香り豊かなベジタリアンフードを作ってくれることもあった。ただ、ジョブズの食べ方には若干の問題があったようで、ホームズはこう語っている。

「あそこに行くとき、スティーブはいつもお腹がぺこぺこで、たくさん食べるの。でもそのあと、みんな吐《は》き出しちゃうのよね。彼は過食症なんだとずっと思っていたわ。ともかく、あれはイヤだったわ。手間暇をかけてごちそうを用意しているのに、ああいうことをしてしまうなんて」

このころジョブズは、カルトリーダー的なフリードランドの言動についても消化不良を起こすようになる。

「たぶん、自分のなかにロバートが見えすぎるようになったのでしょう」

とコトケは言う。物質主義から避難する場所だったはずなのに、フリードランドが事業色を強めたという問題もあった。薪《まき》を割って販売する、リンゴのしぼり器や薪ストーブを作るなど金儲けの手伝いを無償でやるようにと指示されることが増えたのだ。また、キッチンのテーブル下で寝ていると、皆が次々、ほかの人の食べ物を冷蔵庫からかっぱらいに来るのがおかしかったともジョブズは言う。コミューン経済は性に合わなかったのだ。

「物質主義に走りはじめたんだ。皆、自分はロバートの農場で働かされていると思うようになり、ひとり、またひとりと去っていった。僕も、もうがまんできなくなっていた」

それからずいぶんと年月がたってから、私はフリードランドとニューヨークで飲んだことがある。フリードランドは、バンクーバー、シンガポール、モンゴルに銅や金の鉱山を展開する企業で役員を務める億万長者となっていた。その夜、「これから彼に会う」とジョブズにメールをすると、1時間もしないうちにカリフォルニアから電話がかかってきて「彼の言葉には気をつけろ」とアドバイスをもらった。鉱山で環境問題が起きたとき、ビル・クリントンに口をきいてくれとフリードランドが頼んできたが、ジョブズは無視したという。

「自分は精神修養を積んだ人間だとロバートは言うが、彼はカリスマと口先男を分ける一線を越えてしまった。若いころの修行仲間がのちのち、象徴的な意味でも現実としても金鉱掘りになるなんて、なんだかおかしな気分だよ」

ドロップアウト

ジョブズはすぐ、大学に飽きてしまう。リード大学は気に入っていたが、必修単位を取らなければならないのが嫌だった。雰囲気はヒッピー的なのに、『イリアス』を読んでペロポネソス戦争について勉強するなど、必修が厳しく決められていたのだ。これにジョブズは驚いた。

ウォズが訪ねてきたときには、時間割りを見せながら文句をぶつけた。

「これをぜんぶ取れって言うんだぜ」

「大学ってそういうところだよ。必修が決まってるんだ」

ジョブズは従わなかった。必修の講義をさぼり、自分が出たいと思うものに出席する。創造的だし女の子と出会うチャンスもあるダンスのクラスなどだ。

「出るべき講義をさぼるなんて、ぼくには考えられない。そこはぼくらが大きく違うところだね」

とウォズニアックは評している。

後ろめたい気持ちにもなりつつあった。両親が必死に用意してくれたお金を意味のない教育に使っていると感じたからだ。このときの気持ちは、スタンフォード大学卒業式における有名な祝辞で本人が次のように語っている。

「両親は汗水たらして働き、貯めたお金で私を大学に行かせてくれました。そのころ私はなにをしたいのかもわからなかったし、大学に通ったらそれがわかるとも思えませんでした。なのに、両親が一生をかけて貯めたお金をみんな使ってしまう。そう思ったから中退し、あとはなんとかなると思うことにしました」

繰り返すが、リード大学が嫌だったわけではない。ただ、学費を払っておもしろくもない講義を受けるのが嫌だったのだ。そんなジョブズをリード大学は容認する。

「スティーブは探求心が魅力の男でした」と学生部長だったジャック・ダドマンは言う。「自明の理を拒否し、一つひとつ、自分で吟味しないと気がすまないようでした」

ダドマンに気に入られたジョブズは、学費を払っていないというのに好きなクラスを聴講し、寮の友人の部屋を泊まり歩いてもおとがめを受けずにすんだ。当時について祝辞でこう語っている。

「中退すれば、おもしろくない必修など取る必要はなくなります。ですから、おもしろそうなクラスだけのぞくことにしました」

そのひとつがカリグラフィーだった。キャンパスに貼られたポスターがどれも美しい仕上がりだったので興味を持ったのだ。

「セリフやサンセリフといった書体についても学びましたし、隣合う文字の組み合わせに応じて間隔を微調整するなど、すごい印刷技術がなぜすごいのかも学びました。美しいし、歴史的な意味もあるし、科学がとらえられない微妙な芸術的感覚もあると感じ、夢中になりました」

このときもジョブズは、アートとテクノロジーの交差点に立とうとしていた。彼が作る製品は、いずれも、すばらしいデザインや外観、フィーリング、エレガンス、人間らしさ、場合によってはロマンスとテクノロジーが一体となっている。いつも彼は、ユーザーにやさしいグラフィカルユーザインターフェース（GUI　アイコンやマウスを利用し、直感的な操作を可能にする情報技術）を大事にするが、その象徴とも言うべきものがカリグラフィーのコースなのだ。

「リード時代にあのコースを取らなければ、マックに複数種類のフォントが搭載されることもなかったし、プロポーショナルフォントが搭載されることもなかっただろう。ウィンドウズはマックのコピーだから、結局、パーソナルコンピュータにそういうフォントが搭載されることはなかった可能性が高いと思う」

ともあれ、それからしばらく、ジョブズはリード大学の片隅でボヘミアンな生活を送る。雪が降るとサンダルを履いたが、だいたいはは だしだった。

ジョブズの極端な食生活になるべく合わせた食事は、エリザベス・ホームズが作ってくれた。炭酸飲料の空き瓶を拾って小銭を手に入れ、日曜日にはクリシュナ教寺院で晩ご飯を食べる。1階がガレージになっているアパートを月20ドルで借り、暖房が入れられないのでダウンジャケットを着て寒さをしのぐ。お金がいるときは、動物の行動実験に電子装置を使う心理学科で仕事をした。クリスアン・ブレナンが訪ねてきてくれることもあった。いろいろあったが、ふたりの関係は断続的に続いていた。いずれにせよ、ジョブズは悟りを求め、自分の心がおもむくままに歩んでいた。

のちにジョブズは、こうふり返っている。

「僕はすばらしい時代に大人への階段をのぼったと思う。禅によって、また、LSDによって意識が高められたからね」

歳を取ってからも、ジョブズは、意識改革の効果があったとサイケデリックドラッグを評価する。

「LSDはすごい体験だった。人生でトップクラスというほど重要な体験だった。LSDを使うとコインには裏側がある、物事には別の見方があるとわかる。効果が切れたとき、覚えてはいないんだけど、でもわかるんだ。おかげで、僕にとって重要なことが確認できた。金儲けではなくすごいものを作ること、自分にできるかぎり、いろいろなものを歴史という流れに戻すこと、人の意識という流れに戻すこと。そうわかったのはLSDのおかげだ」

第4章

アタリとインド 禅とゲームデザインというアート

アタリにもぐり込む

ジョブズは18ヵ月をリード大学で過ごしたあと、1974年2月、ロスアルトスの実家に戻って仕事を探すことにした。このころ仕事を探すのは難しくなかった。1970年代は求人が多く、技術系の職種だけで60ページもの求人広告がサンノゼ・マーキュリー紙に掲載されたこともある。

そのひとつがジョブズの目を引いた。「楽しく金を儲けよう」とあったのだ。ジョブズはその日のうちにビデオゲームメーカー、アタリ社を訪問し、ぐしゃぐしゃの髪とよれよれの服に驚く人事部長に対し、「雇ってくれるまで帰らない」と宣言する。

そのころアタリは人気の企業だった。創業者は背が高くがっちりとしたアントレプレナー、ノーラン・ブッシュネル。時代を先取りして拓《ひら》くいわゆるビジョナリーでカリスマ性もあり、人々を惹きつける演出力も兼ねそなえた人物だ——要するに、次なるロールモデルの登場である。ロールス・ロイスを乗りまわす、ヤクをやる、風呂で会議をするという有名人。彼もまた、フリードランドやのちのジョブズと同じように、自分の魅力を力へと上手に変えられる人物、おだてたり脅したり、人間的な魅力で現実をねじ曲げたりできる人物だった。

そのチーフエンジニアを務めていたのが、でっぷりして陽気だが、もう少し合理的なアル・アルコーンである。アルコーンは、ブッシュネルのビジョンを実現するとともに暴走を抑える大人の役割を果たしていた。

この少し前の1972年、アルコーンは、ブッシュネルの指示で「ポン」というアーケードゲームを作った。小さな光点を、左右に動くライン《パドル》ではね返し合う対戦型の卓球ゲームだ（40歳前の読者は、どういうゲームなのか両親に聞いてほしい）。５００ドルを元手にゲーム機１台を製作し、サニーベールのカミーノ・レアルというバーに設置した。ところが数日後、機械が壊れたとの連絡が入る。アルコーンが行ってみると……料金箱が満杯で、プレイ料金の25セント硬貨が入らなくなっていた。大当たりしたのだ。

ジョブズがサンダル履きでアタリを訪問し、雇えと要求したとき対応したのもアルコーンだった。

「『ヒッピーみたいなやつがきてる。雇ってくれるまで帰らないっていうんだ。お巡《まわ》りを呼ぶかい？ なかに入れるかい？』と言われたので、『とにかく会ってみるよ』と答えました」

こうしてジョブズは、50人しかいないアタリの社員となった。時給５ドルの技術作業員、いわゆるテクニシャンだ。

「いまふり返ると、リード大学中退の人間なんて雇うのはおかしいと思います。でも、彼にはなにかを感じたのです。頭はいいしエネルギーにあふれているし、技術が大好きでした」

アルコーンは、まじめなエンジニア、ドン・ラングにジョブズを預けることにした。しかし早くも翌朝、ラングから文句を言われる。

「ヒッピーだわ、においはひどいわ、あんなやつをどうしろと？　俺への嫌がらせじゃないよな？　言うことだってきかないし」

このころジョブズは、果物中心のベジタリアンなら変な粘液ができないだけでなく、シャワーやデオドラントを使わなくても体がにおうこともないと信じていた。もちろん、そんなことはありえない。

ラングなど社員はジョブズの首切りを求めたが、ブッシュネルのアイデアで事なきを得る。

「においやおかしな言動は気になりませんでした。スティーブはとげのある人間でしたが、私はわりと気に入っていたんですよ。だから夜勤に入ってくれと頼みました。そうすれば救えますから」

ジョブズは、ラングらが退勤したあと出勤し、夜中に仕事をすることになった。こうして基本的にひとりで仕事をしていたにもかかわらず、社内には失敬なヤツという評価が広がっていった。たまに会うと、誰彼かまわず「大ばか野郎」とこき下ろしたからだ。しかし、いまふり返っても、それは正しい判断だったと本人は言う。

「僕が輝けたのは、ほかの連中がどうしようもなかったからだからね」

尊大だったにもかかわらず（それとも尊大だったから？）、ジョブズはアタリのボスに気に入られた。

「彼はほかの社員より哲学的でした。自由意志と決定論についてなど、ずいぶんと議論をしましたよ。私は、物事はかなりの部分が決定論的だと思うのです。プログラムされている面が強く、完璧な情報さえあれば人の行動は予測できると言いますか。スティーブは私とまったく違う考えでした」

そう考えるから、意志の力で現実を曲げられるという信念が持てたのかもしれない。

ジョブズはアタリで多くを学ぶ。チップの力をぎりぎりまで利用して楽しいデザインにしたり、ちょっといい感じにしたりとゲームの改良もおこなった。ルールを自分に都合よく変えてしまう技もブッシュネルから盗んだ。アタリのゲームはシンプルだからいいともジョブズは感じた。マニュアルなしで、酔っぱらった大学1年生が遊べなければ意味がないのだ。だからたとえばアタリのスター・トレックゲームでは、「1. コインをいれる　2. クリンゴンから逃げる」しか説明がない。

同僚のすべてに嫌われたわけではなく、ロン・ウェインとは友だちになっている。アタリでは文書作成の仕事をしていた人物で、スロットマシンの会社を作ったことがあった。この会社は結局つぶれてしまったのだが、それでも、自分の会社が作れるというウェインの話にジョブズは目を輝かせた。

「ロンはすごい男でね。自分で会社をはじめた経験があったんだ。それまで、そんな人に会ったことがなかった」

ジョブズは、いっしょに事業をしないかとウェインに持ちかける。5万ドル借りてくるから、スロットマシンの設計からマーケティングまでをする会社を作らないか、と。しかし事業でやけどした経験のあるウェインはその申し出を断る。

「そんなことをしたら5万ドルがすぐになくなるよと断りました。でも、自分で事業がしたいという彼の情熱はすごいものがあると、そのとき思いました」

ある週末、ウェインのアパートでいつものように哲学的な議論をしていたとき、ウェインは大事な話があると切り出した。

「どういう話か、わかる気がするよ。君は男が好きなんだろう?」

そのとおりだと返ってきた。

「ゲイだとわかっている人と同席したのはあれがはじめてだった。それをどう考えるべきなのかは彼が教えてくれたんだ」

ジョブズは答えにくい質問をした。

「美しい女性を見たらどう思うんだい？」

「美しい馬を見たときのような感じだね。きれいだと思うけど、寝たいとは思わない。その美しさを愛《め》でるだけだ」

自分の秘密を明かしたのは、ジョブズに対する信頼の証だったとウェインは言う。

「アタリでは秘密にしていましたし、それまでに秘密を明かした人は両手両足の指で数えられるくらいしかいませんでした。でも、彼には話したほうがいい、きっと理解してくれると思ったのです。実際、そのあと、我々の関係が変化することはありませんでした」

インド放浪

ジョブズが1974年初頭、お金を欲しがった背景には、その前年の夏にインドへ行ったロバート・フリードランドから、おまえも行くべきだと勧められたことがあった。インドでフリードランドは、ニーム・カロリ・ババ（マハラジ・ジ）に学んだ。60年代ヒッピームーブメントで導師とされた人物だ。ジョブズは自分も行こうと決心し、ダン・コトケを誘う。

ジョブズが求めたのは単なる冒険ではなかった。

「僕にとっては真剣な探求の旅だった。僕は悟りという考え方に心酔し、自分はどういう人間なのか、なにをするべきなのかを知りたいと思ったんだ」

自分の出自を知らないことも理由だったのではないかとコトケは推測している。

「彼の内には穴があり、それを埋めたいと思っていました」

導師を求めてインドへ行くために退社すると申し出たジョブズを、アルコーンはおもしろいヤツだと思った。

「私のところへ来ると、じっと目を合わせ、『導師を探しに行ってきます』と言うので、『ほぉー、それはすごいな。手紙、くれよな』って返事しました。そうしたら旅費を援助してほしいと言われたので、『ばか野郎！』と」

でも結局、アルコーンは助け船を出す。そのころアタリはキットを作って輸出し、ドイツのミュンヘンで最終製品を組み立ててイタリアの業者に卸していたが、その事業に問題があったのだ。1秒60フレームという米国規格に合わせた設計のため、1秒50フレームの欧州では干渉の問題が起きていた。アルコーンは欧州までの旅費を負担するから解決してこいとジョブズに提案する。

「欧州からのほうがずっと安くインドへ行けますからね」

ジョブズが同意したので、アルコーンは解決策を教えて送りだす。

「導師によろしく伝えてくれ」

単身で出発したジョブズはミュンヘンに数日滞在し、干渉問題を解決した。ダークスーツ文化のドイツ側にとってジョブズは扱いにくい人間だったらしく、ルンペンのような身なりだし、くさいし、失礼極まりないとアルコーンに苦情の電話があった。

「彼、問題は解決してくれましたか？」

「はい」

「問題が起きたら今後も気軽にご連絡ください。ああいう連中がたくさんいますから」

「え？　ああ……いえ、大丈夫です。これからは自分たちでなんとかします」

ジョブズはジョブズで、ドイツには肉と芋しかないと文句の電話をかけてくる。

「ベジタリアンという言葉さえないんですよ」

その後ジョブズは、電車でイタリアのトリノへ行き、代理店の人間と会う。イタリアはパスタの国であり、雰囲気も人なつっこいのでよかったらしい。

「トリノはよかった。工業都市で活気に満ちていてね。代理店の人間もよかった。毎晩、夕食に連れて行ってもらったんだけど、テーブルが8つしかないしメニューもないんだ。食べたいものを言うと、なんでも作ってくれる。テーブルのひとつはフィアットの会長用でね。すごかったよ」

トリノのあとは、スイスのルガノでフリードランドの叔父を訪問。そしていよいよインドである。

ニューデリーで飛行機から降りると、4月だというのに舗装道路から熱波が立ちのぼっていた。ホテルを教えてもらっていたが満室だったので、タクシーの運転手がすごくいいとしきりに勧めるホテルに泊まることにした。

「運転手は袖の下をもらっていたんだと思う。これはやばいって感じのところに連れて行かれた」

水は濾過《ろか》されているかと一応は確認したが、その答えを信じたのは愚かだった。

「すぐ赤痢になった。あれは本当にきつかった。熱が高くてね。1週間で体重が70キロあまりから55キロくらいまで落ちたよ」

動けるくらいまで回復すると、すぐにニューデリーを脱出。まず、ガンジス川源流に近いインド西部の町、ハリドワールへ行く。メーラというヒンズー教の祭典が3年に一度、おこなわれる場所で、1974年は、クンブメーラと呼ばれる12年に一度の大祭の年だった。面積はパロアルトくらい、人口10万人に満たない小さな町に1000万人以上の人が集まっていた。

「聖人だらけだった。こちらのテントにも導師、あちらのテントにも導師という感じで。象に乗っている人もいたし。なんでもありだよ。数日とどまったけど、僕が求める場所はここじゃないと思った」

そこから列車とバスを乗りつぎ、ヒマラヤ山脈のふもと、ナイニタール近くの村へと移動した。ニーム・カロリ・ババが住む——いや、住んでいた村だ。

ジョブズが訪れたとき、ニーム・カロリ・ババはすでに亡くなっていた（少なくとも、同じ輪廻《りんね》の輪にはいなくなっていた）。ジョブズは部屋を借り（マットが床に直接置かれていた）、その家族が提供してくれるベジタリアン食を食べながら体の回復を待つ。

「前に来た人が置いていった英語版の『あるヨギの自叙伝』があったので、それを繰り返し読んだ。ほかにすることもなかったしね。あちこちの村まで歩いていったり。そういう生活をしながら赤痢で痛んだ体が回復するのを待ったんだ」

アシュラムと呼ばれるヒンズー教の修行所では、ラリー・ブリリアントという人物と知り合いになった。天然痘撲滅をめざして活動する疫学者で、のちにグーグルの慈善事業部門とスコール財団を統轄するようになる人物だ。ジョブズとブリリアントの付き合いは、それからずっと続く。

あるときジョブズは、ヒマラヤ山中に実業家が保有する私有地にヒンズー教の聖人が信徒を集めるという話を聞きつけた。

「聖なる人と会い、その信徒と話をするいい機会だった。おいしい食事にありつけるチャンスでもあった。食べ物のいいにおいがしていてね。僕の腹はぐぅぐう鳴りっぱなしだった」

弟子たちに交じっていろいろと食べていると、聖人（ジョブズより少しだけ年上に見えた）がジョブズを指さして大笑いしはじめた。

「走ってくると僕をつかみ、ひーひー笑いながら『君は赤ん坊のようだね』って言うんだ。なんともばつが悪かったよ」

聖人はジョブズの手を取ると、信徒が集まっている場所から離れた丘の上へと連れて行った。そこには井戸と小さな池があった。

「座ると、大きなカミソリが出てきた。頭がおかしいんじゃないかと心配になったよ。でも、次に出てきたのは石けんだった。あのころ僕は長髪だったんだけど、彼は僕の髪を石けんで洗い、すべて剃《そ》り落とした。そのほうが健康的でいいんだって言って」

友人のダン・コトケは夏になるころインドに到着した。ニューデリーで合流したふたりは、それからしばらく、バスなどを使い、あちこちをなんとなく放浪して歩く。ジョブズは叡知《えいち》を授けてくれる導師を見つけようという気をなくし、苦行、欠乏、質素を通じて悟りにいたろうと考えていた。しかし、心の平安は訪れなかった。コトケによると、買った牛乳が水増しされていると思ったジョブズは売り子と大声でけんかするなどしていたという。

気前のよい一面もあった。チベットとの国境に近いマナリで、コトケの寝袋とトラベラーズチェックが盗まれたときのことだ。

「私の食事代もデリーまでのバス代も、スティーブが出してくれました」

お金がないと困るだろうからと、手持ちの残金、100ドルもコトケに渡したという。

こうして数ヵ月をインドで過ごしたジョブズだが、秋には帰国することにした。途中、インドで出会った女性を訪ねてロンドンに立ち寄り、そこからは安いチャーター便でサンフランシスコ・ベイエリアのオークランドに戻る。

インドを旅しているあいだ、実家への連絡はあまりしていなかった。ニューデリーにあるアメックスの事務所を通りかかったときしか郵便の受け渡しができなかったからだ。だから、オークランド空港まで迎えに来てくれと突然電話がかかってきたとき、両親はびっくりした。もちろん、すぐ、ロスアルトスからオークランドまで迎えにきてくれた。

「僕は髪の毛を剃り落としていたし、着ていたのはインドのローブだし、肌は日焼けで濃い茶色になっていた。だから、すぐ脇を何回も行ったり来たりしても、そこに座っているのが僕だってわからなくてね。やっと母が気づき、『スティーブかい？』『ただいま』ってなるまで、5回も通りすぎたかな」

両親とロスアルトスに戻ったジョブズは、時間をかけて自分探しをした。悟りに導いてくれる道を見つけようとしたのだ。毎朝、毎晩、瞑想をおこない、禅を勉強し、その途中でときどき、スタンフォード大学へ物理学や工学の授業を聴講にも行った。

自分を探す旅

ジョブズが東洋思想やヒンズー教、禅宗、悟りを求めたのは、19歳という多感な一時期だけではなかった。その後もずっと、般若《はんにゃ》とも呼ばれる仏智《ぶっち》、心を研ぎ澄ませることによって体得する最高の智慧《ちえ》や認識など、東洋の宗教を支える教えを求め続けたのだ。インドへの旅はのちのちまで自分に影響を与えたと、後年、パロアルトの自宅の庭で私に語ってくれた。

僕にとっては、インドへ行ったときより米国に戻ったときのほうが文化的ショックが大きかった。インドの田舎にいる人々は僕らのように知力で生きているのではなく、直感で生きている。そして彼らの直感は、ダントツで世界一というほどに発達している。直感はとってもパワフルなんだ。僕は、知力よりもパワフルだと思う。この認識は、僕の仕事に大きな影響を与えてきた。

西洋の合理的思考は人間が生まれながらに持っているものじゃない。習得するものであり、西洋文明の大きな成果でもある。インドの村では合理的思考を学ばないんだ。彼らは別のものを学ぶ。合理的思考と、ある意味、同じくらい重要な面も持ち、それほどでもない面も持つものだ。それが直感の力、体験にもとづく智慧の力だ。

インドの田舎で7ヵ月を過ごしたおかげで、僕は、西洋世界と合理的思考の親和性も、そして西洋世界のおかしなところも見えるようになった。じっと座って観察すると、自分の心に落ちつきがないことがよくわかる。静めようとするともっと落ちつかなくなるんだけど、じっくりと時間をかければ落ちつかせ、とらえにくいものの声が聞けるようになる。このとき、直感が花ひらく。物事がクリアに見え、現状が把握できるんだ。ゆったりした心で、いまこの瞬間が隅々まで知覚できるようになる。いままで見えなかったものがたくさん見えるようになる。これが修養であり、そのためには修行が必要だ。

あのときから、僕は禅に大きな影響を受けるようになった。日本の永平寺に行こうと考えたこともあるけど、こちらにとどまれと導師に言われてやめた。ここにないものは向こうにもないからって。彼は正しかった。師を求めて世界を旅する意志があるならすぐ隣に見つけるだろうと禅では言うんだけど、それは正しいんだなと実感したよ。

実際、ジョブズはすぐ近く、ロスアルトス近郊に師を見つけている。『禅マインド ビギナーズ・マインド』を書いた、前出の鈴木俊隆老師だ。老師は毎週水曜日、サンフランシスコ禅センターで少数の弟子を相手に法話と座禅の会をおこなっていたが、ジョブズらから拡大の要請を受け、知野弘文《ちのこうぶん》

（乙川《おとがわ》弘文）に頼んでセンターを常設とする。ジョブズはここで熱心に禅を学んだ。

彼が付き合ったり別れたりしていたガールフレンドのクリスアン・ブレナンやダン・コトケ、エリザベス・ホームズもここに通った。弘文老師はカーメル近くのタサハラ禅センターでも教えており、ジョブズはそちらにも通うようになる。

弘文老師はおもしろい人物だったとコトケは言う。

「彼の英語はひどいものでした。俳句みたいに詩的で、なにかを暗示するような言葉を断片的に話すのです。そのため、座って話を聞いていても、半分くらいはなにを言っているのかわかりませんでした。それでもけっこうおもしろかったので、私自身は、ちょっとした喜劇かなにかのようなつもりで楽しんでいました」

コトケのガールフレンド、エリザベスはもう少し真剣に通っていた。

「みんなで弘文老師の瞑想に行きました。わたしたちは坐蒲に座り、上座には老師が座っていました。あそこでは、心を乱すものを締めだす方法を学びました。とても不思議な経験でした。雨が降っていた日には、そういう環境音を利用して瞑想に集中する方法なども教えてもらいました」

ジョブズも真剣だった。

「彼は真剣にものを考えるようになるとともに、独りよがりで鼻持ちならない人物になりました」

とコトケは表現する。ジョブズは毎日のように弘文老師の元へ通い、2～3ヵ月に1回はこもって瞑想する静修をいっしょにおこなったという。

「弘文老師との出会いに深く感動し、気がついたら、なるべく長い時間を彼と過ごすようになっていた。老師にはスタンフォード大学で看護師をしている奥さんとふたりの子どもがいてね。奥さんは夜勤だったので、僕はいつも夕方から導師のところへ行ってたな。で、夜中に帰ってきた奥さんに追い出されるわけさ」

出家の相談もしたが、弘文老師からは、事業の世界で仕事をしつつ、スピリチュアルな世界とつながりを保つことは可能なのだから出家はやめたほうがよいと諭《さと》される。ふたりの関係はその後も深く、長く続き、17年後には弘文老師がジョブズの結婚式を執《と》りおこなうなどしている。

ジョブズは強迫的といえるほど自我を求め、「原初絶叫療法《げんしょぜっきょうりょうほう》」を試したこともある。原初絶叫療法というのは、アーサー・ヤノフというロサンゼルス在住のサイコセラピストが開発した手法で、幼少期の抑圧された痛みが心理的問題の原因だとするフロイトの理論にもとづくものである。この原初的な瞬間を再体験し、その痛みを叫びなどの形で完全に吐き出せば問題は解決するというわけだ。

ジョブズには対話療法よりも好ましく思えた。単なる合理的分析ではなく、直感的な感覚と感情による方法だからだ。

「これは考えてみるようなものじゃない。やってみるものだ。目を閉じ、息をとめて飛び込む。そして、さまざまな洞察を得るんだ」

当時、ヤノフの支持者グループが、オレゴンフィーリングセンターというプログラムをオレゴン州ユージーンの古いホテルで運営していた。このホテルの経営者は（驚くには当たらないかもしれないが）リード・カレッジ時代、ジョブズが師と仰いだロバート・フリードランドだった（前述のオールワンファームの近くである）。１９７４年末、ジョブズは12週間のコースを申し込んだ。料金は１０００ドル。コトケもいっしょに行きたいと思った。

「スティーブも私も人間的に成長しようともがいていたので私も行きたいとは思ったのですが、料金が高すぎて無理でした」

そのころジョブズは、自分が養子に出されたこと、また、生みの親を知らないことが心の痛みになっていると親しい友人に漏らしていた。

「スティーブは生みの親を知りたい、そうすることで自分を知りたいと強く願っていました」とフリードランドものちに語っている。生みの親はふたりとも大学院の学生だったこと、父親がシリア人らしいことは、ポールとクララから聞いて知っていた。私立探偵を雇ったらいいんじゃないかと思ったこともあるが、結局、やめることにした。

「両親を傷つけたくなかったからね」

ここで言う両親とは、もちろん、ポール・ジョブズとクララ・ジョブズである。

「彼は養子という事実に苦しんでいたわ」とエリザベス・ホームズは言う。「感情的に折り合いをつけなければならないと思っていたようです」

実際、ジョブズからもそう聞いたそうだ。

「このことには悩んでいる。ちゃんと向き合わなければならないと思うんだ」

グレッグ・カルホーンにはもっと詳しく話したらしい。

「養子の件について彼は熱心に自分探しを続けており、いろいろと話してくれました。粘液ができない食事や絶叫療法などはいずれも自身を浄化し、出生に関するフラストレーションを深く理解するための努力だったのです。捨てられたことに深い怒りを覚えているとも言っていました」

ジョン・レノンも1970年に原初絶叫療法を受け、その年の12月、「マザー」をプラスチック・オノ・バンドとリリースしている。自分を捨てた父親と、そして自分がティーンエイジャーのころに車に轢《ひ》き殺された母親に対する、レノンの想いを歌った曲である。

「お母さん、行かないで。お父さん、帰ってきて……」と訴えるリフレインが印象的だ。ホームズによると、ジョブズは一時期、この歌をよく聴いていたという。

もっとも、ヤノフの療法は、あまりジョブズの役に立たなかったらしい。

「よくある型にはまった処置ばかりで、どれもあまりに安易だった。どう考えても、優れた洞察が得られるとは思えなかった」

これに対してホームズは、このあと、ジョブズは自分を少し信じられるようになったと見る。

「このプログラムを受けたあと、彼はたしかに変わったわ。とてもかんに障《さわ》る性格だけど、あのあとしばらく、少しおだやかになったの。自分を信じられるようになって、なにかが欠けているという感覚が弱まったのだと思うわ」

このころジョブズは、信じる気持ちを預けるというやり方で、本人が無理だと思っていたことでもやらせることができる――そう考えるようになる。

ホームズがコトケと別れ、サンフランシスコで活動するある新興宗教に入ったときのことだ。この宗派は、過去のつながりをすべて断ち切るよう求めたが、それをジョブズは認めなかった。

ある日、ジョブズはフォードのランチェロで教団本部に乗りつけ、フリードランドのリンゴ農園に行くからおまえもこいと彼女を連れ出した。それだけでなく、運転までさせた――ホームズはマニュアル車を運転したことがなかったというのに、だ。

「ハイウェイに入ると運転席に座らされ、制限速度の88キロになるまで、彼がシフトレバーを操作したの。そのあとは、ディランの『血の轍《わだち》』をかけ、わたしのひざに頭をのせて寝てしまったわ。自分はなんでもできると信じていて、だからほかの人もできると思っていたのよ。彼は自分の命をわたしに預けることで、それまでできっこない、と思っていたことをわたしにさせたの」

これは、のちに現実歪曲フィールドとして有名になる彼の特質のよい面である。

「彼を信じればいろいろなことができるわ。こうなるべきだと思えば、彼はそれを現実にしてしまうのだから」

ブレイクアウト

１９７５年初頭のある日、アル・アルコーンがアタリのオフィスに座っていると、ロン・ウェインが飛び込んできた。

「スティーブが帰ってきたぞ！」

「本当か？　ちょっと連れてきてくれ」

ジョブズはサフラン色のローブにはだしといういでたちだった。まず、『ビー・ヒア・ナウ』をアルコーンに渡して絶対に読むようにと勧めたあと、こう聞いた。

「また働かせてもらえますか？」

すごい格好だったとアルコーンは言う。

「クリシュナ教団かと思うような格好でしたが、戻ってきてくれたのはとてもうれしく思いました。ですから、もちろんさと答えました」

今回も、ほかの社員に迷惑がかからないよう、ジョブズは基本的に夜、働くことになる。そのころHP社に勤めていたウォズは近くのアパートに住んでおり、夕飯後、アタリ社に来てはビデオゲームで遊んだりした。ウォズはサニーベールのボーリング場でアタリのポンを知り、自宅のテレビにつなげるポンを自作までしていたのだ。

１９７５年の夏が終わろうとするころ、ノーラン・ブッシュネルは、ひとりで遊べるポンを作ろうと決意する。そのころ、パドルでボールを打つポンのようなゲームはもう終わりだと言われていた。

そんなことはないと思ったブッシュネルは、相手と打ち合うのではなく、たくさんのブロックでできた壁に向けてボールを打ち、ブロックを崩してゆくゲームを考えつく。ジョブズをオフィスに呼ぶと、小さな黒板にゲームの概要を書いて開発を指示。50個よりも少ないチップで作れたら、削減量に比例するボーナスも約束した。ジョブズが優れたエンジニアでないことはわかっていたが、彼はよくつるんでいるウォズニアックの助けを借りるはずだ、と正しくにらんでいたのだ。

「ふたりはセットだと思っていました。エンジニアとしてはウォズのほうが上でした」

謝礼を折半するから助けてくれないかとジョブズに持ちかけられたウォズニアックは大喜びする。

「あれはぼくの人生で最高の提案だったなぁ。みんなが遊ぶゲームを実際に設計できるなんて」

条件は4日で完成すること、チップ数をなるべく減らすことだった。このときジョブズが隠していたのは、開発期間がジョブズの都合という点。オールワンファームにリンゴの収穫を手伝いに行かなければならなかったのだ。もうひとつ、チップ数を少なくできればボーナスが出ることも隠していた。

「こういうゲームは、ふつう、複数のエンジニアが2~3ヵ月もかけて作るものだった。だから絶対に無理なはずなんだけど、スティーブにかかるとできるような気にさせられるんだよね」

こうして、ウォズは4日連続の完全徹夜で設計をおこなった。昼間はHP社で紙に回路図を描く。晩飯をファーストフードですますとアタリへ行き、一晩中、作業を続ける。ウォズが回路図をどんどん描き、そのすぐ左では、ワイヤラッピングというやり方でジョブズがブレッドボード上にチップを取りつけてゆく。

「ブレッドボードの配線が終わるのを待つあいだ、大好きなゲームで遊んだ。グラントラック10という自動車レースだ。いまでも最高だと思うよ」

こうしてふたりは、4日でゲームを完成させてしまった。ウォズが使ったチップはたった45個。このあとの経緯は人によって言うことが違う。基本報酬の半分はウォズニアックに渡されたが、チップ5個分のボーナスはジョブズがポケットに入れたと記憶している人が多い。

ウォズニアックは、10年後になってボーナスのことを知る。『「アタリ社の失敗」を読む―先端〝遊び〟ビジネスの旗手』という本が出たのだ。この点について当人のウォズニアックにたずねてみた。

「スティーブはお金が必要だったんじゃないかなぁ。だから黙ってたんだろう」

しばらく黙ったあと、それはやはり悲しいことだと認める。

「正直に言ってくれたらよかったのにとは思うよ。お金が必要だと言ってくれればぼくの分はあげたのに。彼は友だちで、友だちは助け合うものなんだから」

このあたりが、ウォズニアックから見てふたりの性格が大きく違うところなのだ。

「ぼくはずっと倫理を重視してきたし、あのとき、受け取った金額とは違う額を、なぜ、ぼくに言ったのか、いまだに理解できない。でも、人それぞれだから、ね」

10年後、この話が活字になったとき、ウォズはジョブズから電話をもらっている。

「彼はそんなことをした覚えはないって言ってた。そういうことは忘れない人間だから、ということは、たぶん、しなかったんじゃないかな」

ジョブズ本人にも確認してみた。ジョブズにしては珍しく、口数が少なく、言いよどんだ。

「あの話がどこから出てきたのか、僕にはわからない。僕はもらったお金の半分を渡した。ウォズとはずっとそうしてきている。たとえばウォズは1978年にアップルの仕事を辞めた。1978年からこっち、なんの仕事もしていないんだ。それでも、彼と僕は同じ数のアップル株を受け取っている」

では、人々の記憶が混乱しているだけで、ジョブズはごまかしていない可能性はあるのだろうかとふたたびウォズに聞いてみた。

「ぼくの記憶がおかしいという可能性はあると思うよ」

そう言ったあと、ウォズは考え込む。

「いや、そんなはずはない。350ドルの小切手の話があった」

この点について、ウォズはノーラン・ブッシュネルとアル・アルコーンに確認してくれた。ブッシュネルはこう言う。

「ウォズとボーナスについて話をした記憶があります。彼は腹を立てていました。削減したチップ、1個あたりでボーナスを払ったと言ったら、ウォズはチッと舌打ちをして首をふりました」

真相がどうであれ、蒸し返すべきことではないというのがウォズの意見だ。ジョブズは複雑な人間であり、いろいろ操ろうとするのは、彼を成功に導いたさまざまな特質の暗黒面にすぎないというのだ。ウォズはそういう考え方をしないが、それを言うなら、アップルを創業しようなどとウォズが考えることもなかったはずだ。だから、この点についてさらに聞こうとした私にウォズはこう答えた。

「この件はもういいじゃないか。このことがあったからスティーブはどうとか、そんなふうに考えてほしくないとぼくは思うんだよ」

ジョブズは、アタリでの経験を糧《かて》として、ビジネスやデザインに対する自分なりの方法を確立していった。「コインをいれる。クリンゴンから逃げる」というシンプルで誰にでもわかるアタリのゲームを高く評価したのだ。

「ジョブズは、あのシンプルさを身につけ、のちのち、絞り込んだ製品を作るようになったのだと思います」と、アタリ時代の同僚、ロン・ウェインは語る。ノーラン・ブッシュネルの断固たる態度も吸収したとアルコーンは言う。

「ノーランはノーという回答を受け入れない人物でした。その態度が物事を推進する力だとスティーブは学んだのです。スティーブと違い、ノーランが口汚くののしることはありませんでした。でも、憑《つ》かれたように突き進む姿勢は同じです。うんざりすることもありますが、でも、たしかに仕事は進むのです。そういう意味で、ノーランはジョブズのメンターだったと言えます」

ブッシュネル本人も同じことを言う。

「アントレプレナーらしさというようなものがスティーブにはありました。エンジニアリングだけではなく、事業的な側面にも強い興味を持っていましたしね。彼には、いかにもできるという感じに行動すればうまくいくと教えました。すべてを自分がコントロールしているふりをすれば、そうなのだと周囲が考えてくれると話したのです」

第5章

アップルⅠ ターンオン、ブートアップ、ジャックイン

愛すべきマシンたち

１９６０年代末のサンフランシスコとシリコンバレーは、あらゆる文化が混じる場所だった。まず、軍需産業の発展で技術革命がはじまり、その後すぐに、エレクトロニクス企業、マイクロチップメーカー、ビデオゲーム制作会社、コンピュータ会社が加わった。

いわゆるハッカーのサブカルチャーも興る。ワイヤヘッドにフリーク、サイバーパンク、ホビースト、ふつうのギークなどが中心だが、ＨＰ社の社風が性に合わないエンジニアやその子どもなど、これらのいずれにも分類されない人たちもいた。

ダグラス・エンゲルバートやケン・キージーのように、ＬＳＤの効果を学術的に研究しようと考える人もいた。前者はパロアルトにあるＳＲＩインターナショナルの研究所、ＡＲＣの研究員で、のちにコンピュータマウスやグラフィカルユーザインターフェースの開発にも関与する。後者は音楽と光のショーでＬＳＤを祝うイベントをおこなった人物で、このとき演奏したハウスバンドのひとつはの

ちにグレイトフル・デッドとして有名になる。

ベイ・エリアのビートジェネレーションから生まれたヒッピームーブメントもあった。バークレーの自由言論運動からは反体制的で過激な政治活動が生まれた。そして、これらすべてとかぶる形で、禅にヒンズー教、瞑想にヨガ、原初絶叫療法、感覚遮断法、エサレン法、エスト法など、個人的な啓発を求める自己実現の動きが存在した。

この「愛」による社会変革の力と処理力の融合、啓発と技術の融合こそ、毎朝の瞑想、スタンフォード大学における物理学の聴講、アタリ社での夜勤、起業の夢を通じてスティーブ・ジョブズが具現化したものだ。ジョブズはこう当時をふり返る。

「ここは特別な場所だったんだ。グレイトフル・デッドにジェファーソン・エアプレイン、ジョーン・バエズ、ジャニス・ジョプリンなど、すばらしい音楽が生まれ、集積回路が生まれ、『ホールアースカタログ』のようなものも生まれた」

当初、技術系の人間とヒッピーは仲が良くなかった。カウンターカルチャー側はコンピュータをオーウェル的で不吉である、ペンタゴンや体制側に属するものだととらえた。『機械の神話—技術と人類の発達』で歴史家のルイス・マンフォードは、コンピュータは我々から自由を吸い取り、「人生を豊かにする価値」を破壊していると警鐘を鳴らした。当時のコンピュータシステムではパンチカードが使われていたが、そこに書かれていた「折る、曲げる、切るを禁ず」という注意書きなど、反戦左派が風刺の言葉として使ったほどだ。

しかし1970年代に入るころには意識が大きく変化する。カウンターカルチャーとコンピュータ業界の融合を研究した書、『パソコン創世「第3の神話」—カウンターカルチャーが育んだ夢』（ジョン・マルコフ著）にも「コンピュータは官僚的管理のツールとみなされていたが、それが個人の表現や解放のシンボルと見られるようになった」とある。このころの雰囲気は、１９６７年にリチャード・ブローティガンが発表した詩、「愛にあふれ気品に満ちた機械がすべてを監視していた」がたくみに表現している。ティモシー・リアリーはパーソナルコンピュータを新種のＬＳＤだとして、自分がかつて訴えた有名なフレーズ、「ターンオン（ドラッグで）、チューンイン（意識を解放し）、ドロップアウト（社会に背を向けよ）」をもじり、「ターンオン（スイッチオン）、ブートアップ（起動）、ジャックイン（仕事を放棄しろ）」と宣言した。これがサイバーデリックな融合の第一歩だった。有名なミュージシャンでのちにジョブズの友人となるＵ２のボノは、ロックとドラッグと反体制派によるベイ・エリアのカウンターカルチャーに浸った人々がパーソナルコンピュータ業界には多いが、それには理由があると考えている。

「21世紀を発明した人々が、スティーブのように、サンダル履きでマリファナを吸う西海岸のヒッピーだったのは、彼らが世間と違う見方をする人々だからだ。東海岸や英国、ドイツ、日本などのように階級を重んじる社会では、他人と違う見方をするのは難しい。まだ存在しない世界を思い描くには、60年代に生まれた無政府的な考え方が最高だったんだ」

カウンターカルチャー世界の住人とハッカーの協力を推進した人物にスチュアート・ブランドがいる。長年にわたって楽しいことやさまざまなアイデアを生み出してきたいたずら好きのビジョナリーで、60年代初頭には、パロアルトでＬＳＤの研究をおこなっていた。ケン・キージーとともにＬＳＤの祭典、トリップ・フェスティバルをプロデュースしたほか、『クール・クールＬＳＤ交感テスト』（トム・ウルフ著）の冒頭にも登場したり、新技術を音と光で紹介する独創的なプレゼンテーションで、のちに「すべてのデモの母」と呼ばれるようになるものをダグラス・エンゲルバートと作り上げている。ブランドはのちにこう語っている。

「私の世代にとってコンピュータは、基本的に、中央集権の権化だとさげすむ対象でした。しかし、ごく一部——のちにハッカーと呼ばれるようになる人々——はコンピュータを受け入れ、それを解放の道具にしようとしました。これがのちに、未来につながる王道だったとわかるわけです」

ブランドはホールアースと名付けたトラックストアでクールなツールや教材を移動販売していたが、1968年、販路を拡大するためホールアースカタログの発行を開始する。創刊号の表紙は宇宙から見た地球の有名な写真に「ツールへのアクセス」という副題が付いたものだった。その背景には、「技術は人間の友となり得る」という考えがあった。創刊号の最初のページにブランドはこう書いた。

「自分だけの個人的な力の世界が生まれようとしている——個人が自らを教育する力、自らのインスピレーションを発見する力、自らの環境を形成する力、そして、興味を示してくれる人、誰とでも自らの冒険的体験を共有する力の世界だ。このプロセスに資するツールを探し、世の中に普及させる——それがホールアースカタログである」

この後ろには、「確実に動作する計器や機構に私は神を見る……」ではじまるバックミンスター・フラーの言葉が続いていた。

ジョブズはホールアースカタログが大好きだった。とくに好きだったのが最終号で、大学にもオールワンファームにも、ハイスクールの生徒だった1971年に出たその号を持っていったほどだ。「最終号の裏表紙には早朝の田舎道の写真が使われていた。ヒッチハイクで旅でもしていそうな風景で、『ハングリー《ステイ・ハングリー》であれ。分別くさくなるな《ステイ・フーリッシュ》』の一言が添えられていた」

ホールアースカタログが求め、世間に広めようとしたもの、渾然一体とした文化の化身としてもっとも純粋な存在なのがジョブズだとブランドは考えている。

「スティーブはカウンターカルチャーとテクノロジーが交わるところに立っています。人が使うためのツールという概念を体現しているのです」

ホールアースカタログは、コンピュータ教育という生まれたばかりの分野を専門とする財団、ポートラ協会の支援を受けて発行されていた。ポートラ協会は、このほか、ピープルズ・コンピュータ・カンパニーという組織の立ち上げも支援している。「コンピュータの力を人々に」をモットーとする組織で、同名のニュースレターも発行していた（会社のような名前だが会社ではない）。また水曜日の夜には、一品持ち寄りのパーティーがときどき開かれていた。やがて、その常連だったゴードン・フレンチとフレッド・ムーアが、個人用エレクトロニクス機器の情報を共有するフォーマルなクラブを作る。

ふたりを触発したのはポピュラー・メカニクス誌の1975年1月号だった。特集としてこの号の表紙を飾っていたのが、世界初のパーソナルコンピュータキット、アルテアである。

いまふり返るとたいしたものではない。495ドル分の部品がセットになっているだけで、それをはんだ付けして回路基板を完成させなければならないし、完成してもできることはごく限られていた。それでも、コンピュータを趣味とする人々やハッカーにとっては、新時代の幕開けを告げる画期的な製品だった。マイクロソフトを創設するビル・ゲイツとポール・アレンもこの雑誌を読んでアルテア用BASICの開発をはじめた。ジョブズとウォズニアックも注目した。そして評価用のアルテアがピープルズ・コンピュータ・カンパニーに届き、フレンチとムーアが立ち上げたクラブの第1回会合はその話題で持ち切りとなった。

ホームブリュー・コンピュータ・クラブ

これが、のちにホームブリュー・コンピュータ・クラブとして有名になる会合だ。その中核には、カウンターカルチャーとテクノロジーのホールアース的融合があり、ジョンソン博士の時代におけるタークスヘッドコーヒーハウスのように、ここで、パーソナルコンピュータ時代のさまざまなアイデアが交換され、広がっていく。第1回会合は、1975年3月5日、メンロパークにあるフレンチの自宅のガレージで開催された。ムーアが作った案内にはこう書かれていた。

「コンピュータや端末、テレビ、タイプライターなどの自作をされていませんか？　もしそうならば、同じような趣味を持つ人の集まりに参加してみてはいかがでしょうか」

このチラシをＨＰ社の掲示板で見かけたアレン・ボームは、ウォズを誘って参加した。

「あの夜は、ぼくの人生でも有数の大事な夜になったよ」

とウォズは言う。その夜は30人ほどが集まり、フレンチのガレージに入りきれなくてアプローチまで人があふれていた。順番に自己紹介をして、自分がなんに興味を持っているのかを話していく。ウォズはとても緊張していたそうだが、「ビデオゲーム、ホテル向けの有料映画のシステム、関数電卓の設計、スクリーン付き端末の設計」に興味があると語ったらしい（ムーアが作成した議事録にそう書いてある）。アルテアのデモもおこなわれたが、ウォズにとってはマイクロプロセッサーの仕様書を見られたことが重要だった。

マイクロプロセッサーとは中央処理装置のすべてがひとつにまとめられたチップのことで、それについていろいろと考えていたウォズは、ふと、すばらしいことを思いつく。ウォズは、キーボードとモニターを持ち、遠くのミニコンピュータに接続できる端末を設計した経験があった。マイクロプロセッサーがあれば、ミニコンピュータの機能を部分的に端末に組み込み、ちょっとしたスタンドアローンのコンピュータをデスクトップに置けるのではないかと気づいたのだ。これは、将来につながるアイデアだった。キーボード、スクリーン、コンピュータのすべてをまとめてパッケージとし、個人に提供するのだ。

「このとき、パーソナルコンピュータと言ってもいいビジョンがぼくの頭の中に浮かんだんだ。そしてその夜、ぼくは、のちにアップルIとして世に出るもののスケッチを書きはじめた」

ウォズはアルテアと同じマイクロプロセッサー、インテル８０８０を使おうと思ったが、1個の値段が毎月の家賃より高いとわかって断念する。代替の候補となったのはモトローラ６８００。HP社の同僚経由で1個40ドルだった。その後、MOSテクノロジーズのチップなら、モトローラ６８００と電子的に同じものがわずか20ドルで手に入ることが判明する。こうして安価なマシンが作れるめどが立ったが、この選択は、長期的に大きな代償を支払わねばならない道だった。最終的にインテルのチップが業界標準となり、互換性のないアップルのコンピュータが苦しい立場に追い込まれてしまうのだ。

それからは毎日、ウォズは仕事が終わるといったん家に帰り、TV《テレビ》ディナーと呼ばれる冷凍食品を食べてHP社に戻り、コンピュータの開発を進めた。自分のキュービクルに部品を並べ、一つひとつ、取り付ける場所を確認してマザーボードにはんだ付けをしていく。このマイクロプロセッサーでスクリーンに画像を表示するソフトウェアも書く。タイムシェアリングのコンピュータを使うお金がなかったので、コードはすべて手作業で作成した。2ヵ月ほどで試験ができるところまで到達した。

「キーボードをたたいてみると……びっくりだ！　文字がスクリーンに表示されたじゃないか」

こうして、１９７５年6月29日の日曜日は、パーソナルコンピュータにとって大きな一歩が記された日となった。

「この日、はじめて、キーボードからキャラクターを入力し、それが目の前のスクリーンに表示されるということが起きたんだから」

このマシンにジョブズは感動し、端末としてコンピュータにつなげるのか、記憶装置のディスクは追加できるのかなどといった質問を次々とウォズにぶつけた。部品調達の手伝いもはじめる。とくに重要だったのが、ダイナミックランダムアクセスメモリー（DRAM）のチップだ。ジョブズはあちこち電話をして、インテルから何個かただで手に入れた。

「ああいうことができちゃうのがスティーブって男なんだよね。販売責任者との話がうまいんだ。ぼくにアレはできない。内気すぎてね」

ジョブズは、ウォズといっしょにホームブリューの例会に参加するようになる。テレビモニターを運んだり、機器のセッティングを手伝ったりもした。そのころホームブリューは100人以上が集まるようになっており、スタンフォード大学線形加速器センターの講堂に場所を移していた（ブルーボックスを作ったとき、ジョブズとウォズが電話システムのマニュアルを見つけたセンターだ）。自由な雰囲気の例会を取りしきっていたのはリー・フェルゼンシュタイン。工学部中退で、自由言論運動にも反戦活動にも参加し、一風変わった新聞、バークリーバーブ紙の記者をしたあとコンピュータエンジニアに戻るという経歴の持ち主で、彼もまた、コンピューティングとカウンターカルチャー、ふたつの世界の融合を体現する人物だった。

このころの例会は、ちょっとした論評の「マッピング」セッションのあと、指名されたホビーストがプレゼンテーションをおこない、最後に、自由な情報交換の「ランダムアクセス」セッションがあるという流れだった。ウォズは内気でプレゼンテーションは苦手だったが、ランダムアクセスセッシヨンでは興味を持ってくれた人に進捗状況を誇らしげに説明した。ホームブリューには、売り買いよりも交換や共有を重んじる雰囲気があった。創設したムーアの努力によるものだ。

「あのクラブは、『ほかの人を助ける』がテーマだった」

とウォズは回想する。「情報は無料であるべき、権力は忌避《きひ》すべき」というハッカーの価値観で運営されていたのだ。

「アップルⅠを設計したとき、ぼくはみんなにタダであげるつもりだった」

ビル・ゲイツの考え方は違った。ポール・アレンとふたりで作ったアルテア用ＢＡＳＩＣインタープリターをコピーし、ホームブリューのメンバーがただで使っていると知ったゲイツは驚き、有名な手紙をホームブリューに送る。

「ホビーストならわかるはずですが、みなさんの多くがなさっているのはソフトウェアを盗む行為です。これは正しい行為でしょうか？……みなさんの行為は、優れたソフトウェアを開発できなくするものだといえます。専門的な仕事を無償でおこなえる人などいません……代金を支払いたいという方がおられましたら、私までご連絡ください。お待ちしております」

スティーブ・ジョブズも、ウォズニアックが作ったモノ——それがブルーボックスであれコンピュータであれ——が無償であるべきという考えに反対だった。どうせ、自分で一から作れるほど時間的余裕がある人はほとんどいないのだからとウォズを説得。回路図の無償配布をやめさせ、

「それより、プリント基板を作って販売しよう」

と提案した。ふたりは持ちつ持たれつなのだ。

「ぼくがすごいものを設計するたび、それでお金を儲ける方法をスティーブが見つけてくれる」

自分ひとりだったらコンピュータを売ることはなかったとウォズは言う。

「コンピュータを売ろうなんて、ぼくが思いつくはずがない。展示して売ろうぜと言ったのはスティーブだ」

計画はジョブズが立てた。アタリの知り合いに回路パターンを作ってもらい、基板を50枚くらい製作する。これに製作費1000ドルとパターン設計料がかかるので、完成した基板を1枚40ドルで売れば700ドルほどの利益となるはずだ。一方、ウォズは売り切るのは無理という意見だった。

「お金が戻ってくるはずなんかないと思ったよ」

そのころウォズはお金がなかった。小切手が残高不足で決済されないことが何度かあり、家賃を毎月、現金で支払うように求められていたほどだ。

ジョブズはウォズの操縦方法をよく知っていた。必ず儲かるなどと言わず、絶対におもしろい経験ができる、だからやろうと誘ったのだ。

「お金は損するかもしれないけど、自分の会社が持てるよ。一生に一度のチャンスだ」

ウォズにとって、これは大きな魅力だった。金持ちになれるかもしれないことより魅力的だった。

「自分たちがそんなことをすると思っただけで元気が出たよ。親友とふたりでいっしょに会社をはじめる。すごい。すっかりその気になったよ。やるしかないよね」

必要資金を用意するため、ウォズはHP65電卓を500ドルで売る（最終的にその半額しかもらえなかった）。ジョブズはフォルクスワーゲンバスを1500ドルで売った。やめておけと父親に言われた車だったが、そう言われるのも当たり前のかなりお粗末な車だった。売った半月あとにはエンジンが壊れ、修理費の半額をジョブズが負担しなければならなかった。

このように多少の問題はあったが、1300ドルの運転資本（貯金も投入した）、製品の設計図、事業計画がすべてそろった。自分たちのコンピュータ会社を立ち上げるときがきたのだ。

アップル誕生

事業をはじめるには、もうひとつ、名前が必要だった。またオールワンファームに行き、グラベンスタインというリンゴの剪定をして帰ってきたジョブズをウォズニアックが空港で出迎え、ロスアルトスまでの車中でいろいろな名前を検討した。マトリクスなど、技術系らしい名前も検討した。エグゼクテックなどの造語も飛び出した。パーソナルコンピュータなど、わかりやすいがつまらない名前も検討した。翌日には書類を用意したいとジョブズが考えていたため、時間はあまりなかった。そして、ジョブズが「アップルコンピュータ」を提案する。

「僕は果食主義を実践していたし、リンゴ農園から帰ってきたところだったし。元気がよくて楽しそうな名前だし、怖い感じがしないのもよかった。アップルなら、コンピュータの語感が少し柔らかくなる。電話帳でアタリよりも前にくるのもよかった」

翌日の昼までにもっといい名前を思いつかなければアップルにしようとジョブズが宣言し、結局、アップルに落ちつく。

アップル。いい名前である。シンプルで親しみやすい。ありふれていながら、ちょっと変わった感じもする。とてもアメリカ的ながら、自然回帰というカウンターカルチャーの風味も兼ねそなえている。また、アップルコンピュータとつなげると、なんとも違和感がある。このあと、ふたりが立ち上げた会社の初代会長となるマイク・マークラもこう語っている。

「わけがわからない名前ですよ。だから、これはなんだろうと考えてしまうわけです。アップルとコンピュータというのはありえない組み合わせですからね。これは、ブランドの知名度を高めるにあたり、有利に働きました」

しかし、ウォズニアックはアップルに専念するつもりがなかった。HP社が心から好きで、そこで働き続けたいと思っていたのだ。ウォズを取り込むためにも、ふたりの意見が衝突したときの調停役としても、もうひとり仲間が必要だと気づき、ジョブズは、友だちのロン・ウェインを誘うことにした。昔、スロットマシンの会社を興した経験を持つが、いまはアタリで働く中年のエンジニアである。

ウェインは、ウォズにHP社を辞めさせるのは難しいし、すぐに辞めさせる必要もないと考えた。大事なのはむしろ、成果を所有するのがアップルというパートナーシップなのだとウォズに納得させることだった。

「ウォズは自分が開発した回路は自分が自由にできるものだと感じており、それを他の用途に応用したりHP社に使わせたりしたいと考えていました。一方、ジョブズと私は、この回路こそがアップルの根幹になると理解していました。私のアパートで2時間もかけて話し合い、ようやくウォズに納得してもらうことができたんです」

このときウェインは、優れたエンジニアというのは、優れたマーケティング担当者とチームを組まなければ人々の記憶に残る仕事はできない、そのためには設計をパートナーシップへ委託する必要があるのだとウォズを説得した。この議論をすごいと思ったジョブズは、感謝の気持ちを込め、ウェインにパートナーシップの持ち分、10パーセントを提示する。ビートルズにおけるピート・ベストといった立ち位置だが、ジョブズとウォズニアックの意見が対立したときのタイブレーカーという大事な役割もあった。

「まったく似ていないふたりでしたが、パワフルなチームでした」

とウェインは評価する。ジョブズは悪魔が憑《つ》いているのではないかと思うような言動をすることがあったが、逆にウォズはナイーブで、天使とたわむれているような人間だった。ジョブズはいつも強がっており、場合によってはほかの人々を操ってでも物事を推進した。また、カリスマ性があって魅力的だが、冷酷な面も持ち合わせていた。一方、ウォズニアックは友だち付き合いが苦手な恥ずかしがり屋で、だからこそ子どものようなかわいげがあった。

「ウォズは得意な分野ではすごく優秀なんだけど、知らない人にどう対応するかについてはまるで子どもで、もしかしたらサヴァン症候群なんじゃないかと思うほどだ。僕らはいいペアだったよ」

とジョブズは評している。ジョブズは魔法使いのようなウォズのエンジニアリング能力に惚《ほ》れ込んでおり、ウォズはジョブズの事業にかける意気込みに惚れ込んでいたのもよかった。

「いろいろな人に連絡して無理を通すなんてぼくにはできっこない。でもスティーブは、知らない人にでも電話して、いろいろやってもらっちゃうんだ」とウォズニアックは言う。「スティーブの場合、頭がいいと思わない相手に対してはずいぶんと失礼なこともしちゃうんだけど、でも、ぼくにつらくあたったことはないんだ。ずっとあと、彼が望むほどのレベルに自分が応えられなかったんじゃないかと思う時期になってもそうだったよ」

自分の設計はアップルパートナーシップのものにすべきだと納得したあとも、自分はHPの社員なのだからまずはHPに提示すべきだ――ウォズニアックはそう考えていた。

「HP社で働いているあいだに設計したものについては、HP社に話を通すのがぼくの義務だと信じていた。それが倫理的な行動であり、取るべき道だと」

だから、1976年春、上司とシニアマネジャーを前にデモをおこなった。出席した役員は驚き、やられたという感じでもあったが、結論は、HP社が開発するような製品ではないというものだった。少なくとも現状では趣味用の製品であり、高品質マーケットをターゲットとするHPと合わないというのだ。

「がっかりだったよ。でも、このおかげで、大手を振ってアップルパートナーシップがはじめられることになった」

１９７６年4月1日、ジョブズとウォズニアックはマウンテンビューにあるウェインのアパートでパートナーシップ契約を書き上げた。３ページの文書で、法律的な文書の作成経験があるというウェインが文章を作ったが、少し荷が勝つ作業だったらしく、格好をつけすぎたものとなった。「〜と明示的に定めるものとする」「さらに、〜についても明示的に定めるものとする」「……ここにおいて全述《ママ》の者は、それぞれに割り当てられた権益を考慮した結果……」という感じの文が満載だったのだ。それでもともかく、出資比率と利益分配率は45、45、10パーセントと明記されたし、１００ドル超の支出はパートナーふたり以上の合意が必要だと定められた。責務も明記された。「ウォズニアックは電子工学の実践について一般的・中心的な責務を負う。ジョブズは電子工学とマーケティングについて一般的な責務を負う。ウェインは機械工学と文書作成について中心的な責務を負う」といった具合だ。署名は、ジョブズがぜんぶ小文字の活字体、ウォズニアックが丁寧な筆記体、ウェインが判読しがたい殴り書きだった。

ところが、この直後ウェインはおじけづく。資金を借り入れて支出を増やそうとするジョブズを見て、会社をつぶしたときの記憶がよみがえったのだ。あれをもう一度経験するのは嫌だと思った。ジョブズもウォズニアックも資産がないに等しかったが、ウェインは（世界的な大恐慌を心配して）金貨をマット下に隠し持っていた。アップルは法人ではなくパートナーシップという形態で債務はパートナーが個人的に引き受ける必要があったため、債権者が自分のところへ取り立てに来るおそれがあったからだ。

こうしてウェインは、アップル設立のわずか11日後、退任の申立書と改正パートナーシップ契約を持ってサンタクララ郡役所を訪れる。「関係者全員の了解を改めて評価した結果……ウェインは、以降、『パートナー』の役割を果たすことを辞めるものとする」とあったほか、10パーセントの出資をおこなっていたウェインに対し、ただちに800ドルを支払うとともに、しばらくのちにもう1500ドルを支払うとも定められていた。

この10パーセントという持ち分をそのまま所有していれば、2010年末には26億ドルほどになっていたはずだ。しかしウェインは、いま、ネバダ州パーランプの小さな家にひとりで住み、1セント硬貨のスロットマシンで遊びながら年金暮らしをしている。後悔はしていないそうだ。

「あの時点で自分にとってベストな選択をしたのです。ふたりとも竜巻のような人間で、彼らと過ごしたら私の胃袋が耐えられないことはあきらかでしたから」

ジョブズとウォズは、アップルの設立書類に署名した少しあと、ホームブリュー・コンピュータ・クラブでプレゼンテーションをおこなった。まず、製作した回路基板を見せながら、ウォズがマイクロプロセッサーや8キロバイトのメモリー、自作BASICのバージョンなどを説明する。強調したのは一番大事だと思う点——「ライトとスイッチがずらっと並ぶ、わけのわからないフロントパネルではなく、キーボードからタイプ入力できる」ことだ。

後半はジョブズが担当した。アルテアの製品とは異なり、アップルの製品には必要な部品がすべて組み込まれていると指摘した上で、「これほどすばらしい製品なら、ふつう、いくらぐらいすると思うか」と問いかける。アップル製品が持つ価値に気づいてもらおうというわけだ。このあと何十年も、製品のプレゼンテーションで彼が使い続けるやり方である。

クラブ参加者の受けはよくなかった。マイクロプロセッサーがインテル8080ではなく、安物だったからだ。しかし例会後、詳しく話を聞きたいと有力な人物が残ってくれた。その1年前にバイトショップというコンピュータショップをメンロパークのカミーノ・レアルにオープンしたポール・テレルという人物で、全国チェーンを夢見て、このころには店舗を3ヵ所に増やしていた。

ジョブズは興奮を覚えながらデモをおこなった。

「これを見てください。気に入られると思いますよ」

テレルはそれなりに感心したらしく、ジョブズとウォズに名刺を渡す。

「また、様子を知らせてくれ」

ジョブズは翌日、はだしでバイトショップへ行く。

「様子を知らせにきました」

商談がはじまった。テレルは、コンピュータを50台、購入しようと提案する。ただし条件がある。客自身が必要なチップを集め、組み立てなければならない1枚50ドルのプリント基板ではだめ。それではごく少数のマニアしか買ってくれないからだ。組み立てられた完成基板なら、品物と引き換えに1台500ドル、キャッシュで払おう。

ジョブズはすぐ、HP社のウォズに電話する。

「ちゃんと座ってるかい？」

座っていないと言われたが、ジョブズはかまわず、受注のニュースを伝える。

「びっくりした。ただただ、ぼうぜん」と、のちにウォズは語っている。「あの瞬間のことは、忘れようにも忘れることができない」

これだけの注文に対応するためには、1万5000ドルもの部品代が必要だった。ホームステッド・ハイスクール時代からのいたずら仲間、アレン・ボームとその父親から5000ドルを借りることができた。ロスアルトスの銀行に借り入れを申し込んだが、ジョブズの風体を見たマネジャーに断られる（当然だろう）。ホールティドという店には部品の見返りにアップルの持ち分を提供すると提案したが、「みすぼらしい身なりの若造ふたり」としか見てもらえず、断られる。アタリのアルコーンにも頼んだが、現金取引のみと言われてしまう。

それでもジョブズはねばり強く仕入れ先を探す。ついに、クラマーエレクトロニクスのマネジャーを説得し、本当に2万5000ドル分の製品を発注したと、ポール・テレルに確認してもらうことに成功する。このとき、いますぐ発注を確認してくれとジョブズががんばったため、とある会議に出席していたテレルは、緊急の連絡が入ったとの場内放送で呼び出され、「バイトショップから受注したとむさくるしい連中が来ているんだが、発注は本当か」とたずねられる羽目になった。こうしてテレルに確認を取ったクラマーエレクトロニクスは、30日払いで部品を提供することに同意する。

ガレージバンド

部品代金の支払期限である30日後までに、50台のアップルIボードを組み立て、バイトショップに納品しなければならない。作業の中心となったのは、ロスアルトスのジョブズの実家だった。

まず、できるだけたくさんの人手が必要だ。ジョブズにウォズニアックだけでなく、ダン・コトケ、コトケの元ガールフレンドのエリザベス・ホームズに（新興宗教は辞めていた）、妊娠して家に戻っていたジョブズの妹、パティと総動員である。妹の寝室とキッチンのテーブル、ガレージは作業スペースとして接収。アクセサリー製作を習ったことのあるホームズは、最初、チップのはんだ付けを担当した。

「だいたいは上手にできたけれど、チップにフラックスを塗ってしまったりもして」

ジョブズは「チップ1個だって無駄にできないんだぞ」と怒ったが、実際、そういう状況だった。結局、はんだ付けはジョブズが交代し、ホームズはキッチンのテーブルで会計をはじめとする事務作業を担当する。完成したボードはウォズに渡す。

「組み立てが終わったボードは、1枚ずつ、テレビとキーボードをつなぎ、ぼくが動作テストをした。動作が確認できたものは箱にいれた。ダメだったものは、どのピンがソケットにきちんとささっていないのかなどをぼくがチェックした」

父親のポール・ジョブズは中古車修理の副業を一時中断し、ガレージ全体をアップルが使えるようにしてくれた。中古の細長い作業台を入れたり、石こうボードで自作した壁にコンピュータの回路図を貼ったり、部品の仕分けがやりやすいようにラベルを貼った引き出しをたくさん用意したりもしてくれた。高温環境で一晩、コンピュータボードを試験するためのボックスも、赤外線ランプで作ってくれた。言い争いが起きたときは(彼の息子のまわりでは珍しくなかった)、

「なにがあったんだい?」

「なにをそんなに怒っているんだ?」

と、事態の収拾にも手を貸した。そのかわり、ときどき、テレビを使わせてくれと頼むこともあった。ジョブズ家にテレビが1台しかなく、フットボールの試合を見るためにはそのテレビが必要だったからだ。その間は休憩時間として、ジョブズとコトケは庭の芝生でギターを弾いたりした。

山のように積まれた部品と息子の友人に家を占領されても、母親は嫌な顔ひとつしなかったが、息子の食生活がどんどん変になっていくのには困っていたとホームズは言う。

「スティーブの母親は、息子の食生活にあきれていたわ。息子に健康でいてほしいと願っているだけ

なのだけれど、その息子は『僕は果食主義で、月明かりで処女が摘んだ葉物しか食べない』なんて言うんですもの」

ウォズが承認した完成品が10台ほどもできたとき、ジョブズはバイトショップへ製品を運んだ。運ばれてきたものを見てテレルは少々面食らう。電源もなければケースもない、モニターもない、キーボードもないのだ。テレルはもっといろいろそろった製品を頼んだつもりだった。

そのテレルをジョブズは視線で圧倒し、代金を受け取った。

30日後、アップルは利益をあげる準備が整った。

「僕の交渉で部品を安く仕入れられたから、思ったよりも安くボードができた。バイトショップに販売した50台の代金で100台分の部品がまかなえたわけさ」

残りの50台を友だちやホームブリューの仲間に売れば、それはすべて利益になる。

会社の体裁も整いつつあった。エリザベス・ホームズはパートタイムの会計事務職員として時給4ドルで正式雇用され、週に1回、サンフランシスコから車で通ってきてはジョブズの小切手帳と格闘しながら元帳を作成した。会社らしく見えるようにとジョブズは電話代行サービスも頼んだ。電話があると、ジョブズの母親に連絡してくれるのだ。

ロゴはロン・ウェインが制作した。ビクトリア風の凝った線画で、リンゴの木の下に座るニュートンと枠には「彼の心は不思議な思考の海を漂う……ただひとりで」というワーズワースの言葉が書かれていた。これはアップルコンピュータのモットーというよりロン・ウェイン自身を示す言葉だといえる。同じワーズワースの言葉でも、フランス革命のはじまりにおける「生をこの時に得しは多福なりし／壮者《そうしゃ》なりしは快楽の頂上なりし」のほうがアップルらしい。

「史上最大級の変革を進めているひとりなんだと、ぼくは思っていた。そこに参加できていることが

「とてもうれしかった」

とウォズものちに語っているくらいなのだから。

そのころすでに次のマシンのアイデアがウォズの頭にあったので、販売中のモデルはアップルIと呼ばれることになった。ジョブズとウォズはカミーノ・レアルにあるエレクトロニクスショップを訪問し、アップルIを取り扱うよう頼んでまわった。バイトショップに販売した約50台と知り合いに販売した約50台に加え、もう100台を製作し、あちこちの店に置いてもらおうとしていたのだ。

驚くにはあたらないが、販売価格についてふたりの意見は大きく違った。ウォズは原価程度で売りたいと思っていたのに対し、ジョブズは十分な利益を上げたいと考えたのだ。最終的にはジョブズが自分の意見を通し、製作費の約3倍、バイトショップのような小売店に卸した価格（500ドル）の33パーセント増しを小売価格とした。つまり、666・66ドルだ。ウォズもこの値段は気に入ったらしい。

「ぼくは同じ数字の並びが大好きなんだ。だから、ダイヤル・ア・ジョークを運営したときも、255－6666という電話番号を使っていた」

666という番号が「獣の数字」として『ヨハネの黙示録』に載っているとはふたりとも知らなかったが、その後すぐ、苦情が次々に飛び込んで思い知ることになる。とくにこの1976年は、666というアザを持つ悪魔の子が主役の映画、『オーメン』が大ヒットした年だったからなおさらである（2010年、このころのアップルIがクリスティーズのオークションにかけられ、21万3000ドルで落札された）。

アップルIが雑誌ではじめて特集されたのは、インターフェース誌（その後廃刊となったマニア向け雑誌）の1976年7月号だった。製造はジョブズたちが実家でおこなっていたわけだが、その記事でジョブズは「アタリのコンサルタントを務めた経験を持つ」「マーケティング担当役員」とされていた。このほうが会社らしくなるからだ。記事には「スティーブは各地のコンピュータクラブと連絡を取り、この若い産業の状況を正確に把握している」という話や「彼らのニーズや思い、動機などを検討すれば、彼らが望むものを提供することができます」というジョブズの言葉なども紹介されている。

このころには、アルテア以外にも、IMSAI8080やプロセッサー・テクノロジー社のSOL－20など、競争相手が登場していた。後者を作ったのは、ホームブリュー・コンピュータ・クラブのリー・フェルゼンシュタインとゴードン・フレンチである。

彼らは皆、1976年9月のレイバーデー（労働者の日）の週末に開かれた第1回パーソナルコンピュータ・フェスティバルに参加した。開催場所は、当時、さびれていたニュージャージー州アトランティックシティーのくたびれたホテルだ。ジョブズとウォズニアックは、アップルIと新しいマシンのプロトタイプが入った葉巻箱ふたつを持ち、フィラデルフィアから当時のTWA（トランスワールド航空）で飛んだ。機中では、後ろの列にいたフェルゼンシュタインにアップルIを「どうこう言うほどのものじゃない」と言われてしまう。ウォズは、後ろの列の会話が気になって仕方がなかった。

「みんな、ビジネスマンっぽい話をしていた。ぼくらが聞いたこともない頭文字が並んだ略語とか、そんなものが聞こえたよ」

現地についたあと、ウォズニアックはホテルの部屋に閉じこもり、プロトタイプをいじってばかりいた。展示場の奥に置かれたアップルのテーブルに立つなど、恥ずかしくてとてもできなかったからだ。ジョブズが他社の偵察をしているあいだ、アップルのテーブルには、マンハッタンから手伝いに来たダン・コトケが立ってくれた（そのころコトケはコロンビア大学に通っていた）。

他社の製品は、いずれもそれほどすごいとは思えなかった。やはりウォズニアックは最高の回路エンジニアであり、アップルⅠは（その後継モデルももちろん）機能面では他社の先をゆける。しかし、ＳＯＬ－20は美しかった。流麗な金属ケースにキーボードがついていて、電源やケーブルもそろっていた。いかにも大人が作った製品という感じである。

これに対してアップルⅠは、そのマシンを開発した人々と同じくらいむさくるしかった。

第6章 アップルII ニューエイジの夜明け

完全パッケージのアップルII

パーソナルコンピュータ・フェスティバルの展示会場を歩きまわりながら、ジョブズは、バイトショップのポール・テレルに言われたことを思い出していた。たしかに、パーソナルコンピュータはすべてがそろったパッケージの状態でなければならない。よし、次のアップルはキーボードが組み込まれたすばらしいケースを用意し、電源からソフトウェアからモニターまで、すべてをひとつにまとめた製品にしよう――そう、考えた。

「あのとき、すべてが用意され、パッケージとなったはじめてのコンピュータを作ろうと思った。自分でコンピュータを組み立てるのが好きなマニア、トランスやキーボードを自分で買える人たちだけを狙うんじゃだめだ。そういう人ひとりに対し、すぐに使えるマシンなら欲しいと思う人が1000人はいるはずだ、と」

この展示会が開催された1976年のレイバーデーの週末、ウォズニアックはホテルにこもってアップルIIとなる予定のプロトタイプマシンをいじっていた。次のレベルへ進む原動力になってくれるとジョブズが期待するマシンだ。このマシンを展示会場に持ち込んだのは1回だけ、それも夜中だった。マシンのチップでカラー信号を生成する独創的な方法を開発していたウォズニアックが、映画のように大きなスクリーンへ投影するプロジェクションテレビでもうまく動作するかどうかを確認したいと思ったのだ。

「プロジェクターだとカラー回路が違っていて、ぼくのやり方ではきれいにカラーが映らないかもしれないと思ったんだ。アップルIIのプロトタイプをプロジェクターにつないでみたら……完璧だったよ」

キーボードからコマンドを入力すると、部屋の反対側に置かれたスクリーンにカラフルな線や渦巻きが表示される。このとき、アップルIIをはじめて目にした部外者は、テレビの設営をしていたホテルのテクニシャン、ひとりだけだった。彼は、出展されたマシンをすべて見て歩いたが、自分ならこのマシンを買うと言ってくれた。

完全パッケージのアップルIIを作る膨大な資金を用意するため、ふたりは、他社に権利を売ろうと考える。まずはアタリ社に売り込もうとアル・アルコーンに話を持っていった。アルコーンは、社長のジョー・キーナンと会う機会を作ってくれたが、社長はアルコーンやブッシュネルよりずっと保守的な男だった。

「ジョーはスティーブにがまんができなかったようです。小汚いのがどうにもだめで」

ジョブズははだしで、その足を社長の机に載せたらしい。

「そんなもの、誰が買うか！　足を下ろせ！」

という社長の怒鳴り声で、アタリが買うという話はなくなったとアルコーンは肩をすくめる。

9月がまだ終わらないころ、デモを見たいと、コモドールコンピュータのチャック・ペドルがジョブズ家を訪れる。

「その日、スティーブの家のガレージのドアを開けると日の光がさし込み、スーツを着てカウボーイハットをかぶったチャックが入ってきた」

とウォズは覚えている。アップルⅡが気に入ったペドルは、上層部へのプレゼンテーションをアレンジしてくれた。コモドールの本社に出向いたジョブズは、

「買い取り額は数十万ドルというところでしょう」

と切り出す。ウォズはばかげた要求だと驚いたが、ジョブズは本気だった。

数日後、コモドールからは自社開発したほうが安いという回答が来た。ジョブズは平然としたもので、ろくでもない経営陣だと切り捨てただけだった。ウォズもお金については後悔しなかったが、その9ヵ月後、コモドールのPETというコンピュータを見たときは、エンジニアとして悲しくなったという。

「なんともひどいものだったよ……急いで作ったのが見え見えの粗雑なシロモノだった。アップルを手にできたはずなのに、ねぇ」

コモドールの件で、ジョブズとウォズの関係にひそんでいた問題が表面化した。ふたりのアップルへの貢献度は同じくらいなのか、そこから得るお金は同じくらいにすべきなのか、だ。ウォズの父、ジェリー・ウォズニアックはアントレプレナーやマーケティング部門よりもエンジニアが上だと信じており、儲けの大半は息子が受け取るべきだと考え、訪ねてきたジョブズに切り出した。

「おまえはたいしたことをしていない。なにも作っていないじゃないか」

ジョブズは泣き出し（ジョブズは感情を抑えるのが下手なタイプでよく泣いた）、パートナーシップを

解消してもいいとウォズに提案する。

「半々が嫌なら、ぜんぶ君がやればいいよ」

しかしウォズは、父親と違い、ふたりが共利共生の関係にあることを理解していた。ジョブズがいなければ、自分はずっとホームブリューの例会でボードの設計図をただで配っていたはずだ。ブルーボックスのときもそうだったが、ジョブズがいたから、ギーク的な自分の才能が事業になったのだ。だから、パートナーのままでいることをウォズは選ぶ。

賢明な選択だった。すばらしいウォズの回路設計だけではアップルⅡが成功することはなかった。すべてがコンパクトにまとまった、一般消費者向けの製品とする必要があったが、その部分を推し進めたのはジョブズだ。

ジョブズはまず、かつてのパートナー、ロン・ウェインにケースのデザインを頼む。

「お金があまりないはずだと思ったので、面倒な機械加工がなく、ふつうの板金屋さんで作れるものにしました」

できあがってきたのは、アクリルを金属の留め具でまとめたもので、キーボードの上にスライド式のカバーがついていた。

これではだめだとジョブズは思った。もっとシンプルでエレガントでなければならない。灰色をした不細工な金属ケースの他社製品と一線を画すものでなければならない。そう思いながらメイシーズ百貨店を歩いていると、クイジナート社のフードプロセッサーに目を引かれた――そう、こんな感じで、明るい色のプラスチックを成形した、流麗なケースがいい。

そう考えたジョブズは、ホームブリューの例会でコンサルタントのジェリー・マノックをつかまえ、１５００ドルでデザインを頼んだ。身なりからジョブズをうさんくさいと思い、マノックは前金を要求。これをジョブズは拒否するが、結局、マノックは引き受けてくれた。その数週間後、注型発泡という方法で作られたシンプルなプラスチックケースが届く。親しみが感じられる、すっきりしたケースだった。ジョブズは大喜びする。

もうひとつの問題は電源だった。ウォズニアックのようなデジタルのギークは、ごくふつうのアナログなものなどどうでもいいと思っていたが、ジョブズは電源が重要だと考えていた。ポイントは、冷却用のファンがいらない電源とすること（彼はその後もその姿勢を貫く）。コンピュータのファンは〝禅っぽく〟なかったからだ。集中力が乱されてしまう。

ジョブズはまずアタリに行き、昔ながらの電子工学に詳しいアルコーンに相談した。

「アルは、ロッド・ホルトという優秀なエンジニアを紹介してくれた。チェーンスモーカーのマルクス主義者で結婚と離婚を繰り返してた人物で、なんでもよく知っていた」

ホルトも身なりからジョブズをうさんくさい男だと思い、

「俺は高いよ？」

と予防線を張る。それだけの価値がある男だと思ったジョブズは、お金なら問題ないと回答。

「あのときは彼にだまされて働いたようなものです」

とホルトが言うような状況だったのだが。なお、彼はのちにアップルの正社員となっている。

ホルトは一般的なリニア電源ではなく、そのころオシロスコープなどの計測器に使われていたスイッチング電源を選んだ。スイッチング電源というのは1秒間に数千回と細かくオン・オフすることで電気をコントロールするもので、発熱が少ないという特長を持つ。

「あのスイッチング電源は、アップルⅡのロジックボードと同じくらい画期的だった」とジョブズはホルトの業績をたたえる。「ロッドの功績は、もっと取り上げられていいはずだと思う。いまのコンピュータは必ずスイッチング電源を使ってるけど、それはつまり、ロッドの流れをくむものなんだ」

これは魔法使いとまで言われるウォズにもできないことだった。

「ぼく、スイッチング電源はぼんやりとしかわからないから」

完璧を求めるなら見えない部品もきれいに仕上げなければならないと、ジョブズは父親から学んでいた。だからアップルⅡに使用する回路基板のレイアウトにその考え方を適用し、最初の設計はラインがまっすぐではないからと却下した。

情熱を持って完璧を追い求めた結果、ジョブズは本能的にすべてをコントロールしようとした。ハッカーやマニアは、自分のコンピュータをカスタマイズしたり改造したり、さまざまなものをつないだりしようとする人が多い。ジョブズにとってこれは、隅から隅までなめらかなユーザー体験を危うくする行為だった。根がハッカーのウォズは考えが異なり、小さな回路基板や周辺装置をユーザーが挿《さ》せるよう、アップルⅡに8本の拡張スロットを用意したいと考えた。これをプリンターとモデムの2本にしろとジョブズは主張したが、ウォズは譲らなかった。

「ぼくが人と争うことはめったにない。でも、このときだけは違った。『どうしてもそうしたいのなら、どこかほかでコンピュータを手に入れろよ』って言ってやったんだ。ぼくと同じような人間がきっと、コンピュータに追加したい機能を思いつくはずだとも思っていたからね」

こうして自分の考えを押し通したウォズだが、それでも自分の発言力は少しずつ下がっていると感じていた。

「あのころのぼくは、こう言えるだけの立場にいた。でも、ずっとそうだったわけじゃない」

マイク・マークラ登場

なにをするにもお金が必要だった。ジョブズによると「プラスチックケースの製作に10万ドルくらいはかかった。製品の製造をはじめるだけで20万ドルくらい、すぐにかかる」らしい。ジョブズはふたたびノーラン・ブッシュネルを訪ね、会社に出資しないかと持ちかける。

「5万ドル出資してくれたら会社の3分の1をくれると言われました。断りましたよ。私は抜け目のない人間ですから。あのときのことを考えるのはなかなかにおもしろいものがありますよ。気分が落ち込んでいないときならね」

ブッシュネルは、ドン・バレンタインを紹介してくれた。ナショナルセミコンダクター社でマーケティングマネジャーをしていたまじめな人物で、その後、ベンチャーキャピタルのはしり、セコイアキャピタルを設立していた。メルセデスでジョブズのガレージを訪れたバレンタインはブルーのスーツ、ボタンダウンのシャツにネクタイを締めていた。この訪問から戻った直後、バレンタインはブッシュネルに電話をかけ、人間とも思えない連中のところへどうして自分を行かせたのかと半ば冗談でたずねたという。そう言ったかどうか、バレンタイン自身は記憶があやふやだが、ジョブズが見た目もにおいも変だったのは確かだそうだ。

「スティーブはカウンターカルチャーを体現しようとしていました。すごくやせていてまばらなひげもあり、まるでホー・チ・ミンのようでしたよ」

もちろん、バレンタインはシリコンバレー有数の投資家であり、相手の身なりだけで判断したりしない。彼が気にしたのは、ジョブズがマーケティングについてなにも知らず、ショップへ自分で売り歩くことに疑問を抱いていないらしい点だった。そこで、

「私に投資してほしいなら、まず、マーケティングと物流がわかり、事業計画が策定できる人をパートナーに迎えなさい」

とアドバイスする。年上からアドバイスされると、ジョブズは反発するか、さらにアドバイスを求めるかの両極端に走ることが多い。このときは後者で、

「3人、推薦してもらえませんか」

と頼む。そして、バレンタインから推薦されたうちのひとり、マイク・マークラと意気投合する。その後20年間、アップルに欠くことのできない存在となる人物である。

マークラはまだ33歳だったが、悠々自適の生活をしていた。フェアチャイルドとインテルで働いた経験を持ち、インテルが株式を公開したときにストックオプションで巨万の富を得たのだ。慎重で賢く、高校時代に体操の選手をしていただけあって動きに無駄がない。価格戦略、物流、マーケティング、財務にも詳しかった。基本的に控えめな性格だが、膨大な資産を手にしてきらびやかなものにも心を引かれており、タホ湖に別荘とウッドサイドに広大な邸宅を構えていた。ジョブズのガレージに来たときも、バレンタインは落ちついた色のメルセデスだったが、マークラは金ピカのコルベットコンバーチブルだった。

「私が着いたとき、ガレージの作業台にはウォズがいて、すぐにアップルIIを見せてくれました。ふたりとも髪を切る必要があったのに、それに気づかないほど作業台の上のものに目を奪われていました。髪の毛ならいつでも切れますからね」

ジョブズは最初からマークラが気に入った。

「彼は簡にして要だし、インテルのマーケティングを率いた経験もあった。その経歴から、自分の力を試したいとも思ったはずだ」

穏健で公正な人物だとも思った。

「無理が通せる場合でも無理を言わない。道義をとても重んじる人物なんだ」

ウォズニアックも惚れ込んだ。

「こんなすてきな人には会ったことがないって思った。しかも、ぼくらが持ってるものを気に入ってくれたんだ！」

マークラはジョブズに、ふたりで事業計画を策定しようと持ちかける。

「いい事業計画ができたら、私も投資することにしよう。いいものができなかったとしても、何週間か、私のアドバイスがタダで利用できるわけだ」

このあとジョブズは、毎晩、マークラの自宅を訪れてはいろいろな予測の数字をチェックし、夜を徹してマークラと語り合った。

「パーソナルコンピュータを購入する家庭はどのくらいあるのかなど、さまざまな仮定を置いて検討したんだ。朝4時まで話し合っていたこともある」

ただ、事業計画のほとんどはマークラが書くことになったらしい。

「スティーブはいつも、次回までにこの部分を書いてくると言うだけのことが多く、結局、私が自分で大半を書かざるをえませんでした」

マークラはマニア以外まで市場を広げることが大事だと考えた。これはウォズにとって驚きだった。

「ふつうの家のふつうの人にコンピュータを使ってもらうというんだ。レシピを記録したり、家計簿をつけたり、そういうことに使ってもらうって」

マークラは意欲的だった。

「2年でフォーチュン500企業になるんだ。我々は新しい産業の誕生に立ち会っている。こういうチャンスは10年に一度しかない」

その後アップルがフォーチュン500入りを果たすには7年を要するが、方向性としてマークラの予測は正しかったわけだ。

マークラは、株式の3分の1と引き換えに25万ドルの信用保証を提案した。具体的にはアップルを株式会社とし、マークラ、ジョブズ、ウォズニアックの3人が株式を26パーセントずつ所有する。残りは、将来的に投資家に提示できるよう、取っておく。マークラの自宅のプールサイドに集まった3人は、この条件で合意した。ジョブズは、マークラをすごいと思った。

「25万ドルをマイクが回収できる日はまず来ないだろうと思った。そのリスクを負うなんて、すごい人だとも」

最後にひとつ問題があった。ウォズは、フルタイムでアップルに参加するつもりがなかったのだ。

「アップルを副業として続け、HP社は一生の仕事として続けちゃいけないわけでもあるんですか?」

それはだめだとマークラは却下し、2~3日のうちに決心するようにと忠告する。

「自分で会社を設立し、いろんな人に仕事をさせ、アレコレを切りまわし、他人を管理するなんて、自分にはとてもできそうにないと思った。いわゆる権威者になんて、ぼくはなりたくなかったんだ」

そう思ったウォズは、HPを辞めないと宣言する。マークラは仕方がないと認めたが、ジョブズは猛反対した。電話でおだてる。友だち経由で説得する。泣き落としもした。怒鳴りつけもした。腹を立てたこともある。父親からも頼んでほしいとウォズの両親を泣き落とすことさえした。

ウォズの父、ジェリー・ウォズニアックも、このころはアップルIIがお金になると理解しており、ジョブズといっしょに息子を説得する側にまわった。

「職場やアパートへ、おやじにおふくろ、兄弟に友だちと、いろんな人が電話をしてきたんだ。次から次へと。みんな、考え直せって言うんだ」

四面楚歌《しめんそか》となっても、ウォズは考えを改めなかった。そんなウォズの心を変えたのは、ホームステッド・ハイスクール時代、バック・フライ・クラブでつるんでいたアレン・ボームだった。

「これ、やるべきだと思うよ」

と切り出したアレンは、アップルにフルタイムで参加するからといって、エンジニアを辞めて経営をする必要などないと説得したのだ。

「ぼくはこの一言を待っていたんだと思う。会社組織の末端にエンジニアとしてとどまれるんだって、誰かに言ってほしかったんだ」

ウォズは、ぼくも参加するとジョブズに電話をかけた。

1977年1月3日、新法人のアップルコンピュータを設立し、ジョブズとウォズニアックが9ヵ月前に設立したパートナーシップを買い取った。ひっそりとした出発だった。ちょうどこの1月、ホームブリューがメンバーにおこなったアンケートでも、パーソナルコンピュータを持つ181人のうちアップルは6人だけだった。しかし、アップルⅡが登場すれば大きく変わる――ジョブズはそう考えていた。

このあとマークラは、ジョブズの父親のような役割を果たす。養父と同じようにジョブズの強烈な意志を受け入れ、そして実父と同じように最後はジョブズを捨てるのだ。

ベンチャーキャピタリストのアーサー・ロックも、

「スティーブにとってマークラとは、父子の関係だった」

と証言している。マークラは、マーケティングや営業をジョブズに教え込んだ。その点はジョブズも認めている。

「マイクには本当に世話になった。彼の価値観は僕とよく似ていたよ。その彼が強調していたのは、金儲けを目的に会社を興してはならないという点だ。真に目標とすべきは、自分が信じるなにかを生み出すこと、長続きする会社を作ることだというんだ」

マークラは、この原理を1ページにまとめた。「アップルのマーケティング哲学」と題されたそのペーパーには、3つのポイントが書かれていた。

1番目は〈共感〉だった――「アップルは、他の企業よりも顧客のニーズを深く理解する」。顧客の想いに寄りそうのだ。

2番目は〈フォーカス〉――「やると決めたことを上手におこなうためには、重要度の低い物事はすべて切らなければならない」

3番目に挙げられた同じく重要な原理は、〈印象〉だった。わかりにくいかもしれないが、これは、会社や製品が発するさまざまな信号がその評価を形作ることを指している。

「人は、たしかに表紙で書籍を評価する。最高の製品、最高の品質、最高に便利なソフトウェアがあっても、それをいいかげんな形で提示すれば、いいかげんなものだと思われてしまう。プロフェッショナルかつクリエイティブな形で提示できれば、評価してほしいと思う特性を人々に印象付けることができる」

ジョブズはその後、マーケティングやイメージ、ときにはパッケージの細かな点にいたるまで注意を払うようになり、その姿勢は強迫的だと言われるほどになる。

「ｉＰｈｏｎｅやｉＰａｄの箱を開けたときに感じるなにか、それが、その製品に対する想いを決める第一歩になってほしいと僕らは考えている。これは、マイクが教えてくれたことだ」

レジス・マッケンナ

この方針を実現するため、まず、シリコンバレーで有名なマーケティング・コンサルタントのレジス・マッケンナにアップルの広告を担当してもらおうとした。

マッケンナはピッツバーグの労働者階級出身で、その笑顔の下には鋼《はがね》のような厳格さを秘めている。大学を中退し、フェアチャイルド社とナショナルセミコンダクター社で経験を積んだあと、独立して広告代理店をはじめた。得意とするのは、クライアント企業の独占インタビューを独自の人脈でジャーナリストに提供すること、また、記憶に残る広告キャンペーンを展開し、マイクロチップなどの製品についてブランド力を高めることだった。たとえばインテルについては、おもしろみがないのによく使われていた性能チャートをやめ、レーシングカーやポーカーチップを中心に据《す》えた広告を雑誌に展開した。この広告にジョブズが目をつけたのだ。

ジョブズはインテルに電話をかけ、御社の広告はどこが制作したのかとたずねる。返ってきた答えは「レジス・マッケンナ」だった。「レジス・マッケンナとは？　と重ねてたずねると、人の名前だと教えてくれた」。

こうしてジョブズはマッケンナに連絡を取ろうとするが、本人は電話に出てくれない。代わりに出たのが、取引先を担当するアカウントエグゼクティブのフランク・バージだった。バージは話を断ろうとするが、ジョブズは連日、電話攻勢をかける。

バージはついに根負けし、ジョブズのガレージを訪れた――「大物になる気でいるんだからどうしようもないよな。このおめでたいやつといっしょにいる時間をなるべく短くしてまともな案件に戻りたいが、どのくらいなら切り上げても無礼にならないだろう」と思いつつ。

しかし、ぼさぼさ髪で小汚いジョブズに光るものがあると気づく。

「彼はすごく頭がいいということ、そして、私には彼の話が50分の1も理解できないことに気づいたのです」

こうしてジョブズとウォズは、「レジス・マッケンナその人《ヒムセルフ》」（ちゃめっ気のあるマッケンナの名刺には、本当にこう書いてあった）に会う。だが、いつもは引っ込み思案のウォズニアックが声を荒らげてしまう。ウォズニアックが書いていたアップルの記事を見たマッケンナが技術的すぎる、もう少しおもしろくしたほうがいいと意見したのだ。

「PRマンなんかにどうこう言ってほしくないね！」

と叫ぶウォズニアックに、マッケンナも出てゆけと応酬する。この程度であきらめるジョブズではない。

「その直後、もう一度会いたいとスティーブから電話をもらい、今度はスティーブがひとりで来て、いっしょにやろうという話になりました」

マッケンナは、部下に命じてアップルⅡのパンフレット制作に取りかかった。まず、ロン・ウェインが描いたビクトリア風のロゴを作り直す必要があった。マッケンナの華やかでちゃめっ気にあふれた広告スタイルに合わないからだ。

新しいロゴの制作を任されたのは、アートディレクターのロブ・ヤノフだ。

「かわいいのはやめてくれよ」

とジョブズに指示されたヤノフは、リンゴをモチーフとしたロゴ、2種類を提出。ひとつは完全なリンゴ、もうひとつは一口かじった形だった。かじられていないほうはサクランボに見えたりするからと、ジョブズはかじられたほうのリンゴを選んだ。色は、アースカラーのグリーンと空のブルーにサイケデリックな色を挟み、ストライプ状にした6色カラーだ（印刷コストがすごくかさむロゴである）。パンフレットの表紙上部に、レオナルド・ダ・ビンチのものとされる格言を置いた。その後、ジョブズのデザイン哲学を支えることになる一文だ――「洗練を突きつめると簡潔になる」。

はじめてのドラマチックな発表会

アップルⅡは、1977年4月にサンフランシスコで開催される第1回ウエストコーストコンピュータフェアでお披露目することとした。ホームブリューのメンバーだったジム・ワーレンが事務局をしており、ジョブズは、フェア開催の情報をつかむと同時にブースを確保する。アップルⅡの発表会を劇的なものとするために展示場の真正面を押さえ、5000ドルを前金で払ってウォズをびっくりさせたらしい。

「この製品発表は盛大にすべきだとスティーブは考えたんだ。我々はすごいマシンを持つすごい会社なんだって世界に知らせなきゃいけないって」

マークラの教えをさっそく実行したわけだ。新製品の発表を中心に、強烈な「印象」を与えて自分たちのすごさを人々に刷り込むのが重要だという教えを――。

アップルの展示方法についても、ジョブズは同じように細心の注意を払った。ほとんどの出展者は、カードゲームで使うような小さなテーブルと板紙でできた看板を使っていた。アップルのブースは、黒いベルベットを垂らしたカウンターが用意され、アクリル板に描かれたヤノフの新しいロゴがバックライト照明で輝いていた。展示品はアップルⅡが3台のみ。完成品がこれしかなかったからだが、マシンが潤沢にあると印象づけるため空箱が積み上げられていた。

この少し前にようやく完成し、届いたコンピュータケースは仕上がりに問題があった。ジョブズは激怒し、コンピュータフェアまでに紙やすりで磨き上げるよう社員に指示する。

印象操作はジョブズとウォズにもおよんだ。ふたりともマークラの指示でサンフランシスコの仕立屋に行き、スリーピースのスーツを用意した。ただ、まるでティーンエイジャーがタキシードを着ているような感じで、はなはだしく似合っていなかったが。

「マイク・マークラから、きちんとした身なりをしろとか、こぎれいじゃなきゃいけないとか、どういう立ち居ふるまいをすべきかとか、いろいろ言われたよ」

と、ウォズは苦笑いをする。

この努力は報われる。ベージュ色の優美なケースに入ったアップルIIは、しっかりしていながらフレンドリーな雰囲気をかもし出していた。これに対し、他社のテーブルに置かれていたのは、身近に置くにはごつすぎる金属のケースに入ったマシンやむき出しのボードだった。展示会でアップルは300件の注文を獲得する。日本の総代理店となる人物、水島敏雄と出会ったのもこの展示会である。

きちんとした服装やマークラの指示があっても、ウォズはいたずらをがまんしきれなかったらしい。まず、名字から出身を推測し、その民族にまつわるジョークを表示するプログラムを作って展示した。「ザルテア」というコンピュータをでっち上げ、そのパンフレットも制作・配布した。コピーは「車輪が5つある車を想像してみてください」など、思いっきりアホなものばかりだった。

このいたずらにはジョブズも引っかかり、ウォズが勝手にでっち上げた性能などの比較表でアップルIIが健闘していると喜んだらしい。この黒幕がウォズだったとジョブズが知るのは8年後、誕生日のプレゼントとしてウォズから額縁に入ったチラシをもらったときだった。

マイク・スコットとジョブズ

アップルも、会社としての体裁が整ってきた。10人あまりの社員がいて、信用枠もあり、そして、日々、顧客やサプライヤーからプレッシャーを受けるようになった。ようやくジョブズのガレージから出て、クパチーノのスティーブンス・クリーク通りに事務所も借りた。ジョブズとウォズが通ったハイスクールから1~2キロのところだ。

こうして責任は大きくなっていったものの、それに伴ってジョブズが大人になることはなく、高飛車で怒りっぽいままだった。アタリ時代は夜勤という裏技が使えたが、アップルでは使えない。これにはマークラも手を焼いた。

「専横がしだいにひどくなり、周囲の人間を酷評するようになりました。『クソみたいなデザインだな』などと平気で言うのです」

ウォズニアックの下で働くプログラマー、ランディ・ウィギントンとクリス・エスピノザにはとくにつらくあたった。

「部屋に入ってくるなり、私がやっていることをさっと見て、そんなのくだらないって言うんです。どういう作業をしているのかも、なぜそうしているのかも知らないのに」

と、当時ハイスクールを出たばかりだったウィギントンは言う。

衛生上の問題もあった。そのころジョブズはまだ、絶対菜食主義ならデオドラントも不要だし定期的にシャワーを浴びる必要もないと信じていた。事実に目を向ければそうでないことがあきらかであるにもかかわらず。これまたマークラの頭痛の種だった。

「文字どおり事務所の外に追い出し、シャワーを浴びてこいと言わなければならなかったのです。会議では、汚い足を見せられましたし……」

便器に足を突っ込んで水を流すという、ジョブズ独特のストレス解消方法も、まわりにとっては心が休まらなかった。

強硬姿勢が不得手なマークラは、ジョブズの押さえとしてマイク・スコットを社長に迎えることにした。マークラとスコットは共通点が多かった。ふたりは１９６７年の同じ日にフェアチャイルドに入社して隣り合わせのオフィスで働いた。誕生日も同じで、毎年、いっしょに祝っていた。アップルの社長にならないかという話が出たのも、１９７７年2月、誕生日を祝うランチのときだった。このとき、スコットは32歳。

経歴的には申し分なかった。ナショナルセミコンダクターの製造ラインを統轄した経験があり、エンジニアリングのわかるマネジャーになれる人物だった。ただ、人物的にはクセがあった。太りすぎで健康に問題があり、チックもあった。興奮気味で、こぶしを握りしめて事務所を歩きまわる。言い争いも多かった。ジョブズの相手としては、功罪相半ばするというところだろうか。

スコットの社長就任にウォズはもろ手をあげて賛成した。マークラと同じように、ジョブズが引き起こすやっかいごとの後始末にうんざりしていたのだ。当然ながらジョブズは複雑な思いだった。

「あのころ僕は22歳で、会社をまともに経営できないことはわかっていた。でも、アップルは僕の子どもであり、あきらめるわけにはいかなかったんだ」

権限を手放すのは大きな苦痛だった。この問題については、ビッグボーイ・ハンバーガー（ウォズお気に入りの店）やグッドアースレストラン（ジョブズお気に入りの店）でランチを食べながらさまざまなやり取りがあったらしい。最後は、しぶしぶながらジョブズも同意する。

マイク・スコット（マイク・マークラと区別するため「スコッティ」と呼ばれた）の一番大事な仕事

は、ジョブズの手綱を握ることだった。ふたりの話は、ジョブズの好みを尊重していっしょに歩きながらおこなわれることが多かった。

「はじめていっしょに歩いたときには、シャワーをもっと使えと話しました。そうしたら、そのかわり、果食主義の本を読んで少しダイエットしろと言われてしまいましたよ」

結局、スコットは果食主義を採用もしなければダイエットもしなかったし、ジョブズも行動を少ししか変えなかった。

「週に1回はシャワーを浴びているからと譲らなくて。果食主義の食事をしているかぎり、それで十分だとスティーブは信じていたのです」

ジョブズは権威がきらいで、なんでも自分の思いどおりにしたいタイプだった。その彼の監督役として招かれた人間とのあいだでさまざまな問題が生じるのは当たり前だ。ジョブズが我を通せない相手というのはめったにいないが、スコットはそういうひとりだったからなおさらである。

「スティーブと私はどちらが頑固なのかを競っていたわけで、それは私の得意分野ですからね。彼は誰かが押さえる必要がありましたが、それは当然、本人にとっておもしろいはずがありません」

ジョブズも「スコッティほど怒鳴った相手はいない」とのちに語っている。

社員証の番号も争点になった。スコットはウォズニアックを1番、ジョブズを2番にした。

「ジョブズを1番というのはありえない選択でした。つけ上がらせるだけですからね」

当然ながら、ジョブズは1番を要求する。けんか腰や泣き落としなど、どうやってもだめだとわかると、今度は妥協案として0番を要求する。この条件をスコットが呑み、社員証の番号は0番となった。ただし、バンクオブアメリカの給与システムでは正の整数しか使えないため、そちらの番号は2番のままだった。

個人的な問題だけでなく、もっと重要な部分でも意見の衝突があった。レストランでたまたまジョブズに会い、アップルの社員となったジェイ・エリオットは、「とにかく、製品に対する情熱、完璧な製品に仕上げる情熱が半端じゃありません」とジョブズを評している。これに対してマイク・スコットは現実的で、完璧を追求する熱い想いを優先することがなかった。

アップルIIのケースも問題になった。アップルがプラスチックの色を発注していたパントン社には、ベージュだけで2000種類もの色味が用意されていた。

「そのどれもよくないとスティーブは言うんですよ。別の色を作らせるというから、止めに入らざるをえませんでした」

とスコットは肩をすくめる。

ケースの設計変更をしたときも、ジョブズは、角の丸みだけで何日も費やしたらしい。

作業台も問題になった。スコットは一般的なグレーでいいと思ったが、ジョブズは特注で真っ白にしろと譲らなかったのだ。こういうことがあるたび、どちらが発注書にサインするのか、マークラの前でふたりが争い、マークラがスコットに賛同する。

顧客対応についても他社とは違う1年保証をアップルIIに付けるべきだとジョブズは主張した。そのころ業界の相場は90日保証で、スコットにとってはありえない条件だった。このときもジョブズは、やりあっているうちに泣き出してしまう。そのジョブズを落ちつかせようといっしょに駐車場を1周したスコットは、この件は自分が折れることにした。

このころから、ウォズニアックはジョブズのスタイルが気になりはじめていた。

「スティーブはまわりの人に厳しすぎたと思う。ぼくとしては、会社とは家族のようなもので、みんなで楽しみ、作ったものをみんなで共有する場所であってほしかった」

逆にジョブズは、ウォズニアックは子どものままだと思いはじめていた。

「あいつはホントに子どもみたいなヤツでね。すごいBASICを書いてくれたけど、それを発展させて必要な浮動小数点版を書いてはくれなかった。だから結局、マイクロソフトと取引せざるをえなくなってしまった。集中できずにふらふらするんだ」

このころは、性格の不一致も大きな問題にならなかった。最大の要因は、会社がうまくいっていたからだ。コンピュータ技術のオピニオンリーダーとしてニュースレターを発行していたアナリストのベン・ローゼンがアップルⅡを絶賛。パーソナルコンピュータ初となる表計算と家計簿のソフト、ビジカルク（VisiCalc）をとあるディベロッパーが開発したが、当初、ビジカルクはアップルⅡでしか動かなかったため、事業用としても家庭用としても買うならアップルⅡしかないという雰囲気になった。有力な投資家も参画した。そのひとりが、ベンチャーキャピタリストのはしりとして有名なアーサー・ロックである。ただ、マークラの紹介で訪ねてきたジョブズには、とくに感銘を受けなかったそうだ。

「インドの導師に会ってきたところですという感じに見えましたし、なんというか、においもそんな感じでした」

しかしアップルⅡを吟味した結果、ロックは資本参加を決心し、取締役に就任する。

アップルⅡは、その後16年間、さまざまなモデルが総計600万台も販売される。パーソナルコンピュータという産業を興した立て役者と言っても過言ではない。

感動的な回路基板とそれを動かすソフトウェアは、個人の手によるものとして20世紀有数の発明だが、この歴史的偉業はウォズニアックの業績である。しかし、ウォズニアックのボードを電源やクールなケースと組み合わせ、フレンドリーなパッケージにまとめたのはジョブズである。ウォズニアックのマシンを中心に会社を興したのもジョブズである。

「ウォズはたしかにすばらしいマシンを作ったが、スティーブ・ジョブズがいなければ、そのマシンはマニア向けの店でほそぼそと売られるだけだっただろう」

と、のちにレジス・マッケンナが語ったとおりなのだ。いずれにせよ、このころ、アップルⅡの生みの親はウォズニアックだと世間的には認知されていた。だからジョブズは大いなる発展を望んだ。自分が生んだといえるモノを作ろうとしたのである。

第7章

クリスアンとリサ 捨てられた過去を持つ男

妊娠とＤＮＡ鑑定

ハイスクールを卒業した夏にふたりで小屋暮らしをして以来、クリスアン・ブレナンは、折にふれてジョブズの人生に登場するようになる。１９７４年、ジョブズがインドから戻ったあとも、ふたりでロバート・フリードランドの農場に出かけた。

「あそこには、スティーブに誘われて行きました。あのころはふたりとも若くて自由で悩むこともありませんでした。あそこは活気に満ちていてとても印象的でした」

リード大学を中退したジョブズがロスアルトスに戻ったあと、ふたりの関係は基本的に友だちに戻っていた。ジョブズは実家からアタリに通っていたし、アパート住まいのブレナンは知野弘文の禅センターに入りびたりだった。１９７５年に入ったころから、ブレナンは、ジョブズの友人でもあるグレッグ・カルホーンと付き合うようになる。エリザベス・ホームズは当時をこう回想している。

「彼女は基本的にグレッグと付き合っていたけど、ときどき、スティーブに戻ることもあったわ。あのころ、わたしたちは皆、だいたいそんな感じだった。別れたりよりを戻したりで。70年代だから」

カルホーンは、リードでジョブズやフリードランド、コトケ、ホームズと知り合った人物である。東洋思想に傾倒していた彼もリードを中退。紆余曲折《うよきょくせつ》のちにフリードランドの農場へ来て、2・5メートル×6メートルほどの鶏舎を改造してそこに住みつく。鶏舎を軽量ブロックの土台に載せ、寝台代わりのロフトを作ったのだ。1975年春、ブレナンはこの鶏舎でカルホーンと暮らしはじめ、翌年はふたりでインドへ巡礼の旅に出た。このときジョブズは、道を究《きわ》める妨げになるからブレナンを連れて行かないほうがいいとカルホーンにアドバイスしている。彼女自身は行きたいと思っていた。

「インドへ行ってスティーブが大きく変わったのを見て、わたしも行きたいと思ったのよ」

ふたりは真剣で、1976年3月から1年近くをインドで過ごしている。途中、お金が尽きたときは、ヒッチハイクでカルホーンがイランまで行き、テヘランで英語を教えてお金を稼いだ。ブレナンはインドに残り、カルホーンの仕事が終わったところで、ふたりともヒッチハイクでアフガニスタンに行って合流。あのころ、世界はいまと大きく異なっていたのだ。

その後、ふたりは関係がぎくしゃくし、インドからは別々に帰国する。ブレナンは1977年の夏にロスアルトスへ戻り、しばらくは禅センターの敷地にテントを張って暮らした。そのころジョブズは実家を出て、ダン・コトケとふたりでクパチーノ郊外に家を借りて住んでいた。家賃は月600ドル。自由な精神を標榜するヒッピータイプのふたりが、平屋の建売住宅に「町はずれの仮小屋」と名前をつけて住むというのは少し変な感じもする。

「ベッドルームが4つあったから、そのひとつは他人に貸したりしていた。ストリッパーとか、いろいろとおかしな人にも貸したなぁ」

とジョブズは当時を懐かしむ。一方コトケは、あのころのジョブズならひとりで家が借りられたはずで、どうしてそうしなかったのか不思議だと言う。

「単にルームメイトが欲しかったのかもしれません」

ジョブズとは切れ切れにしか付き合っていなかったブレナンも、すぐに同居しはじめる。その結果、部屋割りがなんともおかしなことになってしまった。この家には大きなベッドルームと小さなベッドルームがふたつずつあった。ジョブズはもちろん、一番大きな部屋を占領。もうひとつの大きなベッドルームにはブレナンが入った(スティーブと同棲していたわけではないので)。コトケは居間だった。

「あとふたつのベッドルームは赤ん坊用という感じの部屋で居心地が悪かったので、私は居間にマットを敷いて寝ていました」

小さなベッドルームの片方は、リード時代の天井裏のように、瞑想やLSDの部屋とした。部屋はリンゴの箱詰めに使う発泡材でいっぱいになっていた。

「近所の子どもが遊びにきたら、その部屋に放り込むんです。すごく喜んでいました。でもクリスアンが猫を飼ったら、詰め物におしっこをするようになったので捨てざるをえなくなりました」

ひとつ屋根の下で暮らすようになった結果、クリスアン・ブレナンとジョブズの関係が再燃した。そして数ヵ月後、彼女は妊娠する。

「妊娠したころ、スティーブとわたしはくっついたり別れたりを5年も繰り返していたわ。どうしたらいっしょに居続けられるのかもわからなければ、どうすれば別れていられるのかもわからない状態だったの」

グレッグ・カルホーンには、彼が1977年の感謝祭にコロラド州から訪ねてきたとき、ブレナンが妊娠のニュースを伝えた。

「スティーブとまたいっしょになって妊娠したわ。でも、いまもくっついたり離れたりの状態で、どうしたらいいかわからないのよ」

その状況をジョブズがひとごとのように見ており、いっしょに住んでアップルで働かないかと誘われさえしたことにカルホーンは驚く。

「スティーブは、クリスアンとも彼女の妊娠とも向き合っていませんでした。彼は、人と深くかかわったかと思うと、次の瞬間にはすごくよそよそしくなったりします。彼には怖いぐらいに冷たい側面があるのです」

悩みごとに直面したくないとき、ジョブズはさらっと無視したり、可能な場合にはなかったことにしたりもする。彼が歪曲するのは他人の現実だけでなく、自分の現実もなのだ。ブレナンの妊娠は意識の外に押し出した。そのことを突きつけられた場合も、彼女と寝たことは認めても、自分が父親だとは認めなかった。

この点について、私もジョブズにたずねてみた。

「自分の子どもかどうかよくわからなかった。彼女が僕以外とも寝ていたのは間違いないからね。彼女が妊娠したころ、僕らはそんなに親密じゃなかったし。ただ、いっしょの家に住んでいたっていうだけでね」

一方、ブレナンはジョブズが父親だと確信していた。そのころは、ジョブズ以外、グレッグともほかの誰とも付き合っていなかったからだ。

ジョブズは自分自身にうそをついているのだろうか、それとも、本当に自分が父親だとわからなかったのだろうか。

「たぶん、責任を取るといったあたりのことがきちんと考えられなかったのでしょう」

とコトケは言う。エリザベス・ホームズも同じ意見だ。

「親になる道とならない道を前にして、後者を信じると決めたのでしょう。人生でやりたいことがほかにいろいろとある人でしたから」

結婚という話はなかったのかとジョブズに聞いてみた。

「彼女と結婚する気はなかったし、結婚しても幸せになれず、すぐに別れたはずだ。僕は絶対に堕ろすべきだと思ったけど、彼女は迷っていた。ずいぶん考えた末にやめることにした。……いや、結局、決められなかったのかもしれない。むしろ、時間が決めてくれたんじゃないかと思う」

ブレナンは、産んだのは自分の意志だと言う。

「彼は中絶してもかまわないとは言ったけど、それを強く求めなかったわ。ふーんと思ったのだけど、彼がその生い立ちから強硬に反対した選択肢がありました。養子に出すのはやめろと言ったのよ」

これは偶然の皮肉ともいえる事件だった。ジョブズもブレナンも23歳――つまり、ジョブズをもうけたときのジョアン・シーブルとアブドゥルファター・ジャンダーリと同じ歳だったのだ。このころ、ジョブズはまだ生みの親を見つけ出していなかったが、養父母からある程度の話は聞いていた。

「あのとき、ちょうど同じ歳だったとは知らなかった。だから、それがクリスアンとの話に影響を与えた可能性はないよ」

23歳のとき、現実や責任と向き合わなかった実の父のあとを追ったのではないかという説をジョブズは否定する。しかし皮肉な一致であることはたしかで、口を開くまで少し間があった。

「ジョアンが23歳で僕を身ごもったと知ったときは、えーっ！　って思ったよ」

コトケによると、妊娠をきっかけにジョブズとブレナンの関係は急速に悪化したという。

「スティーブと私がふたりがかりで意地悪をすると言って、クリスアンはよく被害者モードに入っていました。一方、スティーブは笑って取り合いませんでした」

本人ものちに認めているが、このころブレナンは精神的に不安定で、皿をたたき割ったり、物を投げたり、家をめちゃくちゃにしたり、壁に炭でひどい言葉を書きなぐったりした。冷淡なジョブズに腹が立って仕方がなかったのだそうだ。

「彼は悟りを得た、無慈悲な人間なの。珍しい組み合わせよね」

このふたりに挟まれた格好となったのがコトケである。

「ダニエルは無慈悲のDNAを持っていなかったので、スティーブの言動にかなり振りまわされていました。『君にこんな仕打ちをするなんてスティーブはひどい』と言ってみたり、スティーブといっしょにわたしを笑いものにしたりしたの」

そんな彼女に手をさしのべてくれたのはロバート・フリードランドだった。

「わたしが妊娠したと聞き、例の農場で産めばいいと言ってくれたの。その言葉に甘えることにしたわ」

農場にはエリザベス・ホームズなどの友だちがまだいて、助産師を探してくれたりした。こうして1978年5月17日、女の子が生まれた。その3日後、ジョブズが来て赤ん坊の名付けがおこなわれる。このコミューンでは東洋風のスピリチュアルな名前を付けるのがふつうだったが、この子はアメリカで生まれたのだからそのような名前にすべきだとジョブズは主張。ブレナンも同意し、ふたりでリサ・ニコール・ブレナンという名前を付ける。ジョブズという姓の入らない名前だ。名前を付けると、ジョブズは、ブレナンたちを置いてさっさとアップルの仕事に戻ってしまった。

「赤ん坊ともわたしとも、いっしょにいたくなかったみたいね」

ブレナンとリサは、メンロパークのとあるホームに入り、ぼろ屋で暮らしはじめる。生活費は生活保護だ。子どもの養育費を求める訴えを起こす気にブレナンがならなかったからだ。いろいろあったが、最後は、生活保護を支給していたサンマテオ郡がジョブズを訴え、認知と養育費の支払いを求める。ジョブズは全面的に争う構えを見せ、彼の弁護士は、ふたりがベッドをともにしているのを見たことがないとコトケに証言させるとともに、ブレナンがほかの男と寝ていた証拠を並べようとした。

「電話でスティーブに叫んだことがあるわ。『そんなの違うじゃない』って。赤ん坊を抱えたわたしを法廷で引きまわし、わたしは売女《ばいた》であの子の父親が誰かなんてわかるはずがないって彼は証明しようとしたのよ」

リサが生まれた1年ほどあと、ジョブズは父子鑑定テストを承諾した。ブレナン側は親族も含めて驚いたが、じつはアップルのIPO（新規株式公開）が迫っており、その前に決着をつけたほうがいいとジョブズは考えたのだ。ちょうどDNA鑑定が導入されたころで、ジョブズの鑑定はUCLAでおこなわれた。

「DNA鑑定のことを知り、これで決着がつくならいいと思ったんだ」

この鑑定で大局が決する。報告書には「父親である可能性は94・41パーセント」と記されていた。カリフォルニア州裁判所は、ジョブズに対し、月385ドルを養育費として支払うこと、認知の書類にサインすること、過去に支給した生活保護費5856ドルを返還することを命ずる。面会権も与えられたが、彼がその権利を行使するのはずいぶんと長い時間がたったあとだった。

ことここにいたっても、ジョブズは、自分のまわりの現実を歪《ゆが》め続けた。

「取締役会のメンバーにもようやく話をしてくれたが、そうなってもまだ、自分が父親ではない可能性がかなりあると主張していた。ほとんど妄想の世界だった」

とアップルの取締役を務めていたアーサー・ロックも語っている。

タイム誌のマイケル・モリッツ記者に、統計的に分析すると「あの子の父親である可能性は米国人男性の28パーセントにある」と語ったこともある。もちろんこれは間違いだし、あまりにおかしな主張だった。しかも、この話を聞いたクリスアン・ブレナンが、自分が米国人男性の28パーセントと寝た可能性があると言われたのだと誤解してしまう。

「わたしが身持ちの悪い売女だという印象を与えようとしていたわ。責任を取らずにすますため、売女のイメージにおとしめようとしたのよ」

後年、ジョブズは自分の言動を深く反省する。これほどの後悔は、彼の一生でもなかなかないというほどに。

あのときは、違う対応ができればよかったなと思う。あのころは自分が父親になるというのが想像できなくて、きちんと向き合うことができなかったんだ。でも、僕が父親だとする鑑定結果をおかしいと思ったことはない。あの子が18歳になるまで養育費を払うことにも同意したし、クリスアンにもある程度のお金を渡した。パロアルトに家を見つけて手を入れ、ただでふたりに住まわせたりもした。あのあと、母親は学校に通っているけど、その学費も僕が払ったんだ。正しい行動をしようと僕なりの努力はしたつもりだ。でも、やり直せるものならやり直したいと思う。

このあと、ジョブズは人生の階段をのぼりはじめる。多少、大人になったのだ。

ドラッグを捨て、絶対菜食主義の追求をゆるめ、禅の静修に使う時間も減らす。髪を整え、サンフランシスコの高級紳士服店、ウィルクス・バシュフォードでスーツやシャツを買う。広告代理店のレジス・マッケンナでポリネシアとポーランドの血を引く美女、バーバラ・ヤシンスキーに出会い、恋に落ちる。

子どもっぽく反抗的な側面も、もちろん、残っていた。インターステートハイウェイ280号がスタンフォード大学の裏を通るあたりにフェルト湖という小さな湖があるが、ジョブズはヤシンスキーやコトケとそこに出かけては素っ裸で泳ぐのが好きだった。BMWのバイク、R60/2の1966年モデルを買って、ハンドルにオレンジ色の房飾りをつけたりもした。

礼儀や敬意に欠ける面があるのはあいかわらずだった。ウエートレスはばかにするし、こんなものは「生ゴミ」だ、と出された料理を突っ返すことも多かった。1979年にアップルがはじめておこなったハロウィーンパーティーには、ローブをまとい、イエス・キリストのいでたちで出席。ちょっと皮肉な自己認識としてジョブズはおもしろいと思う扮装《ふんそう》だったが、顔をしかめた人も多かった。

家についても行動に少しずつ変化が見られるようになったが、ここでも奇人ぶりが感じられた。ロスガトスの上のほうに端正な一戸建てを購入し、マックスフィールド・パリッシュの絵を1枚、ブラウンのコーヒーメーカーを1台、それにヘンケルのナイフなどを買った。しかし、徹底的に吟味しないと家具などが買えない性格であるために、ベッドもなければ椅子もソファもないという状態だった。ベッドルームは真ん中にマットレスが置かれ、アインシュタインとマハラジ・ジの写真が数枚かざられていたほか、アップルⅡが床に置かれているという具合だった。

第8章 ゼロックスとリサ グラフィカルユーザインターフェース

新しい赤ん坊

アップルⅡのおかげでアップルは、ジョブズのガレージから一気に新興産業のトップ企業にまで登りつめた。販売台数は1977年の2500台が1981年には21万台とうなぎ登り。

しかしジョブズはいらいらしていた。アップルⅡがいつまでも売れ続けることなどありえないし、また、電源コードからケースまでパッケージしたのは自分でも、アップルⅡはウォズの傑作として記憶されるとわかってもいた。

自分のマシンが必要だ。さらには、「宇宙に衝撃を与える」ほどの製品が欲しかった。

最初に期待をかけたのはアップルⅢだった。多くのメモリーを積み、1行に表示できる文字数も40から80へと倍増。小文字に加えて大文字も取り扱える。このマシンにも、工業デザインに対する飽くなき情熱を持ってのぞんだジョブズは、ケースの形状と大きさを先に決めてしまい、開発で搭載部品が増えても変更を許さなかった。その結果、2段重ねのボードと質のよくないコネクターで故障があいつぐマシンになり、１９８０年5月の発売当初から失速。開発に携わったエンジニアのひとり、ランディ・ウィギントンは悲惨な状況だったと語る。

「アップルⅢは乱交パーティーで生まれた子どものようなものでした。参加者は、みなパーティー後の頭痛を抱え、ろくでもない赤ん坊を『俺の子じゃない』と言い出したわけです」

そうなる前にジョブズはアップルⅢから距離を置き、根本的に違う製品を作ろうとしていた。

タッチスクリーンも検討した。しかしデモに遅れて登場したジョブズは、じれた様子でしばらく聞いていたかと思うと、「ありがとう」の一言でエンジニアのプレゼンテーションをさえぎってしまう。驚いて「もうよろしいのでしょうか？」と訊ねてくるエンジニアに帰っていいと答え、時間を無駄にさせるなと社員を叱りとばした。とても使えるレベルではなかったのだ。

このころアップルは、ＨＰ社からふたりのエンジニアをスカウトし、ジョブズのもとでまったく新しいコンピュータの開発にあたらせた。このコンピュータにジョブズは、心理学を学んだ人間ならどれほど疲れてぼんやりしていても「えっ」と思うような名前を付ける。

リサ（Ｌｉｓａ）だ。

自分が見捨てた娘の名前、いや、自分の娘だと完全に認めてさえもいない子どもの名前なのだ。たしかに、コンピュータにデザイナーが自分の娘の名前を付けるケースは多かったが――。広告代理店のレジス・マッケンナ社でこのプロジェクトの広報を担当していたアンドレア・カニンガムも驚いた。

「罪の意識からそうしたのかもしれません。ともかく、我々としては、子どもの名前以外が語源だと説明できるように、頭文字がＬＩＳＡとなる言葉を用意する必要がありました」

こうして用意されたのが「Local Integrated Systems Architecture」――とくに意味はない言葉だ

が、公式にはこれがＬＩＳＡの語源だとされた。口さがないエンジニアのあいだでは、「Lisa: Invented Stupid Acronym」（リサ――新造のくだらない頭字語）と呼ばれたりもした。

なお、本書を執筆するにあたってジョブズ本人に確認した結果は、

「僕の娘にちなんだ名前に決まってるじゃないか」

だった。

アップルⅡは8ビットマシンだったが、リサは16ビットマイクロプロセッサーを搭載した2000ドルのマシンとしてスタートした。しかしウォズはひそかにアップルⅡの仕事を続けていたため、ふつうのテキスト表示をおこなうふつうのコンピュータを、ふつうのエンジニアが作るという構図にならざるをえず、せっかくパワフルなマイクロプロセッサーを採用したというのにわくわくするような話がなにも生まれてこない。ジョブズは、退屈な製品になりそうだといらいらを募《つの》らせた。

このプロジェクトに多少なりとも命を吹き込んだのが、プログラマーのビル・アトキンソンだ。もともと神経科学で博士課程を修了した人物で、ＬＳＤもそれなりに使ってみたことがある。アップルへの参加をいったんは断るが、アップルから払い戻し不可の航空券が送られてきたので、ジョブズに会うだけ会ってみることにした。ジョブズは3時間にわたる説得の最後にこう語った。

「僕らはここで未来を創っているんだ。波の先端でサーフィンをするのはすごく気持ちがいいだろう？　でも、波の後ろを犬かきでついて行くのはあまりおもしろくないはずだ。僕らといっしょに宇宙に衝撃を与えてみないかい？」

こうしてアトキンソンの入社が決まった。

髪はぼさぼさでしおれたような口ひげを蓄えていたが、アトキンソンの表情は生気にあふれていたし、真にクールな製品を作りたいというジョブズの情熱とウォズの才能もある程度、内に秘めてい

た。アップルに入社して最初の仕事は、ダウ・ジョーンズのサービスに自動で電話をかけ、株価を取得して電話を切るという方法で有価証券ポートフォリオの追跡をおこなうプログラムの開発だった。

「あのプログラムは短期間で作る必要がありました。アップルⅡの広告で、キッチンのテーブルに座り、株価のグラフが表示されたアップルのスクリーンをチェックする夫を奥さんがうれしそうに見ているという写真を雑誌に掲載する予定だったのですが、そのようなプログラムがまだなかったのです。だから、私が作ることになりました」

次に作ったのは、アップルⅡ用のパスカル（いわゆる高級プログラミング言語のひとつ）である。アップルⅡに必要なのはＢＡＳＩＣだけだと考えていたジョブズから反対されたが、最後は「そんなに言うなら6日やる。僕が間違っていると証明してみせろ」との譲歩を引き出し、証明に成功する。これをきっかけにジョブズはアトキンソンに一目置くようになった。

１９７９年秋の時点で、アップルの社内には、アップルⅡの後継となり得るプロジェクトが３つあった。まず、どうにも巡り合わせの悪いアップルⅢ。次はジョブズがあきらめつつあったリサ。最後のひとつは、ジョブズのレーダーにとらえられないところで、秘密裏に進められていたプロジェクトだった。アニーというコードネームの低コストマシンを作ろうというもので、リーダーのジェフ・ラスキンはビル・アトキンソンの先生だった人物である。

ラスキンは「大衆向けの安価なコンピュータ」を作ろうと考えていた。コンピュータにキーボード、モニター、ソフトウェアまでを一体化し、グラフィカルユーザインターフェース（ＧＵＩ）も持たせた家電のようなマシンだ。

その彼の発案で、すぐ近くのパロアルトにあるクールな研究所へ見学に行くことになる。ジョブズをさらに大きく変える見学だ。

ゼロックスPARC

ゼロックス社のパロアルト研究所、通称ゼロックスPARCは、デジタル分野の着想をはぐくむ理想的な環境として1970年に創設された。コネチカット州にあるゼロックス本社から、良くも悪くも5000キロほど離れており、商業的なプレッシャーを受けにくくなっている。

そのビジョナリーとして有名な人物にアラン・ケイという研究員がいた。

「未来を予測する最良の方法は、自分で作り上げることだ」

「ソフトウェアを真剣に追求するのなら、ハードウェアまで作るべきだ」

という、ジョブズお気に入りの言葉を述べた人物だ。ケイは、子どもから老人まで、あらゆる年齢の人々が簡単に使える、「ダイナブック」という小型パーソナルコンピュータを作りたいと考えていた。そのために考案されたのが、グラフィックスでコンピュータを操作するという方法だ。

そのころのコンピュータはDOSプロンプトにさまざまなコマンドを打ち込んで動かすもので、いかにも使いにくそうだった。これを「机」のイメージで使いやすくしようというのだ。つまり、スクリーンを机に見たてたデスクトップとし、そこに文書やフォルダーを置く。使いたいと思うファイルはマウスで選び、クリックする。

このGUIを支えるもうひとつの技術が、やはりPARCが開発したビットマップだ。

このころのコンピュータはほとんどがキャラクターベースといわれるもので、キーボードから文字を打ち込むと、真っ黒な画面に緑色でその文字が表示される形だった。文字や数字、記号は数が限られているので、コンピュータ側の負担が少なく、比較的少ないコードや処理能力で対応できる。これに対してビットマップシステムでは、ピクセルと呼ばれるスクリーン上の点一つひとつをコンピュータメモリーのビットに対応させてコントロールしなければならない。この方法だと、たとえば画面に文字をひとつ表示するだけでも、画面のピクセル一つひとつについて明るくするのか暗くするのかを指定しなければならないし、カラーディスプレイではその色まで指定しなければならない。コンピュータ側の負担は大きくなるが、美しいグラフィックスやフォントを表示し、すばらしいディスプレイを実現できる。

ゼロックスPARCでは、このビットマップとGUIを使い、アルト（Alto）というプロトタイプコンピュータやスモールトーク（Smalltalk）というオブジェクト指向プログラミング言語を開発した。ジェフ・ラスキンはこれこそコンピュータのあるべき姿だと考え、ジョブズをはじめとするアップルの仲間とPARCの見学に行こうとした。

ただ、ラスキンには問題があった。理論ばかりの人間だとジョブズに思われていたのだ（ジョブズ自身のラスキン評は「お粗末なクソ頭」である）。だからまず、クソ頭と天才というジョブズの分類で自分の反対、天才側にいるアトキンソンを引き込み、彼経由でPARCへの興味をジョブズに持ってもらおうと考えた。

そのころジョブズは、ゼロックスと入り組んだ交渉をおこなっていた。1979年夏に計画されていたアップル2回目の増資に参加したいとゼロックスのベンチャーキャピタルから申し出があったので、ジョブズは、

「PARCが着物の前をはだけてくれるなら、100万ドルの投資を受け入れよう」

と提案する。この条件をゼロックスは呑んだ。開発中の技術を見せ、その見返りとして、1株約10ドルでアップルの株式10万株を購入することに合意したのだ。

1年後、アップルは株式公開をおこない、ゼロックスが100万ドルで購入した株式は1760万ドルもの価値を持つようになる。しかし、この交渉の勝者はアップルだった。

ジョブズらは1979年12月に2回、ゼロックスPARCへ見学に行った。1回目で見せられたものが不十分だと思ったジョブズが詳細なデモを要求し、数日後に2回目の見学がおこなわれたのだ。このとき説明役を務めた研究員のラリー・テスラーは、東海岸のゼロックス上層部が真価を理解してくれない技術を誇れるチャンスだと喜んだ。一方、もうひとりの説明役、アデル・ゴールドバーグは、秘蔵の宝物庫を敵に明け渡すようなものだと気が気でなかった。

「そんなことをするなど信じられないほど愚かで、気が狂っているとしか思えず、ジョブズに見せるものは極力減らすようにしました」

1回目の見学会は、ゴールドバーグが仕切り、ジョブズ、ラスキン、リサプロジェクトのリーダーであるジョン・カウチの3人をアルトが置かれているロビーに案内した。

「ワープロを中心にごく少数のアプリケーションだけを見せる形にしました」

このデモにジョブズは満足せず、もっと詳しく見せるよう、ゼロックス本社に要求する。こうして数日後、ジョブズらはPARCを再訪した。今回は、ビル・アトキンソンと、PARCからアップルに移籍したプログラマーのブルース・ホーンもいっしょだった。ふたりともなにを見るべきなのかを理解していた。

一方、ゴールドバーグは、2回目の来訪があると知らされていなかった。

「出社するとなにやらざわざわしていて、たくさんのプログラマーを引き連れてジョブズが来ていると言われました」

ゴールドバーグの部下がワープロプログラムで間を持たせようとするが、ジョブズはいらついて、

「そんなものを見にきたんじゃない！」

と怒鳴り続ける。ゼロックス側は関係者が別室で話し合い、着物をもう少しだけ、ゆっくりと開くことにした。プログラミング言語、スモールトークについて、マル秘扱いでないバージョンのデモをテスラーに実演させるのだ。チームヘッドは大丈夫だとゴールドバーグに請け合う。

「これを見れば、彼もすばらしいと感動するでしょう。隠されたものがあるなど気づきもしませんよ」

この見通しは甘かった。アトキンソンらはすでにPARCの論文を読んでおり、すべてが開示されたわけではないと気づいてしまう。ジョブズがゼロックスベンチャーキャピタルのトップへ苦情の電話を入れると、すぐ、「すべてを見せてやるように」との指示がコネチカットの本社から入る。ゴールドバーグは怒りに震えながら退室した。

隠されていたものをテスラーに見せてもらったアップル陣は、皆、目をみはった。アトキンソンなど、ピクセルの一つひとつまでよく見ようとスクリーンに顔を近づけ、テスラーはその息を首筋に感じたほどだ。ジョブズは興奮して歩きまわり、手を振りまわしていた。

「あまりに動きまわるので、デモが見えているのだろうかと心配になるほどでしたが、でも、きちんと見ていたのは確かです。次々と質問をしてきましたからね。私が新しいなにかを見せるたび、彼から感嘆符が飛び出してきました」

ジョブズは、この技術をゼロックスが商業化していないことが信じられなかった。

「これは宝の山だよ？　それを活用しないなんて、ゼロックスはどういうところなんだ？」

スモールトークのデモには3つのポイントがあった。ひとつはコンピュータのネットワーク化、も

うひとつはオブジェクト指向プログラミングだった。

しかし、ジョブズらはこの2点にほとんど注意を払わなかった。3番目のポイント、GUIとビットマップスクリーンに心を奪われていたからだ。

「あのときは、目からうろこがぼろぼろ落ちたよ。そして、未来のコンピュータのあるべき姿が見えたんだ」

2時間以上かかったPARC見学が終わったあと、ジョブズはビル・アトキンソンを乗せ、クパチーノのオフィスに戻った。車も心も口もスピード違反状態だった。

「これだ！」

「やったろうぜ！」

これこそ、ジョブズが求めていたブレークスルーだった。この技術があればふつうの人にもコンピュータを届けられる。アイクラー・ホームズのようにうきうきするデザインと、キッチン家電の使いやすさを併せ持つ、安価なコンピュータを。

「開発にはどのくらいかかるかな？」

というジョブズの問いに対するアトキンソンの回答はあまりに楽観的だった。

「よくわかりませんが、6ヵ月くらいではないかと思います」

「偉大な芸術家は盗む」

アップルのゼロックスPARC見学は、往々にして業界史上最大級の強盗事件だとされる。ジョブズ自身、この見方を誇らしげに肯定する。

「つまり、人類がなし遂げてきた最高のものに触れ、それを自分の課題に取り込むということです。ピカソも、『優れた芸術家はまねる、偉大な芸術家は盗む』と言っています。我々は、偉大なアイデアをどん欲に盗んできました」

もうひとつの見方は、アップルによる強盗よりも、ゼロックス側の不手際とするものだ。ジョブズはこちらも肯定することがある。

「ゼロックスはコピー機しか頭になく、コンピュータとはどういうものなのか、なにができるのかがわかっていなかった。だから、コンピュータ業界最大の勝利を目前に大敗を喫したんだ。いま、彼らがコンピュータ業界の頂点に立っていてもおかしくなかったんだけどね」

どちらの見方にも一面の真実があるが、すべてを言い尽くしているわけでもない。T・S・エリオットが指摘しているように、着想と創造のあいだには闇がある。新しいアイデアだけでイノベーションが生まれるわけではない。そのアイデアを現実とする行為も等しく重要なのだ。

ジョブズらは、ゼロックスPARCで見たGUIというアイデアを大きく改善したし、ゼロックスでは不可能であっただろうさまざまな形で現実のものとした。

たとえば、ゼロックスのマウスはボタンが3個用意された複雑なもので1個300ドルもしたうえ、動きがスムーズでなかった。2回目のPARC訪問のわずか数日後、ジョブズはとある工業デザイン事務所を訪れ、その創業者のひとり、ディーン・ハヴィーに、1個15ドルで作れるボタン1個のシンプルなマウスが欲しい、しかも、机でもブルージーンズでも使えるものが欲しいと語っている（ハヴィーは注文どおりのものを作った）。

改善されたのは細かな点だけではなく、全体的なコンセプトもだった。PARCのマウスでは、スクリーン上のウィンドウをドラッグで移動できなかった。アップルは、ウィンドウやファイルをドラッグできるようにしたし、それをフォルダーにドロップすることも可能にした。ゼロックスのシステムでは、ウィンドウのサイズ変更からファイル位置の変更まで、なにをするにもコマンドを選ぶ必要があった。アップルのシステムでは、スクリーン上のモノに直接触れる、操作する、ドラッグする、位置を変更するなどが可能で、デスクトップというメタファーをバーチャルリアリティーにまで進化させた。また、アップルはエンジニアとデザイナーが（毎日、ジョブズに尻をたたかれながら）協力してデスクトップのコンセプトに磨きをかけた。かっこいいアイコンを追加する、ウィンドウ上部にプルダウンのメニューを用意する、ダブルクリックでファイルやフォルダーを開けるようにするなどだ。

ゼロックスの役員は、ＰＡＲＣで生み出されたものを無視していたわけではない。アップルのリサやマッキントッシュに大きく先行する１９８１年、ゼロックスはグラフィカルユーザインターフェース、マウス、ビットマップディスプレイ、ウィンドウ、それにデスクトップのメタファーを搭載した「スター」というマシンを発表している。しかし動作が重く（大きなファイルは保存に数分もかかった）、高価で（小売価格が１万６５９５ドルだった）、ネットワーク化されたオフィスをターゲットとしており、結局、累計で３万台しか売れなかった。商用化はしたが、その過程で、アイデアと同じくらい、そのアイデアを現実化する行為も重要だと証明してしまったのだ。

スターが発売されたとき、ジョブズもゼロックスの販売代理店を訪れている。ただ、あまりにひどい出来に、買って試してみる必要もないと判断した。

「あのときはホッとしたね。連中の失敗は確認できたし、僕らなら、連中とは比べものにならないほど安い値段でちゃんと作れるとわかったんだから」

その数週間後、ジョブズは、ゼロックスでスターを担当したハードウェアデザイナーのひとり、ボブ・ベルヴィールに電話をかけて引き抜く。

「君がいままでしてきた仕事なんて、どうにもくだらないものばかりだろう？　僕のところで仕事をしたいとは思わないかい？」

こうして、ベルヴィールとラリー・テスラーがアップルに移籍した。

やる気満々のジョブズは、リサプロジェクトの細かなところまで口を出すようになる。プロジェクトのトップはHP社のエンジニアから転身したジョン・カウチだったが、そのカウチを飛びこえて、アトキンソンやテスラーに直接、GUIなどのアイデアを伝えるようになったのだ。

「午前2時とか5時にジョブズから電話がくるんです。ああいうの、私は好きだったのですが、リサ部門の上のほうにはおもしろくなかったようです」

とテスラーは言う。指揮命令の系統を乱す介入はやめてくれと言われたジョブズは、しばらくおとなしくするが、長続きはしなかった。

ジョブズの介入が大きな意味を持った案件にスクリーンの色がある。アトキンソンやジョブズはWYSIWYG（ウィジウィグ）を実現したいと考えていた。これは「What You See Is What You Get」の頭文字を並べた言葉で、スクリーンに表示されるものと同じ印刷結果が得られる機能をさす。そのためには、スクリーンの色を従来の黒から白にしなければならなかった。これが簡単ではなかったとアトキンソンは言う。

「ハードウェアのチームから猛反対されました。白にするためには、安定性が悪く、ちらつきの多い発光体を使わなければならなくなるというのです」

アトキンソンはジョブズを味方に付けてこの状況を打開する。いろいろと文句は出たが、結局、ハードウェア部隊は解決策を見つけることに成功した。

「スティーブはエンジニアではありませんが、でも、相手が返してくる回答を値踏みするのがとても上手です。エンジニアが保身に走ろうとしているのか、自分でもよくわかっていない状態なのかがわかるのです」

最近のコンピュータは前後のウィンドウをずらして重ねられるのが当たり前になっているが、これも、アトキンソンが実現したものだ。机の上にたくさんの書類があるとき、書類が上に載った部分は見えなくなり、上の書類をどけると下にあったものが見えるが、それと同じ感覚でスクリーン上のウィンドウを動かせるようにしたいとアトキンソンは考えた。

もちろん、コンピュータのスクリーンはピクセルの下に別のピクセルが何層も重なる構造になどなっておらず、「上」のウィンドウの下に別のウィンドウが実際にあるわけではない。スクリーン上でウィンドウが重なっていると感じる処理をするためには、「領域」と呼ばれる複雑な処理が必要となる。アトキンソンは、なんとしてもこれを実現したいと思った。PARCで見た機能だと思ったからだ。しかし、これはPARCでも実現されていなかった技術で、アトキンソンが実現した機能は、のちにPARCの研究員を驚かせることになる。

「あのときは、ナイーブであることにも力があるのだなと思いました。できないとは知らなかったからこそ、私はなんとかしてしまったわけです」

このころアトキンソンはものすごくがんばっていた。がんばりすぎて、ある朝、居眠り運転でトラックに突っ込み、あやうく死にかける事故を起こしてしまう。入院先の病院に、ジョブズが飛んできた。

「みんな、君のことをすごく心配しているよ」

意識を取り戻し、こうジョブズから言われたアトキンソンは、

「大丈夫ですよ。領域のこと、忘れていませんから」
と、疲れた顔に笑みを浮かべた。

ジョブズは、スムーズなスクロールにも情熱を傾けた。文書をスクロールするとき、行単位でカクンカクンと動くのではなく、流れるように動くべきだと考えたのだ。

「スティーブは、インターフェースのすべてについて、ユーザーが気持ちよく感じるようにしなければならないと考え、絶対に譲りませんでした」

とアトキンソンが言うように、細かな部分までブラッシュアップがおこなわれた。

マウスは、単に上下左右にカーソルを動かすのではなく、あらゆる方向へ自由に動かせるようにしなければならないとふたりは考えた。そのためには、初期のマウスに使われた2個のホイールではなく、ボールを使う必要がある。しかしアトキンソンは、そのようなマウスを商業的に作ることは不可能だと、とあるエンジニアに言われてしまった。ジョブズといっしょの夕食でそのことに愚痴をこぼしたアトキンソンは、翌朝、そのエンジニアが首になったことを知る。後任の第一声は「お望みのマウス、作ってみせますよ」だった。

このころアトキンソンとジョブズはとても仲が良く、毎晩のようにグッドアースレストランで夕食をともにしていた。一方、ジョン・カウチをはじめとするリサプロジェクトのエンジニアは大半が保守的なHPタイプで、ジョブズのお節介を迷惑に思うとともにたび重なる侮辱に腹を立てていた。ビジョンも大きく違っていた。ジョブズは、フォルクスワーゲンのようなリサ、ふつうの人が買えるシンプルで安価な製品を作りたいと考えていた。

「あのころは、僕のように簡素なマシンがいいと思う人間と、法人市場をターゲットにしたいカウチなど、HP社系の人間とのあいだで激しい社内抗争があったんだ」

スコットとマークラは、アップルを秩序のある会社にしたいと考えており、ジョブズの勝手な行動に眉をひそめることが多かった。そして1980年9月、ふたりはひそかに準備を進めてきた社内の再編をおこなう。リサ部門のトップはカウチとされ、ジョブズは娘の名前を冠したコンピュータの開発から降ろされてしまう。ジョブズは研究開発担当バイスプレジデントという肩書も失い、ラインの担当を持たない会長となった。つまり、対外的な顔はジョブズのままだが、事業には口を出すなということだ。この再編にジョブズは大きく傷ついた。

「腹も立ったし、マークラに捨てられたとも思った。彼もスコッティも、リサを統轄する力は僕にないと思ったわけだ。しばらくはこのことが頭から離れなかったよ」

第9章

株式公開
富と名声を手にする

ストックオプション

ジョブズとウォズニアックのパートナーシップにマイク・マークラが参加し、法人化した1977年1月、アップルコンピュータの価値は5309ドルだった。それから4年もたたずにアップルは株式を公開する。アップルのIPOは1956年のフォード・モーター以来というほどの申し込み超過で、1980年12月、アップルの市場価値は17億9000万ドルとなった。10億ドルを大きく突破したのだ。その過程で、300人ほどの大金持ちが生まれた。

ダン・コトケはそうなれなかったひとりである。ジョブズの親友だったコトケは、大学からインド、リンゴ農園のオールワンコミューンとともに歩み、クリスアン・ブレナンとジョブズが争っていた時代には同じ屋根の下に住んでいたこともある。アップルがジョブズのガレージを本拠としていた時代から参画し、株式公開時も時間給の社員としてアップルで仕事をしていた。ただし社内の地位は低く、IPO前に付与されるストックオプションがもらえる立場ではなかった。

「スティーブを信じていましたからね。私が彼に接してきたように彼も私を大事にしてくれると思い、とくに要求はしませんでした」

とコトケは言う。建て前としては、コトケは時間給で働くテクニシャンであり、ストックオプションがもらえる正社員のエンジニアではないから、もらえなくても仕方がないとなる。だが「創業者株」ならもらえてもいいはずだ。にもかかわらず、アンディ・ハーツフェルドが指摘するように、ジョブズはともに歩んできた人間に対する感傷を抱くことがなかった。

「スティーブは義理と対極にいる人物です。義理の逆をゆく人物、身近な人を捨てることをいとわないタイプなのです」——それでも、ハーツフェルドはジョブズの友人であり続けたわけだが。

コトケはジョブズに直訴しようとオフィスで待ちぶせたりしたが、毎回、軽くあしらわれてしまう。

「つらかったのは、ストックオプションをもらう資格が私にはないと言ってくれなかったことです。友だちならそのくらい言ってくれてもいいと思います。でも、株の話をするたび、上司に相談しろと言われました」

ＩＰＯから6ヵ月近くもたったある日、コトケは勇気をふりしぼり、ジョブズをオフィスに訪ねて決着を付けようと決心する。しかし、ジョブズの態度は冷たく、コトケは凍ってしまった。

「胸がいっぱいでなにも言えなくなり、泣き出してしまいました。もう、友だちでもなんでもなくなっていたのです。悲しくて仕方がありませんでした」

この事態をなんとかしようとしたひとりが、アップルの電源を開発したエンジニア、ロッド・ホルトだ。彼自身は十分なオプションがもらえることになっていた。

「友だちのダニエルもなんとかしてあげるべきでしょう」

と、ジョブズとふたりで個人的に彼を助けようと提案する。

「あなたがあげるのと同じだけの株式を私も彼にあげますよ」

「わかった。僕はゼロ株だ」

即答だった。

当然かもしれないが、ウォズニアックはジョブズとまったく違う行動を取った。株式が公開される前に、自分のオプションから2000株ずつを職位が高くない社員40人に安く売ったのだ。ウォズから株を買った社員の多くは、家を買えるくらいのお金を手にした（結婚したばかりだったウォズニアック自身も夢のような家を買うが、その少しあとに離婚し、家は元妻のものとなる）。また、コトケ、フェルナンデス、ウィギントン、エスピノザなど、十分に報いられていないと思った社員にも株をあげている。人に好かれるタイプのウォズニアックが気前よく株を配ったのだから、皆、ウォズはやさしいと思ったが、同時に、「とてもナイーブで子どもっぽい」と彼を評するジョブズに賛同する人も多かった。IPOの数ヵ月後、困窮した男の姿が描かれた福祉団体ユナイテッドウェイのポスターが社内の掲示板に貼られたが、そこには「1990年のウォズ」と落書きがされていた。

ジョブズは厳しかった。クリスアン・ブレナンとの離婚にまつわる書類も、すべて、IPO前にサインをすませている。

ジョブズはアップルIPOの顔として、幹事となる投資銀行の選定にもかかわった。選ばれたのは、ウォールストリートの老舗、モルガン・スタンレーと、新しいブティック型の投資銀行、サンフランシスコのハンブレクト&クイストだった。

「モルガン・スタンレーはとても保守的な有名銀行でしたが、そちらに対するスティーブの態度には敬意のかけらも感じられませんでした」

とビル・ハンブレクトは言う。モルガン・スタンレーはＩＰＯの公募価格として18ドルを提案。株価がこの価格をすぐに上まわるのはあきらかだった。ジョブズは不満をぶつける。

「18ドルにしたらなにがどうなるのか、ちょっと教えてもらえないかな？　君たち、お得意さまに売るんじゃないの？　だったら、どうして我々が7パーセントもの手数料を取られなければならないんだい？」

このやり方は根本的に不公平なところがあると気づいたハンブレクトは、ＩＰＯ前に逆オークション方式で売り出し価格を決める方法を用意する。

アップルの株式は、１９８０年12月12日に公開された。最終的に決まった公募価格は22ドル。それが初日のうちに29ドルまで上昇する。ジョブズは初日の取引開始直前、ハンブレクト＆クイストのオフィスに姿を現した。

こうしてジョブズは、25歳で2億５６００万ドルの個人資産を手にした。

ベイビー・ユーアー・ア・リッチ・マン

金持ちになる前と後、いや、文無しの状態から億万長者までを経験した人生全体を通じて、富に対するスティーブ・ジョブズの姿勢は複雑である。反物質主義のヒッピーでありながら、友人が無償で配布しようとした発明で金儲けをする。インドまで行くほど禅に傾倒していながら、事業家を天職だとする。一見矛盾しているようだが、不思議なことに、それらは複雑に絡みあって一体となっている。

物質的なものも大好きである。とくに、ポルシェやメルセデスの車、ヘンケルのナイフ、ブラウンの家電、ＢＭＷのバイク、アンセル・アダムスの写真、ベーゼンドルファーのピアノ、バング&オルフセンのオーディオ機器など、緻密《ちみつ》にデザインされ、構築された製品が大好きである。

しかし同時に、自宅は、いくら大金持ちになっても派手に走ることがなく、室内もごく簡素で、質素を旨とするシェーカー教徒さえ驚くのではないかと思われるほどだ。ＩＰＯのころも最近でも、出張に取り巻きはおろか専属スタッフを連れて行くこともないし、ボディーガードも連れていない。車はいいものを持っているが、運転は自分でする。マークラからいっしょに買わないかと誘われたリアジェットは断っている（もっとも、のちに、自分専用のビジネスジェット、ガルフストリームを用意するよう会社に要求するが）。父親と同じようにサプライヤーとは容赦ない交渉をするが、「すごい製品を作る」という情熱より利益を優先させることはない。

アップルが株式を公開して30年あまりたったいま、大金を突然手にしてどう思ったのか、本人に質《ただ》してみた。

僕はお金の心配をしたことがない。中産階級の家庭で育ったから、飢える心配はなかったし。アタリの経験からエンジニアとしてやってゆけるとわかったから、いよいよになったらどうにかなると思っていた。大学やインドでは自ら望んで貧乏な生活をしたわけだし、仕事をはじめたあとも生活はかなり質素だった。つまり僕は、貧乏という、お金の心配をする必要がないという意味ですてきな生活から、信じられないほどの金持ちという、これまたお金の心配をする必要のない生活へと移ったわけだ。

アップルでは、たくさんのお金を手にしてそれまでと違う暮らしをしなければならないと思ってしまった人をたくさん見た。ロールス・ロイスに家を何軒も買った人もいたよ。それぞれの家

には執事がいて、その執事を束ねる人もいる。奥さん方も美容整形でなんとも奇っ怪な人になったな。あんな暮らしはしたくなかった。絶対おかしい。だから、人生をお金につぶされないようにしようと僕は心に決めたんだ。

ジョブズは、慈善活動には関心がない。基金を創設したこともあるが、新しい慈善活動のアイデアや寄付を「活用」する方法をあれこれ、基金の運営を任せた人物から相談されて嫌になった。やがて、慈善活動をひけらかす人や新しい慈善活動の手法を生み出せると思っている人々を軽蔑するようになる。

貧困という病と闘うセヴァ財団をラリー・ブリリアントが立ち上げるとき、5000ドルの小切手をそっと送り、結局、請《こ》われて取締役にも就任したことがあった。ところが、ある会合で、資金調達やパブリシティのためにレジス・マッケンナを雇うべきかどうかという話で、同じく取締役だった著名な医師と意見が対立し、怒りのあまり駐車場で涙にくれてしまう。その翌晩、グレイトフル・デッドによるセヴァ財団のチャリティーコンサートの楽屋で、ジョブズとブリリアントはいったん和解するものの、IPOの直後、ウェイビー・グレイビーやジェリー・ガルシアなど、セヴァの取締役を連れてブリリアントが来社した際、ジョブズが協力に同意することはなかった。そのかわりジョブズは、アップルIIとビジカルクプログラムを寄付し、セヴァがネパールで計画していた視覚障害者の調査がスムーズに進められるようにした。

ジョブズの個人的なプレゼントで最大のものは、両親、ポール・ジョブズとクララ・ジョブズに贈った75万ドル分ずつの株式である。両親はその一部を売ってロスアルトスの家のローンを完済。そのお祝いの席には、ジョブズも出席した。

「あのときはじめて、両親はローンを持たない身になったんだ。親しい友だちが何人か来ていて、とてもすてきなパーティーだった」

ローンがなくなったあと、両親はもっといい家に買い換えようとはしなかった。

「そういうことを考えない人たちなんだ。ふたりとも、十分に幸せだと思っているから」

ふたりの唯一のぜいたくは、毎年、プリンセス・クルーズの船に乗ることだ。パナマ運河を通る旅は、「おやじにとって特別な意味があった」とジョブズは言う。父親が乗っていた沿岸警備隊の船が最後の航海でサンフランシスコに向かったときに通った場所だからだそうだ。

アップルの成功に伴い、その看板男も有名になった。はじめてジョブズを表紙に大きく取り上げたのはインク誌の1981年10月号だった。「ビジネスを大きく変えた男」という見出しで、きちんと刈り込んだひげ、きれいに整えられた長髪のジョブズがブルージーンズにドレスシャツ、ブレザー（ちょっと光沢がありすぎるかなと思う）といういでたちで写っていた。アップルⅡの上に身を乗り出すようにして、ロバート・フリードランドから学んだ射るような視線でカメラを見ている。本文では、「スティーブ・ジョブズは、未来を見通し、そのとおりに実現するという強い意志を持って情熱的に語る」と紹介されていた。

1982年2月には、タイム誌が若手アントレプレナーの特集でジョブズを取り上げる。表紙に掲載されたのは、催眠効果があるという触れ込みの視線を向けるジョブズの似顔絵だった。記事本文でジョブズは「事実上、独力でパーソナルコンピュータ業界を創出した」とされた。また、マイケル・モリッツが書いたプロフィールが添えられていたが、そこにはこうあった。

「26歳のジョブズが率いる会社は、6年前、実家の寝室とガレージでスタートしたが、今年は売り上げ６億ドル超が見込まれている……経営幹部としてのジョブズは、短気で部下を叱りとばすことがある。本人も『感情を抑えられるようにならなければいけません』と自覚している」

富と名声を手にしたあとも、ジョブズは自分をカウンターカルチャーの人間だと考えていた。スタンフォード大学で学生に話をする機会を得たときには、ウィルクス・バシュフォードのブレザーも靴も脱ぎ、机の上で座禅の姿勢を取った。アップルの株価はいつごろ上昇しそうかといった学生の質問は無視し、いつか、本のように小さなコンピュータを作りたいなど、将来的な製品に対する情熱について語る。ビジネスに関する質問が少なくなると、逆に、きっちりした身なりの学生たちに質問をはじめた。

「君たちのなかで、童貞や処女はどのくらいいるのかな？」

居心地悪そうな笑いがかすかにおきる。

「じゃあ、ＬＳＤをやったことがあるのは何人くらいいる？」

さらに居心地悪そうな笑いとともに、ひとり、ふたりの手があがる。このころの学生は、自分の時代よりも物質的でキャリア志向が強いようだとジョブズは不満を感じたらしい。

「僕が学校に行ったのは60年代直後で、実利的な方向性が一般的になる前だった。いまの学生は理想論を考えることさえしない。少なくとも、そうは感じられない。哲学的な問題についてじっくり悩んだりせず、ビジネスの勉強に打ち込んでいるんだ」

自分の世代は違ったとジョブズは主張する。

「僕らは60年代の理想主義的な風をいまも背中に感じているし、僕くらいの年代の人は、その風をずっとまとっている人が多いと思う」

第10章
マック誕生 革命を起こしたいと君は言う……

ジェフ・ラスキンとの対立

第8章にも登場したジェフ・ラスキンは、スティーブ・ジョブズを夢中にさせるタイプであると同時に、いらいらさせるタイプでもあった。哲学的で、おどけた面と堅苦しい面の両方を持つラスキンは、コンピュータサイエンスを学び、音楽やビジュアルアートを教えたり室内オペラを運営したり、反戦物の街頭演劇を催したりと多才な人物である。1967年にはカリフォルニア大学サンディエゴ校で博士論文を執筆、インターフェースは現行のテキストベースからグラフィカルなものに移行すべきだと主張した。教えるのに飽きたとき、熱気球を借りて学長の家の上を飛び、辞めると叫んだという逸話もある。

コンサルティングの仕事をしていたラスキンのところへ、アップルⅡのマニュアルを書いてくれというジョブズからの依頼が飛び込んだのは1976年のことだった。ラスキンはガレージでウォズニアックが作業しているところを見学したあと、ジョブズに説得されて50ドルでマニュアルを書く仕事を請け負う。その後いろいろとあったが、アップルに入社し、広報部門のマネジャーに就任。ごくふつうの人にも買える安価なコンピュータを作りたいと考えており、1979年にはマイク・マークラに頼んで「アニー」というごく小さな実験的プロジェクトの責任者にしてもらう。

コンピュータのプロジェクトには女性の名前が付けられることが多かったが、これを女性差別だと考えたラスキンは、自分が好きなリンゴの品種、McIntosh《マッキントッシュ》にちなんだ名前を付けることにした。ただし、オーディオ・メーカーのMcIntosh Laboratory《マッキントッシュ・ラボラトリー》があることを考慮してスペルを変え、Macintosh《マッキントッシュ》とする。

ラスキンが考えていたのは、スクリーンもキーボードもコンピュータも一体となった家電のようにシンプルなマシンで、値段は1000ドル以下と想定。コストを抑えるため、スクリーンは小さな5インチとし、マイクロプロセッサーも安い（だから処理能力は不十分な）モトローラ6809を選ぶ。

自分のことを哲学者だと思っていたラスキンは、自分のアイデアを『マッキントッシュの書』と呼ぶノートに書きためていた。マニフェストを掲げることもあった。そのひとつ「100万台のコンピュータ」は、「もしもパーソナルコンピュータが真にパーソナルなものとなれるなら、ランダムに選ばれた家庭にも1台のコンピュータがある可能性のほうが高い状況とならなければならない」という文言ではじまっていた。

1979年から1980年の頭まで、マッキントッシュプロジェクトはほそぼそと続いていた。2〜3ヵ月に一度はつぶれそうになったが、そのたびラスキンがマークラを説きふせ、寛大な処置を取り付けたのだ。研究チームはわずかに4人だし、仕事場は新社屋にはなく、グッドアースレストラン脇の旧アップルオフィスだった。作業場にはおもちゃやラジコン飛行機（ラスキンの趣味）があふれ、ギーク児童館という感じになっていた。ナーフボールという小さなボール遊びが突然はじまり、仕事が中断されることもよくあったとアンディ・ハーツフェルドは言う。

「このゲームのせいで、皆、姿を隠せるように作業場所のまわりにボール紙のバリケードを築いており、オフィスの一部はボール紙でできた迷路のようになっていました」

チームの中心は、丸顔でブロンドと見た目はかわいいが気性は激しいビュレル・スミスだった。独学で技術を習得した若手エンジニアで、ウォズの魔法のようなプログラミングに魅せられ、自分もそういう仕事がしたいとがんばっていた。アップルのサービス部門でくすぶっていたが、問題をさっと修復する能力をアトキンソンに見出され、ラスキンに推薦されてこのチームに加わったのだ。のちに統合失調症に苦しむが、1980年代初頭のこのころは、躁《そう》的な激しさで1週間仕事をしまくり、すばらしいエンジニアリングを生み出していた。

ジョブズはラスキンのビジョンはすごいと思ったが、コストを抑えるためなら妥協するという姿勢には反対だった。1979年秋には、自分が口癖のように言う「めちゃくちゃすごい」製品を作らないかとラスキンに持ちかけたこともある。

「値段のことは考えず、コンピュータの機能だけを考えてみてくれ」

ラスキンが返したメモは、ある意味、嫌み満載だった。1行96文字が表示できる高解像度のカラーディスプレイ、リボンなしでカラーのグラフィックスを1秒1ページ出力できるプリンター、米国防総省国防高等研究計画局に由来するARPAネットに制限なくアクセスできるネットワーク性能、音声認識、「モルモン聖歌隊をバックに歌うカルーソーさえも、残響をコントロールしながらシミュレーションできる」音声合成と、考えられるかぎりのすてきな性能が列挙されていた。結論は、「求める機能からスタートするのは無意味です。最初に価格目標と機能セットの両方を決める必要がありますし、現在の技術と近い将来の技術に目を配る必要もあります」。

製品に対して十分に熱い想いを抱いていれば現実をも曲げられるとジョブズは信じていたが、ラスキンにはその信念ががまんならなかったらしい。

つまり、このふたりはどこかでぶつかる運命にあった。ジョブズがリサプロジェクトから追われ、自分の仕事にできるものを探しはじめた1980年9月以降は、必然になったとも言える。マッキントッシュプロジェクトに目を付けるのは当然だったからだ。シンプルなGUIとクリーンなデザインを持つ安価なマシンを、ふつうの人々に届けるというラスキンのマニフェストはジョブズの心に響くものだった。そして、ジョブズがマッキントッシュプロジェクトに目を付ければ、ラスキンに残された日々が限られてしまうのも必定だった。

「スティーブはこうすべきだという彼の考えを言ってくるようになり、ジェフはいろいろと悩むようになり……その後どうなるのか、火を見るよりもあきらかでした」

と、マックチームのメンバーだったジョアンナ・ホフマンも言う。

乗っ取り

最初の衝突は、処理能力の低いモトローラ6809マイクロプロセッサーについてだった。衝突した理由は、このときも、マックの価格を1000ドル以下に抑えたいラスキンに対し、ジョブズはめちゃくちゃすごいマシンを作ろうと心に決めていたからだ。

ジョブズは、パワフルなモトローラ68000（リサのプロセッサー）へ切り替えろと圧力をかけはじめる。1980年のクリスマスを目前に控えたころ、ラスキンを無視してビュレル・スミスに指示し、パワフルな68000搭載のプロトタイプを作らせる。スミスは、ヒーローと仰ぐウォズニアックのように寝食を忘れて3週間ぶっとおしで働き、さまざまな技巧を駆使したプログラムを完成させる。こうしてジョブズはモトローラ68000への切り替えに成功し、ラスキンはぶつぶつ言いながらマックのコスト計算をやり直すことになった。

争点はコストだけではなかった。ラスキンが使おうとした安価なマイクロプロセッサーでは、ゼロックスPARCで魅せられたウィンドウやメニュー、マウスなど、かっこいいグラフィックス関係の処理は無理だった。PARC見学を言い出したのはラスキンだったし、彼も、ビットマップのディスプレイやウィンドウは気に入っていた。しかし、いかしたグラフィックスやアイコンはどうでもよく、キーボードではなくマウスを使うのは絶対に嫌だと思っていた。

「プロジェクトメンバーのなかには、すべてをマウスでやろうとする人もいました。アイコンも不合理です。アイコンは記号で、言語的に理解できません。人間が表音式の言語を発明したのには理由があるのです」

ラスキンの教え子、ビル・アトキンソンはジョブズに味方した。アトキンソンも、軽快なグラフィックスとマウスをサポートできるパワフルなプロセッサーがいいと考えたのだ。

「スティーブは、ジェフからプロジェクトを取り上げるしかありませんでした。ジェフは頑固でしたし、プロジェクトをスティーブが乗っ取ったのは正しい選択でした。それは結果を見ればあきらかです」

ぶつかったのは考え方だけではなく、性格的にもそりが合わなかった。

「彼は、自分が飛べといったら皆が飛ばないと気に入らないタイプだと思います」と、ラスキンはジョブズを評したことがある。「信頼できない人間だと思いますし、欠けているところがあると思われるのは気に入らないのだと思います。彼に後光を見ない人は嫌なのです」

ジョブズはジョブズでラスキンを認めない。

「ジェフは思い上がりが激しくてね。ただ、インターフェースについてはなにもわかっちゃいなかった。だから、アトキンソンなど、彼の優秀な部下に声をかけ、知り合いを投入し、いろいろ自分でやるようにして、ボロじゃなくて安めのリサを作ることにしたんだ」

チームのなかには、ジョブズとは仕事ができないと思った人もいた。とあるエンジニアが1980年12月、ラスキンに渡したメモには次のように書かれていたという。

「ジョブズは緊張や駆け引き、いざこざを持ち込んだと思います。本当はそういう混乱を和らげてくれるべきなのですが。彼と話をするのは楽しいし、考え方や現実的な大局観、エネルギーなどはすごいと思います。でも、私にとって必要な環境――信頼できる環境、協力的な環境、リラックスした環境が彼の下で得られるとは思えません」

怒りっぽいという欠点はあるものの、宇宙に衝撃を与えられるだけのカリスマ性と社内的な力がジョブズにはあると考える人も多かった。ラスキンは夢を追うだけの人間だが自分は結果を出す人間であり、自分についてくれば1年でマックを完成させられるとジョブズは宣言。リサグループから追放された汚名をそそぎたいと思っていたし、競争で力を発揮するタイプでもあったので、ジョブズは、リサより前にマックを出荷してみせると、5000ドルの賭けをリサグループのトップ、ジョン・カウチに持ちかける。

チームにも発破をかける。

「リサより安くて優れたコンピュータを作ってみせるんだ。しかも、ウチが先にだ」

ジョブズは、自分がグループを掌握したと示すため、1981年2月、予定していた弁当持参の全社的セミナーをキャンセルするとラスキンに宣言した。ところが、予定の部屋に行ったラスキンは、

100人ほどの人がいるのを発見する。ジョブズは、キャンセルの指示を周知していなかったのだ。結局、その日、ラスキンは予定の話をすることになった。

この事件後、ラスキンは痛烈なメモをマイク・スコットに提出。スコットは、またも、短気な共同創設者と大株主に挟まれて困ることになる。メモは「上司／同僚としてのスティーブ・ジョブズとの仕事」と題されていた。

マネジャーとして、スティーブは最悪です……スティーブは昔から好きな人物ですが、彼の下で働くのは無理だと痛感しました……ジョブズは約束をよく忘れます。これはあまりに有名で、定番ジョークになっているほどです……よく考えずに行動したりおかしな判断で行動したりします……他人の功績を認めるべきときに認めません……新しいアイデアを提示されると、意味がない、あるいはばからしいとすぐ否定し、そのようなことは時間の無駄だと切り捨てます。これだけでも管理者としては失格ですが、そのアイデアが優れていた場合、それを自分のアイデアであるかのようにほかの人々に話すのです……他人の話は腰を折り、聞く耳を持ちません。

メモを受けとった日の午後、スコットはジョブズとラスキンを呼び、マークラの前で決着を付けさせることにした。このときもジョブズは涙ぐんだ。ジョブズとラスキンで意見が一致したのは、どちらも相手の下では仕事ができないという一点だけだった。リサプロジェクトではカウチの味方をしたスコットだったが、今回はジョブズに花を持たせたほうがいいと判断する。マックは小さな開発プロジェクトで作業する場所も離れており、会社の本体からジョブズを隔離するには都合がいいと思ったのだ。ラスキンには休暇が与えられた。

「彼らは僕の機嫌を取り、なにか仕事を与えようと思ったわけだけど、僕にとってはそれでよかったんだ。ガレージ時代へ戻ったように感じたよ。寄せ集めのチームがあって、僕がそのトップでね」

ここでラスキンを追放したのは理不尽だと感じる人もいるだろうが、結果的にはマッキントッシュにとってよい判断だった。ラスキンが作ろうとしていたのは少しのメモリーと非力なプロセッサー、カセットテープ、最小限のグラフィックスという構成で、かつマウスの使えないマシンだった。ジョブズと違って、ラスキンならばこのマシンを1000ドルほどに抑えられたかもしれないし、そのような形でアップルの市場シェア拡大に貢献することもできたかもしれない。しかし、ジョブズがしたようなこと、パーソナルコンピュータの世界を一変させるマシンを作り、それをマーケティングすることはできなかっただろう。

じつは、このとき選択されなかった、ラスキンの夢の行く末を歴史に見ることができる。このあとラスキンはキヤノンに転身し、そこで彼が望むマシンを作ったからだ。

「それがキヤノンのキャットです。完全な失敗作で、誰も買おうとしませんでした。一方、マックはスティーブの手で小型版リサとされた結果、家電ではなく、コンピュータ処理のプラットフォームとなりました[*]」

とアトキンソンは言う。

＊　1987年3月、組み立てラインで100万台目のマックが完成したとき、アップルはそのマシンにラスキンの名前を刻んで贈呈した（ジョブズは眉をひそめたが）。なおラスキンは、2005年、ジョブズが膵臓《すいぞう》がんと診断された少しあと、やはり膵臓がんで亡くなっている。

発言力を強めるジョブズ

ラスキンが去った数日後、ジョブズはアンディ・ハーツフェルドのキュービクルに姿を現した。ハーツフェルドはアップルⅡチームの若手エンジニアで、同僚のビュレル・スミスと同じようにかわいい丸顔でいたずら好きな人物だった。ハーツフェルドによると、そのころジョブズはすぐかんしゃくを起こすし、とげのある発言が多いのに思ったままを口にするしで皆におそれられていたという。

しかし、ジョブズの訪問にハーツフェルドは胸が高鳴った。ジョブズは、キュービクルに入るなり、こう聞いてきたのだ。

「君は優秀かい？　マックには本当に優秀な人材しかいらないんだが、君がそこまで優秀かどうかよくわからなくてね」

ジョブズに対してどう答えるべきか、ハーツフェルドは心得ていた。

「はいと答えました。私はとても優秀だと思います、と」

ジョブズは去り、ハーツフェルドは仕事に戻る。その日の午後、また、ジョブズの顔がキュービクルの上に現れた。

「いいニュースだ。君は今日からマックチームの一員になった。僕といっしょに来てくれ」

ハーツフェルドは、しかかっているアップルⅡの作業を完了するのに2～3日は必要だと答えるが、ジョブズは聞く耳を持たない。

「マッキントッシュ以上に大事な仕事なんてないぞ？」

いや、アップルⅡのDOSプログラムを切りのいいところまで仕上げて引き継がないと、と説明してもだめ。

「そんなのは時間の無駄だ！　アップルⅡなんてどうでもいい。もう2～3年で過去のものになるんだから。アップルの未来を担うのはマッキントッシュで、君はたったいまからそっちの仕事をするんだ！」

こう言いながらジョブズはハーツフェルドのアップルⅡの電源コードを抜き、作業中のコードを消してしまう。

「さあこい。新しい机に案内しよう」

こうしてジョブズは、ハーツフェルドと彼のコンピュータなどを自分のメルセデスに乗せ、マッキントッシュの事務所へと連れて行った。

「ここが君の机だ」

案内されたのはビュレル・スミスの隣だった。

「マックチームへようこそ！」

そこはラスキンが使っていたスペースだった。あまりに急な異動だったので、机の引き出しには、模型飛行機などラスキンの私物がいくつも残っていた。

1981年の春、ジョブズは、引き抜いて海賊の仲間とすべき人物かどうかを、マッキントッシュに対する情熱の有無で判断していた。たとえば、リクルート候補の目の前で、マックのプロトタイプにかけておいた布をかっこうよく取り、その反応を見たりするのだ。

「目が輝き、マウスをつかんでカーソルを動かしたりクリックしたりしはじめると、スティーブはにっこり笑ってチームに加えました。『うわ～』と言ってほしいわけです」

とアンドレア・カニンガムは言う。

ゼロックスPARCにブルース・ホーンというプログラマーがいた。ラリー・テスラーなど、友だちが何人もマッキントッシュグループに移籍するのを見て、自分もそうしようかと考えたが、他社から1万5000ドルの契約金という好条件を提示されて迷っていた。

そんなある金曜日の夜、ジョブズが電話をかけてきた。

「明日の朝、アップルに来てくれ。いろいろと見せたいものがあるんだ」

アップルを訪問したホーンはジョブズに魅せられてしまう。

「このデバイスが世界を変えるんだ、そういうマシンを作るんだと、あのとき、スティーブは熱く語りました。彼の魅力にやられ、私は考えを変えたのです」

ジョブズはプラスチックの成形からそれが完璧な角度で組み合わさること、そこにどれほど美しいボードを組み込むのかなどを説明した。

「全体がきちんとできあがること、それが隅から隅までよくよく考えられたものであることを彼は示そうとしたのです。思わず、うわ～という声が出ましたよ。あれほどの情熱にはなかなかお目にかかれません。だから、私はアップルへの入社を決めたのです」

ジョブズはウォズも誘おうとした。

「あまり仕事をしないウォズに腹を立てていたのだけれど、ふと、彼の才能がなければ僕はここにいなかったはずだと思い直したのでね」

とジョブズは言う。しかし、マックに誘おうとした矢先、ウォズニアックは買って間もない単発ビーチクラフト機の離陸に失敗。一命は取りとめたが、記憶を一部失うなど大変なことになってしまう。病院にはジョブズも見舞いに行ったが、回復したウォズニアックは休職を決意する。バークレーを中退して10年がたっていたが、大学に戻って学位を取ろうというのだ（大学ではロッキー・ラクーン・クラークと名乗った）。

このころジョブズは、プロジェクトを自分のものとするため、コードネームをラスキンが好きだったリンゴの名前から変えようと考えた。さまざまなインタビューでジョブズは、コンピュータは自転車のようなものだと語っていた。自転車を発明した結果、人はコンドルよりも効率よく移動できるようになった。同じように、コンピュータを作れば、精神活動の効率を何倍にも高められるというわけだ。だからジョブズは、ある日、プロジェクトの名前をマッキントッシュからバイシクルにすると宣言。しかしこれは不評だった。

「ビュレルも私も、そんなばかげた名前はないと思い、新しい名前は使わなかったのです」

とハーツフェルドも言う。名前は1ヵ月もたたずに元に戻された。

1981年の頭ごろ、マックチームは20人ほどに達し、事務所が手狭になっていた。ジョブズは、アップル本体から3ブロックほどの場所にある茶色の2階建てビルの2階を徴用する。隣にはテキサコのガソリンスタンドがあったため、テキサコタワーと呼ばれていたビルだ。そこで、ストックオプションの件で心に傷を抱えたダン・コトケがワイヤラッピングでプロトタイプを作ったり、ソフトウエアディベロッパーのスターであるバド・トリブルが「ｈｅｌｌｏ！」というくだけた雰囲気の起動スクリーンを作ったりした。元気が足りないと感じたジョブズにステレオを用意しろと言われ、ハーツフェルドが買いに走る。

「彼の気が変わらないうちにと、ビュレルとふたりですぐに出かけ、銀色のでっかいラジカセを買ってきました」

このころ、ジョブズは社内での発言力を強めていた。マック部門をめぐるラスキンとの権力争いに勝利した数週間後、今度はマイク・スコットを社長の座から追い落とす。

スコッティは言動がおかしくなっており、急に叱りとばしたり急にやさしくなったりを繰り返していた。社内的な支持を失った直接のきっかけは、ふだんからは考えられないほど厳しいやり方で突然おこなった大規模な人員整理だった。スコッティ本人の健康問題もあった。目の感染症や居眠り病など、さまざまな不調を来していたのだ。

結局、スコットがハワイで休暇をすごしているあいだにマークラが経営幹部を招集し、交代に関する相談がおこなわれた。ジョブズやジョン・カウチを含むほぼ全員が交代を進言し、マークラが暫定的に社長を兼務することになる。積極的に動ける社長がいなくなったため、ジョブズは、マック部門を自分が望むとおりに動かせるようになった。

第11章

現実歪曲フィールド 自分のルールでプレイする

現実歪曲フィールドの正体

アンディ・ハーツフェルドはマックチームに参加したとき、「やらなければならない仕事が大量にある」と、もうひとりのソフトウェアデザイナー、バド・トリブルから教えられた。ジョブズが設定した期限は1982年1月。1年もなかった。

「それは無理だ。不可能だ」

とハーツフェルドは抗議したが、ジョブズは反対意見に耳を貸さないのだとトリブルは言う。

「この状況は、『スター・トレック』の言葉が一番よく表現できると思う。スティーブには、現実歪曲フィールドがあるんだ」

「は?」

「彼の周囲では現実が柔軟性を持つんだ。誰が相手でも、どんなことでも、彼は納得させてしまう。本人がいなくなるとその効果も消えるけど、でも、そんなわけで現実的なスケジュールなんて夢なのさ」

名付け親のトリブルによると、この言葉は、『スター・トレック』の「タロス星の幻怪人」という回から思いついたという。宇宙人が精神力だけで新しい世界を生み出すお話だ。

「現実歪曲フィールド」は、警告であるとともに賛辞でもあった。

「スティーブの現実歪曲フィールドにとらえられるのは危険なのですが、でも、あの力があるから実際に現実を変えられたわけです」

最初はそんな大げさなと思ったハーツフェルドも、2週間ほどでそれが本当だと思い知った。

「カリスマ的な物言い、不屈の意志、目的のためならどのような事実でもねじ曲げる熱意が複雑に絡みあったもの——それが現実歪曲フィールドです」

この力から逃れる術がまずないこともハーツフェルドは学ぶ。

「その存在を意識しても、現実歪曲フィールドは効果を発揮するんですよ。なんとか無効化できないものかとさまざまな方法を検討しましたが、結局、ほとんどの人はあきらめ、自然界にはそういう力も存在するのだと受け入れてしまいました」

事務所の冷蔵庫に入れておく飲み物を、炭酸ではなくオドワラの有機オレンジジュースと有機にんじんジュースにするとジョブズが宣言したときは、それをネタに、前面には「現実歪曲フィールド」、後ろには「その秘密はジュースにあった！」と書かれたTシャツを作ったメンバーさえいた。

現実歪曲フィールドは、「ジョブズはよくうそをつく」をオブラートにくるんだ表現のようにも見える。しかし実際は、もっと複雑な話である。歴史的な事実であれ、あるアイデアを会議で提案したのが誰かという記憶の話であれ、なにが真実なのかを考えることなく断言してしまう。他人に対してだけでなく自分に対しても、現実の認識を強烈に拒むのだ。この点についてはビル・アトキンソンも同じように考えている。

「スティーブは自分自身さえだましてしまいます。そうして自ら信じ、血肉としているからこそ、ほかの人たちを自分のビジョンに引きずり込めるのです」

大なり小なり現実をねじ曲げる人は、もちろん、たくさんいる。ジョブズの場合は、なにかをなし遂げるための戦法としてそれを使う。ジョブズが戦術に長《た》けているのに対し、ウォズニアックは正直を絵に描いたような人物だが、そのウォズも現実歪曲フィールドの効果はすさまじいと認めている。

「論理的にありえない未来を見ているとき、彼は現実歪曲の力を発揮するんだ。ぼくならほんの数日でブレイクアウトゲーム（ブロック崩し）が設計できるって宣言したときみたいにね。本当のはずがないってみんなが思うのに、彼はなんだかんだで本当にしてしまうんだ」

マックチームのメンバーだったデビ・コールマンによれば、いったん現実歪曲フィールドにとらえられると催眠術にかかったようになるらしい。

「彼を見ているとラスプーチンを思い出します。レーザーのように見つめられるとまばたきさえできなくなります。紫色のクールエイドでもなんでも、差し出されたものを飲んでしまうのです」

彼女もウォズニアックと同じ意見で、現実歪曲フィールドがあったから世界が変わった、ゼロックスやIBMとは比べものにならないほど少ない資源でコンピュータの歴史を変える成果が出せたのだと言う。

「自己実現型の歪曲で、不可能だと認識しないから、不可能を可能にしてしまうのです」

現実歪曲フィールドの根底にあったのは、世間的なルールに自分は従う必要がないという確固たる信念だ。証拠もあった。子ども時代、自分が望む形に現実を曲げることに何度も成功しているのだ。しかし、ルールを無視してもいいという信念を生んだ最大の源は、頑固で反抗的な彼の個性だろう。

ジョブズは自分を特別な人間だと考えていた。選ばれた人間、悟りを開いた人間だ。

「世の中には特別な人間がいるとスティーブは考えていました。アインシュタインとかガンジーとか、自分がインドであった導師とか。そして、自分もそのひとりだったのです。クリスアンにははっきりそう言っていたらしいです。私も、『自分は悟りを開いているから』などと言われたことがあります。ニーチェ的な感じでした」

とハーツフェルドは証言する。ジョブズがニーチェを勉強したことはないが、力への意志や〈超人〉などといった概念をいつの間にか身に付けたのだろう。『ツァラトゥストラはかく語りき』にはこうある——「精神、ここに自らの意志を形作り、かつて世界に破れた者が今度は世界を征服する」。

現実が意に染まなければ無視する。娘のリサが生まれたときもそうしたし、この何十年もあとには、がんの診断をはじめて受けたときに同じことをする。ナンバープレートを車に付けないとか身体障害者用のスペースに駐車するなど、日常生活のちょっとしたルールについても、世間的なルールや周囲の現実に自分は影響されないかのように行動することが多い。

ジョブズの世界観でもうひとつ特徴的なのは、なんでも二分してしまう点だ。人は「賢人」か「ばか野郎」しかいないし、その仕事は「最高」か「最低最悪」しかない。このやり方についてどう思うか、マックのデザイナーで、良いほうに分類されていたビル・アトキンソンに聞いてみた。

「スティーブの下で働くのは大変でした。神かくそったれか極端ですからね。神なら奉《たてまつ》られ、なにをしても許されます。ただ、私のように神側に分類された人間も、自分はただの人間であり、間違いもおかせば屁だってこくとよくよくわかっています。だから、いつか祭壇からけり落とされるのではないかとおそれていました。一方、優れたエンジニアで一生懸命働いているのにくそ

ったれ側に分類された人は、なにをしようがまともに評価されないし、自分の身分が上がることもないと感じていました。

この分類は固定的ではなかった。人ではなくアイデアが対象の場合には、切り替わる可能性もかなりあったのだ。ジョブズはさっと意見をひるがえす。ハーツフェルドに現実歪曲フィールドの話をしたとき、トリブルは、高電圧の交流のようにジョブズの考えは大きく変化するという指摘もしている。

「それはすごいとかひどいとか言われたからといって、翌日も同じ意見だとは限らない。新しく提案するとだいたいはアホなアイデアだって言われるけど、本心ではいいなと思っていた場合、1週間後に戻ってきて、自分が思いついたかのようにそのアイデアを提案してくれたりするんだ」

あまりに大胆な転回テクニックで、バレエの名手、ディアギレフも真っ青というところだ。

「この言い方ではだめだとわかると、スティーブは、さっと切り替えて別の角度から切り込んできます。突然、対立している相手と同じことを言い出す場合もあります。まるで、前々からそう考えていたかのようにね。面食らいますよ」と語ってくれたのはハーツフェルドだが、ゼロックスPARCからテスラーとともに移籍してきたプログラマー、ブルース・ホーンも似たようなことを何度も経験したそうだ。

「温めていたアイデアを話して大ばか野郎と言われたのに、翌週、『すごくいいことを思いついたぞ！』と私のアイデアを教えにきてくれたりするんです。『先週、私がお話ししたことですが？』と言っても、『うんうん、とにかく進めてくれ』で終わりです」

ジョブズの頭には、激しい意見がポンと浮かんだとき、その鋭いピーク信号を平滑《へいかつ》化する回路が欠けているとも考えられる。だからマックチームでは、オーディオ回路に用いられる「ローパスフィルター」という概念を応用することにした。ジョブズからの入力に対し、信号の高周波成分の振幅を小さくする処理を施すわけだ。こうすればデータセットのぶれがスムーズになり、乱高下する彼の言動から、いらつくジッタの少ない移動平均が得られる。ハーツフェルドは言う。

「両極端に振れる言動を何回か経験したあと、我々は、スティーブの信号にローパスフィルターを適用し、極値に反応しないようになりました」

よく立ち向かったで賞

ジョブズが極端な言動に走るのは、他人の感情を思いはかる能力がないからだろうか。そんなことはない。むしろ逆だと言える。ジョブズは感情というものがよくわかっている。他人の心を読むのも、他人の精神的な強さ・弱さ、自信のなさを把握するのもおそろしいほど上手である。不意をつき、狙いすました一撃をバシンと感情面にお見舞いして揺さぶりをかけることもできる。本当にわかっているのか、そのふりをしているのかも直感的にわかってしまう。だから、おだてたりすかしたり、説きふせたり喜ばせたり、あるいはまた、脅したりすることも名人級に上手なのだ。

「他人の弱点をピンポイントで把握できるのがあの人のすごいところです。どうすればかなわないと思わせられるのか、どうすれば相手がすくむのかがわかってしまうのです。これはカリスマ性があり、他人の操縦方法を心得ている人に共通する資質だと思います。かなわない相手だと思うと弱気になり、彼に認めてほしいと願うようになります。そうなったとき、褒《ほ》めて祭り上げれば、あとはもう意のままというわけです」

と、ジョアンナ・ホフマンも言う。

これには良い面もあった。つぶされずにすめば強くなれるのだ。成果も上がった。おそれから、喜んでもらいたいという気持ちから、また期待されているとの想いから、皆、よい仕事をしたからだ。

「彼の言動は心を疲れさせる側面もありますが、それに耐えられれば一定の効果があるのです」

たまには押し返せる場合もあるし、耐えるだけでなく栄えるまでいける場合もある。もちろん、必ずうまくいくとはかぎらない。ラスキンの場合、しばらくは押し返せたが、結局、つぶれてしまった。一方、ひとり静かに正しいことをしており、ジョブズからそう評価された場合、彼の尊敬を勝ちとることができる。私生活でも仕事でも、ジョブズは生涯を通じ、ごますりタイプよりもしっかりした人を身近に置くことが多い。

このあたりは、当然、マックチームの面々にもわかっていた。だから、１９８１年から年に１回、〝ジョブズによく立ち向かったで賞〟を出すようになった。半分冗談、半分本気の賞で、じつはジョブズもけっこう気に入っていたらしい。第１回を受賞したのはジョアンナ・ホフマンだった。東欧系移民の家庭で育った彼女は、意志も想いも強烈な人物だ。マーケティング予測を非現実的としかいいようのない内容に変えられ、ジョブズの部屋に怒鳴り込んだこともある。

「ナイフを心臓に突き立ててやると言いながら、階段をのぼって行きました」

産業カウンセラーのアル・アイゼンシュタットが飛んできて彼女を取りおさえようとする。

「その状態でも、スティーブは私の話をきちんと聞き、元に戻してくれました」

ホフマンは翌年の１９８２年も受賞した。マックチームに入ったばかりだったデビ・コールマンは、ホフマンをうらやましいと思ったそうだ。

「スティーブに立ち向かってゆくのですから。あのころの私には、こわくてとてもできないことでした。でも、1983年には私が賞をいただいたんです。信じるもののためには立ち上がらなければならない、その行動はスティーブも認めてくれると学んだのです。それからは、ずいぶんと引き上げてもらいました」

最終的に彼女は製造部門を率いる地位まで昇進する。

アトキンソンの部下のキュービクルにジョブズが顔を出したとき、こんなやりとりがあったとアトキンソンは語ってくれた。

「くだらないことをやっているな」

いつものように突っかかってきたジョブズに対し、部下は、

「そんなことはありません。これが一番いいやり方なのです」

と、どのようなトレードオフがあってそうしているのかを説明したところ、ジョブズは納得して引き下がったというのだ。だから、アトキンソンは部下に対し、ジョブズの言葉は翻訳機を通して聞くようにと指示していた。

「『くだらない』という彼の物言いを『これがベストなのはなぜか説明してみろ』という質問として聞くようになったのです」

しかし話はここで終わらない。このエンジニアは、結局、もっといいやり方を思いついたのだ。

「そうできたのは、スティーブが疑問を投げかけたからです。つまり、スティーブを押し返すことはできるけれども、同時に彼の言葉に耳を傾けるべきなのです。往々にして正しいことが多いからです」

ジョブズの言動にとげがあるのは完璧主義者だからという面もあれば、スケジュールと予算にしたがって製品を出せるように現実的な妥協（賢明な妥協のこともある）をする人間が許せないからという

面もあるのだとアトキンソンは言う。

「トレードオフが下手なんですよ。支配的な完璧主義者で、製品を完璧なものにしようとしない人間は、全員、まぬけ扱いです」

１９８１年４月のウエストコーストコンピュータフェアで、本当の意味でポータブルなパーソナルコンピュータをはじめて世に発表したアダム・オズボーンもまぬけとされた。マシン自体はそれほど優れたものではなく、スクリーンは5インチだしメモリーも多くなかったが、十分に使えるレベルだった。オズボーンの有名な言葉、

「これで必要十分。これ以上は過剰だ」

という状態だったのだ。しかし、ジョブズにとってはこの考え方自体が事実上ありえないもので、

「こいつはなんにもわかっちゃいない。あんなものはアートじゃない。クソみたいなものだ」

とぶつぶつ言いながらアップル社内を歩きまわり、何日間もオズボーンを笑いものにして過ごした。

マッキントッシュのオペレーティングシステムを作っていたラリー・ケニヨンのところへ行き、マシン立ち上げの時間がかかりすぎると文句を言ったこともある。説明しかけたケニヨンにかぶせるようにジョブズは訊ねた。

「仮に起動時間を10秒短くするだけで人の命が救えるなら、そうしようと考えるかい?」

そうするだろうとケニヨンが答えると、ジョブズはホワイトボードに数字を書きはじめた。世界中で５００万人がマックを使うようになった場合、１日10秒、起動時間が余分にかかると、年間、３億時間ほどの違いになる。言い換えると、１年間で１００人分以上の人生に相当する時間が節約できるというのだ。

「ラリーも感じるところがあったようで、それから数週間後、28秒短縮してくれました」

とアトキンソンは言う。

「スティーブは、全体像をとらえることで、社員のモチベーションを上手に高めるのです」

その結果、マッキントッシュチームは全員がジョブズの情熱を共有するようになった。利益が出るだけの製品ではなく、すごい製品を作りたいという情熱だ。ハーツフェルドは言う。

「ジョブズは自分をアーティストだと考えており、設計チームのメンバーにもそう考えるようしむけました。目標は競争に打ち勝つことでもなければお金を儲けることでもありません。可能なかぎりすごい製品を作ること、いや、限界を超えてすごい製品を作ることでした」

チームを引き連れ、マンハッタンのメトロポリタン美術館まで、ティファニーのグラスを見に行ったこともある。大量生産可能な芸術品を作るルイス・ティファニーからなにかが学べるはずだと思ったからだ。この見学について、バド・トリブルはこう語っている。

「ルイス・ティファニーが自分の手ですべてをやろうとせず、デザインをほかの人々に与えることができたのはなぜかなどについて話し合いました。『我々も、これからなにかを作ってゆくのなら、美しくできたらいいんじゃないか』という意見もありました」

それにしても、あれほど激しく、あれほど口汚くする必要はあったのだろうか。その必要はなかっただろうし、あのやり方が正しかったとも言えない。やる気を起こさせる方法ならほかにいくらでもある。また、たしかにマッキントッシュはすごいマシンに仕上がったが、ジョブズがだしぬけに首を突っ込むため、スケジュールは大きく遅れ、予算は大きくオーバーした。心が傷つくというコストもあり、チームの大半が疲弊した。ウォズニアックも、ほかにやり方があったはずだと考えている。

「あんなに脅し付けなくても、スティーブは十分に貢献できたはずだと思う。ぼくはもっと自分を抑え、人と衝突しないほうが好きだ。会社って家族のようなものだと思うからね。ぼくのやり方でマッキントッシュを進めていたらぐちゃぐちゃになっちゃっただろう。でも、ふたりのスタイルをまぜれば、スティーブのあのやり方よりよくなったんじゃないかと思うよ」

ジョブズのやり方には、もうひとつ、良い点があった。画期的な製品を作ろうという情熱と、不可能に見えることでもやり遂げられるという信念をアップル社員に植え付けたのだ。マッキントッシュチームは「週90時間、喜んで働こう！」というTシャツを着て働いた。ジョブズに対するおそれと彼に認められたいという強い想いを原動力に、自分が思いもしなかったほどの働きをした。ジョブズは、マックのコストダウンや早期にリリースすることを目的としたトレードオフも却下したが、同時に、一見賢明なトレードオフと勘違いされるような妥協も許さなかった。

のちにジョブズはこう語っている。

「優れた人材を集めれば甘い話をする必要はない。そういうものだと僕は学んできた。そういう人は、すごいことをしてくれると期待をかければすごいことをしてくれるんだ。特A⁺のプレイヤーはそういう人同士で仕事をしたがるし、Bクラスの仕事でもいいと言われるのを嫌がる。そう、最初のマックチームは教えてくれた。そのチームのメンバーなら誰でも、苦労しただけのことはあったと答えるはずだ」

事実、ほとんどのメンバーからそういう答えが返ってきた。デビ・コールマンの言葉を紹介しよう。

「会議のときスティーブは『この大ばか野郎が。なにひとつまともにできんのか』などと怒鳴っていました。しょっちゅうという感じでしたね。でも、彼のところで働けた私は、間違いなく世界一幸運な人間だ、そう思っています」

第12章

デザイン 真のアーティストはシンプルに

バウハウス的な美を求め

アイクラー・ホームズで育った子どもはたくさんいるが、ジョブズは、それがどういう家でなぜクールなのかを知る珍しいタイプだった。大衆向けのすっきりとシンプルな現代建築という考え方が好きだったのだ。父親から、さまざまな車のスタイルがどう違うのか、細かな説明を聞くのも好きだった。だから、アップルを創業した最初から、カラフルながらシンプルなロゴやアップルⅡの優美なケースなど、優れた工業デザインが会社にとっても製品にとっても差別化の鍵をにぎると信じていた。

アップルを創業し、ガレージを出て最初の事務所は、同じビルにソニーの営業所が入っていた。ソニーは特徴的なスタイルと記憶に残る製品デザインで有名な会社だったので、ジョブズはときどき立ち寄ってはマーケティング資料をチェックした。

「むさくるしい格好で入ってきて、製品パンフレットに見入ってはデザインの特徴を指摘したりしていました。そしてときどき、『このパンフレット、もらってもいいですか?』と聞くんです」

と語ってくれたダニエル・ルインは、当時、そのソニー営業所で働いていたが、のちに、ジョブズに誘われてアップルに移籍する。

そのころは落ちついた色調でいかにも工業製品という感じのソニー製品が好きだったジョブズだが、コロラド州アスペンで毎年開催される国際デザイン会議に参加しはじめた1981年6月を契機に好みが大きく変化する。この年の会議はイタリアのスタイルがテーマで、建築家のマリオ・ベリーニ、映画監督のベルナルド・ベルトルッチ、カーデザイナーのセルジオ・ピニンファリーナ、フィアット一族で政治家のスザンナ・アニエッリに焦点があてられていた。これが転機だったとジョブズは言う。

「映画『ヤング・ゼネレーション』で若者がイタリア製のバイクにはまったように、僕もイタリアのバイクにまいってしまった。すごいインスピレーションだったよ」

アスペンでジョブズは、バウハウスの流れをくむすっきりと機能的なデザイン哲学に触れたのだ。バウハウスの哲学は、デザイナーのヘルベルト・バイヤーにより、建築物や居室、サンセリフフォント、アスペン研究所キャンパスの家具などに刻み込まれていた。バイヤーは、メンターであるヴァルター・グロピウスやルートヴィヒ・ミース・ファン・デル・ローエと同じように、芸術と実用的な工業デザインとを区別すべきではないと考えた。バウハウスを中心としたインターナショナルスタイルと呼ばれるモダニズム建築では、シンプルで表現力を持つデザインがよいとされ、合理性や機能性を重視した、すっきりしたラインや形状が採用される。グロピウスやミースには「神は細部に宿る」や「少ないほうが多い」などの名言がある。アイクラー・ホームズと同じようにバウハウスも、大量生産に適した機能性が美的感覚と一体化しているのだ。

1983年のアスペン国際デザイン会議でジョブズは、バウハウススタイルを信奉していると語った。この年のテーマは「未来は変わった」だ。キャンパスに張られた大型の音楽用テントで、ジョブズは、今後、ソニー的なスタイルは廃《すた》れ、シンプルなバウハウス流に移ってゆくと予想した。

「いま主流の工業デザインはソニーのハイテク型で、ガンメタかブラックあたりで塗り、いろいろと加工をおこないます。加工は簡単ですが、すばらしいものは作れません」

と、製品の機能や特質にあったバウハウス流のデザインを提唱する。

「ハイテクな製品とし、それを、ハイテクだとわかるすっきりしたパッケージに収めます。小さなパッケージとすれば、ブラウン社の家電製品のように、白くて美しい製品を生み出すことができます」

ジョブズはまた、アップルはすっきりとシンプルな製品にすると繰り返し強調した。

「明るくピュアな製品、ハイテクらしさを包みかくさない製品とします。ソニーのように、黒に黒に黒に黒の工業製品的外観にはしません」

「当社はこのようなアプローチとしています。とてもシンプルです。また、近代美術館に収められてもおかしくない品質をめざします。会社の経営、製品の設計、広告とすべてをシンプルにするのです。とてもシンプルに」

このモットーは、「洗練を突きつめると簡潔になる」という表現でアップル初期のパンフレットにも表紙に大きく掲載された。

デザインをシンプルにする根本は、製品を直感的に使いやすくすることだとジョブズは考えた。両者は必ずしも両立しない。デザインは流麗でシンプルなのに、使うのが怖く感じたり、なにをどうしたらいいのかよくわからなかったりという場合もある。

ジョブズは、大勢集まったデザインの専門家を前に語った。

「我々がデザインの主眼に据えていますのは、〝直感的に物事がわかるようにする〟です」

その例として、ジョブズは、開発中のマッキントッシュに採用したデスクトップのメタファーを紹介する。

「机の使い方なら、誰でも直感的にわかります。事務所に行くと、机に書類が載っていますよね？　一番上に置かれた書類がだいたい一番重要なわけです。優先順位の切り替え方も、誰でも知っています。我々がコンピュータでデスクトップという机などのメタファーを採用しているのは、皆が持っている経験を活用するためです」

ジョブズがこう語ったのと同じ日、同じ時、別のもっと小さなセミナー室では、マヤ・リンが講演をしていた。その前年の11月、ワシントンDCに設置されたベトナム戦争戦没者慰霊碑で一躍有名になった23歳の若手デザイナーだ。ふたりは意気投合し、ジョブズはリンをアップルに招く（リンのような女性には気後れするので、案内はデビ・コールマンにやらせた）。

「あのときは、1週間ほどスティーブのところで仕事をしました。いろいろ訊ねたことを覚えています。コンピュータがテレビのように不細工なのはなぜ？　もっと薄くしたらいいんじゃないの？　真っ平らなノートみたいにしたら？　などです」

ジョブズは、最終的にはそうしたい、技術的に可能となったらなるべく早く実現したいと答えたそうだ。

当時、工業デザインの世界にはわくわくすることが少なすぎるとジョブズは感じていた。リヒャルト・ザッパーのランプやチャールズ&レイ・イームズの家具、ディーター・ラムスによるブラウン製品など気に入るものはあったが、かつてのレイモンド・ローウィやヘルベルト・バイヤーのように工業デザインの世界に君臨する人物がいなかった。リンも同じように感じていた。

「工業デザインは停滞気味で、とくにシリコンバレーではそうでした。そして、スティーブはその状況を変えたいと強く望んでいたのです。彼のデザイン感覚は華美ではなく流麗で、また、わくわく感があります。簡素を旨とする禅に傾倒していたからだと思うのですが、彼はミニマリズムを信奉していました。だからといって冷たい製品にはしません。楽しい製品にするのです。情熱的でデザインとものすごく真剣に向き合いますが、遊び心を忘れないのです」

デザイン感覚を磨く過程でジョブズは和のスタイルに惹かれ、イッセイミヤケやイオ・ミン・ペイなど、和風で有名なデザイナーとの付き合いを深めてゆく。この背景には仏教があった。

「仏教、とくに日本の禅宗はすばらしく美的だと僕は思う。なかでも、京都にあるたくさんの庭園がすばらしい。その文化がかもし出すものに深く心を動かされる。これは禅宗から来るものだ」

ポルシェのように

かつて、ジェフ・ラスキンが思い描いたマッキントッシュは四角い機内持ち込み用スーツケースという感じで、ディスプレイのふたを倒すとキーボードが出てくるものだった。プロジェクトを乗っ取ったジョブズは携帯性を捨て、スペースをあまり取らない特徴的なデザインを採用することにした。電話帳を机に置き、それをマッキントッシュのサイズの上限にすると宣言。エンジニアは皆、顔色を失った。デザインチームのリーダーであるジェリー・マノックと彼が採用した才能あふれるテリー・オヤマのふたりが考え出したのは、コンピュータ本体の上にスクリーンが載っていて、キーボードは取りはずし可能という形だった。

1981年3月のある日、夕食をすませてアンディ・ハーツフェルドが事務所に戻ると、プロトタイプのマックを前に、ジョブズがクリエイティブサービス・ディレクターのジェームズ・フェリスと激しく議論を戦わせていた。

「クラシックな雰囲気にすべきだ。フォルクスワーゲンビートルのように、長く続くデザインだ」

ジョブズがこう主張したのは、父親から昔いろいろと聞いた結果、クラシックカーの微妙な曲線美を高く評価するようになったからだろう。フェリスは反対する。

「いや、それはよくありません。もっと官能的なライン、フェラーリのようなラインにすべきです」

「フェラーリはないな。それもよくない。むしろポルシェのような、だろう」

じつはこのころ、ジョブズはポルシェ928に乗っていた（フェリスは、のちにポルシェの広告マネジャーに転身する）。ビル・アトキンソンは、ある週末、ジョブズの車を見ながらポルシェのすばらしさを聞かされたそうだ。

「すばらしい芸術は美的感覚を拡大する。美的感覚のあと追いをするんじゃない」

ジョブズはメルセデスのデザインも高く評価していた。

「少しずつラインが柔らかくなっているが、ディテールはむしろくっきりしてきた。それこそ、僕らがマッキントッシュで実現すべきことだ」

デザインの下図《ドラフト》と石膏《せっこう》模型が完成し、集まったマックチームが口々に感想を述べる。ハーツフェルドは「かわいい」と思った。ほかのメンバーも満足しているようだった。ところがジョブズからは酷評が飛び出す。

「角張りすぎてる。もっと丸みを持たせなきゃいけない。最初の面取り部分は半径をもっと大きく。斜角面のサイズもよくない」

ジョブズは、側面がぶつかる角の部分の角度や丸みがだめだと工業デザインの専門用語を連発して批判したのだ。褒めることも忘れなかった。

「これをたたき台にしよう」

マノックとオヤマは、ジョブズの批判を考慮したモデルをほぼ毎月のように作成した。お披露目される最新の石膏模型の横には、過去のモデルがずらっと並べられていた。こうすると変化がわかりやすいからだが、自分の提案や批判が無視されたとジョブズに言わせないためでもあった。違いはどんどん微妙なものになっていったとハーツフェルドは言う。

「4番目のモデルでもう、3番目との違いがほとんどわからなくなりました。でも、スティーブはいつも批判的かつ明快で、私にはわからないような細かな点についてすごくいいだの、それはだめだのと言っていました」

ある週末、ジョブズはパロアルトのデパート、メイシーズでクイジナート社などの家電製品をチェックして歩いた。そして週明けの月曜日、マックのオフィスに駆け込むとクイジナートのキッチン家電用品を買ってこさせ、それを前に新たな提案を山のようにおこなった。その提案をもとにキッチン家電に近いものをオヤマがデザイン。結果は、この方向性はよくないとジョブズも認めざるをえないもので、これで進捗が1週間滞ることもあった。このようにいろいろとあったが、最終的にはジョブズも満足するマックのケースが完成した。

ジョブズは親しみの感じられるマシンにこだわった。そのため、しだいに人間の顔に似た雰囲気となってゆく。ディスクドライブをスクリーンの下に設置したため、全体がふつうよりも縦に細長くなり、輪郭が人の顔に近くなった。一番下の部分は少し引っ込んで、上品なあごを思わせるものとなった。ジョブズは、スクリーンの上の部分についてプラスチックの幅を狭くした。リサはこの部分がクロマニョン人のひたいのようで美しくないと思っていたからだ。このケースデザインについては、ジェリー・マノックとテリー・オヤマにスティーブ・ジョブズの名前で特許が取得されている。ここにジョブズの名前があるのは当然だとオヤマは言う。

「スティーブが図面を描くことはなかったわけですが、彼のアイデアやインスピレーションがなければあのデザインは完成しなかったのです。正直なところ、スティーブに教えられるまで、コンピュータが『親しみやすい』とはどういうことなのか我々にはわかりませんでした」

スクリーンの表示についても、ジョブズは同じくらい厳しく追求した。ある日、ビル・アトキンソンがテキサコタワーにわっと駆け込んできた。円や楕円《だえん》をすばやく描けるアルゴリズムを思いついたのだ。円を描く場合、ふつうは平方根の計算が必要となるが、この計算を68000マイクロプロセッサーはサポートしていなかった。それをアトキンソンは、一連の奇数を足し合わせると完全平方数になること（1+3=4、1+3+5=9など）を利用して処理したらいいと気づいたのだ。アトキンソンのデモを見たとき誰もが感嘆したが、ジョブズだけが例外だったとハーツフェルドは言う。

「円や楕円はいいけど、角を丸めた長方形は描けるのかい？」

アトキンソンは、

「そこまでする必要はないでしょう」

と、やろうとしてもほぼ無理だと説明した。グラフィックスのルーチンはどうしても必要な基本機能に抑えてスリム化したいと思っていたからだ。

「角を丸めた長方形はそこいらじゅうにあるんだぞ！」

ジョブズはさっと立って声を荒らげる。

「この部屋を見てみろ！」

ジョブズは、ホワイトボードにテーブルトップなど、角を丸めた長方形のものを次々とゆびさす。

「外に出ればもっとたくさんある。どこを見てもあるくらいだ！」

こう言うとアトキンソンを連れ出し、車の窓にビルボード広告、道路標識などをゆびさしてゆく。ジョブズによると、3ブロックほど歩くあいだに17個の実例を見つけたという。アトキンソンが納得するまで、それを次々と指摘したのだ。

「駐車禁止の標識を示されたところで言いましたよ。『わかりました。降参します。角を丸めた長方形を基本命令として用意します』と」

ハーツフェルドによると、このときもジョブズの主張がいいほうに転んだ。

「翌日の午後、ビルはにこにこしながらテキサコタワーに戻ってきました。きれいに角が丸められた長方形をあっという間に描くデモが完成したのです」

こうして、リサもマックも、その後登場するコンピュータもほとんどが角の丸いダイアログボックスやウィンドウを持つようになったわけだ。

書体へのこだわり

リード時代に聴講したカリグラフィーのクラスで、ジョブズは、セリフやサンセリフ、プロポーショナルスペーシングに行送りなど、活字書体について学び、大好きになった。初代マッキントッシュを設計していたとき、その記憶がよみがえる。マックはビットマップ方式だったので、エレガントなものから風変わりなものまでいくらでもフォントを搭載することができた。どんなフォントでも、ピクセル単位でスクリーンに表示できるからだ。

このフォントをデザインするため、ハーツフェルドはフィラデルフィアのハイスクール時代に知りあった友人、スーザン・ケアをリクルートする。ふたりはフィラデルフィアのメインラインを走る通勤列車にちなみ、オーバーブルック、メリオン、アードモア、ローズモントなどといった名前をフォントに付けた。これに興味を引かれたジョブズは、ある日、フォント名についてこう提案する。

「そんな小さな町の名前など、誰も知らない。付けるなら、〈世界的に有名〉な街の名前にすべきだ」

シカゴやニューヨーク、ジュネーヴ、ロンドン、サンフランシスコ、トロント、ベニスといった名前のフォントが使われているのはそのせいだとケアは言う。

マークラたちは、なぜジョブズがそんなに活字にのめり込むのか理解できなかった。

「彼はフォントについてすごく詳しく、すばらしいフォントが必要だといつも力説していました。私はいつも、『フォントだって？　もっと大事なことがあるだろう？』と言っていました」

マッキントッシュに搭載された美しいフォントの数々は、のちに、レーザープリンターやすばらしいグラフィックス機能と組み合わされ、デスクトップパブリッシング産業を興すとともにアップルの収益を大きくあと押しする。また、それまでは印刷業者や編集者など、あちこちにインクの染みがついた人々にしか知られていなかったフォントについて、うんちくを傾けるというちょっと屈折した楽しみが、ハイスクールの新聞部からＰＴＡニュースの編集をする母親まで、ごくふつうの人々に広がったのもマックのおかげだ。

ケアは、ファイルを捨てるゴミ箱などのアイコンも作った。ＧＵＩの重要な要素だ。ケアはジョブズとそりがあった。シンプルさを大事にするとともに、マックを特徴的なものにしたいという想いが共通していたからだ。そのケアが語る。

「スティーブは、だいたい、毎日、仕事が終わるころのぞきにきました。いつも、なにが新しくできたのかを知りたがっていましたね。美的感覚に優れていますし、細かなビジュアルについても鋭いものがありました」

ジョブズは日曜日の午前中にも出社することがあったので、その時間帯、職場にいて、彼が来たら新しく開発したものを見せられるようにしておくなど、ケアは用意周到だった。それでも、問題が発生することはあった。マウスのクリック速度を高めるアイコンにうさぎを使ったところ、ふわふわした毛がはしゃぎすぎだと却下されたこともある。

ジョブズは、ウィンドウやドキュメント、スクリーンの頂部に表示されるタイトルバーにもたっぷりと注意を払った。どうもピンとこないとうなっては、アトキンソンとケアに何度も何度もやり直しを命じる。リサのタイトルバーは黒くてとげとげしいときらっていた。マックにはもっとなめらかなイメージで、ピンストライプをあしらったものにしたいというのだ。

「満足してもらえるまで、タイトルバーだけで20回はやり直したと思います」

とアトキンソンは言う。ケアとアトキンソンは、タイトルバーをちょこちょこいじるよりほかにもっと大事なことがあるのでは、と文句を言ってしまったこともある。すぐさま怒鳴り声が返ってきた。

「毎日見るものなんだぞ！　ちょっとしたことじゃない。ちゃんとやらなきゃいけないことなんだ」

デザインに対する飽くことのないジョブズの要求を満足させ、マニア的な好みをコントロールする方法を思いついたのがクリス・エスピノザだ。ガレージ時代からウォズニアックの下で働いてきたエスピノザは、「勉強ならいつでもできるがマックの仕事はいましかできない」とジョブズに説得されてバークレーを中退。マックでは電卓のデザインをすることになった。完成したときの様子をハーツフェルドはこう語る。「人だかりのなかでクリスはスティーブに電卓を見せ、息を呑んで反応を待っていました」。

「まあ、たたき台にはなるな。基本的にひどすぎるけどね。背景の色は暗すぎるし、線も幅がよくないものがある。ボタンは大きすぎるな」

ジョブズから指摘があるたび、毎日のようにエスピノザは改良を重ねる。しかし、どこをどう直しても必ずなにかを指摘される。それならばとエスピノザが開発したのが、「スティーブ・ジョブズの電卓自作セット」だ。線の幅やボタンのサイズ、影、背景色など、さまざまな属性を自分で変更し、好みの電卓が作れるようにしたのだ。大笑いされるかと思ったら、ジョブズは真剣にいじりはじめ、10分ほどで自分好みの電卓を完成。当然かもしれないが、この電卓はマックとともに出荷され、その後15年ほどもスタンダードとして使われた。

ジョブズはマッキントッシュを中心に考えていたが、アップル製品をひとつのデザインコンセプトでまとめたいとも考えていた。そのために、ジェリー・マノックとアップルデザインガイドという有志グループの力を借り、世界的なデザイナーを選定するコンテストを企画する。ドイツの家電製品メーカー、ブラウン社にとってのディーター・ラムスのような伝説的デザイナーを探そうというわけだ。プロジェクトのコードネームはスノーホワイト（白雪姫）。白系の色が好みだったこともあるが、デザインの対象とする製品が7人の小びとにちなんだコードネームとなっていたからでもある。

選ばれたのはハルトムット・エスリンガー。ソニーのトリニトロンテレビのデザインをしたドイツのデザイナーである。すぐにジョブズは、バイエルンまで会いに行き、彼のデザインに対する情熱に感動するとともに、メルセデスを時速160キロ以上の猛スピードでぶっとばす若々しさにも感嘆した。

エスリンガーはドイツ人だが、「アップルのDNAにはアメリカ生まれの遺伝子」があり、そこから、「ハリウッドと音楽、若干の反逆者魂、自然なセックスアピール」に触発されて「カリフォルニアグローバル」な雰囲気が生まれるようにすべきだと提案。彼は、形態は機能に従うという有名な言葉をもじった「形態は感情に従う」を基本的な考え方としていた。

コンセプトを示すために作られた40種類のモデルを見たとき、ジョブズは、

「そう、これだよ！」

と叫んだ。角をわずかに丸めた白いケースに通風と装飾を兼ねた細いスリットが印象的なスノーホワイトデザインは、その少しあと、アップルⅡcに採用されている。ジョブズは、カリフォルニアに来てくれるなら契約しようと手を差し出す。エスリンガーがのちに語るように、この握手から工業デザイン史上有数のコラボレーションがはじまった。1983年半ばには、年間120万ドルの契約をアップルと締結し、エスリンガーの会社、フロッグデザイン（frogdesign）*がパロアルトに事務所を開設。その後のアップル製品には、必ず、「カリフォルニアでデザイン」の一言が謳われるようになる。

かつてジョブズは父親から、優れた工芸品は見えないところもすべて美しく仕上がっているものだと教えられた。これをジョブズがどれほど突きつめようとしたのかは、プリント基板の例を見るとよくわかる。チップなどの部品が取り付けられたプリント基板はマッキントッシュの奥深くに配置され、消費者の目には触れない。そのプリント基板でさえジョブズは、美しさを基準に評価したのだ。いわく、その部品はすごくきれいだ。いわく、あっちのメモリーチップはみにくい、ラインが密すぎる——と。

そのようなことに意味はないと新参のエンジニアが反論したことがある。

「重要なのは、それがどれだけ正しく機能するかだけです。PCボードを見る人などいないのですから」

ジョブズはいつもどおりの反応をする。

「できるかぎり美しくあってほしい。箱のなかに入っていても、だ。優れた家具職人は、誰も見ないからとキャビネットの背面を粗悪な板で作ったりしない」

数年後、マッキントッシュが発売されたあとのインタビューでも、父親から学んだこの点に触れている。

「引き出しが並ぶ美しいチェストを作るとき、家具職人は背面に合板を使ったりしません。壁にくっついて誰にも見えないところなのに、です。作った本人にはすべてわかるからです。だから、背面にも美しい木材を使うんです。夜、心安らかに眠るためには、美を、品質を、最初から最後まで貫きとおす必要があるのです」

隠れた部分にも美を追求するという父親の教えにつながるものを、ジョブズはマイク・マークラから学んだ。パッケージやプレゼンテーションも美しくなければならないのだ。たしかに人は表紙で書籍を評価する。だから、マッキントッシュの箱やパッケージはフルカラーとし、少しでも見栄えがよくなるようにさまざまな工夫をした。

「50回はやり直しをさせたと思いますよ。開いたらゴミ箱に直行するものなのに、その見栄《みば》えにものすごくこだわっていたのです」

＊　2000年には社名をfrogdesignからfrog designに変え、事務所もサンフランシスコに移転した。frogdesignという社名は、カエルが変態の能力を持つという側面だけでなく、会社のルーツであるドイツ連邦共和国、(f)ederal (r)epublic (o)f (g)ermany の意味も込められていた。エスリンガーによると、小文字はヒエラルキーをなくそうとしたバウハウスへの賛同を示すもので、民主的なパートナーシップという社風を強化するのだという。

と語るのは、当時マックチームのメンバーで、ジョアンナ・ホフマンと結婚したアラン・ロスマンだ。ロスマンは、ジョブズにはバランス感覚がなさすぎると思った。メモリーチップの費用を抑えようと努力している一方で、パッケージに大変なお金が使われていたからだ。しかしジョブズにとっては、マッキントッシュを驚くほどの製品とし、また、マッキントッシュに驚いてもらうためには、細部までゆるがせにできなかったのだ。

デザインが完成したとき、ジョブズはマッキントッシュチームを集めてお祝いをした。

「アーティストは作品に署名を入れるんだ」

そう言うと、ジョブズは製図用紙とシャーピーのペンを取り出し、全員に署名するよう求めた。

このサインは、すべてのマッキントッシュの内側に彫り込まれている。修理の担当者でもなければ絶対に目にするはずがないが、チームメンバーは皆、自分の署名がそこに彫り込まれていると知っている。回路基板ができるかぎりエレガントに作り込まれたと知っているように。

一人ひとり、ジョブズに名前を呼ばれた人がサインしてゆく。最初はビュレル・スミス。ジョブズは、メンバー45人が全員サインしたあと、真ん中あたりに残っていた空白にサインをした。ぜんぶ小文字のきれいなサインだ。そして、シャンパンで乾杯。

「最終的な成果をアートだと彼が感じさせてくれるのは、こういうときなのです」

とアトキンソンはほほえんだ。

第13章 マックの開発力こそが報い

IBM vs. アップル

IBMがパーソナルコンピュータを発売した1981年8月、ジョブズは1台購入し、分解して詳しく調べさせた。チームは皆、ひどい評価を下す。たとえばクリス・エスピノザは「いいかげん、かつ古くさい製品だ」と評したが、その酷評も一理あるという製品だった。操作は旧来のコマンドラインだし、ディスプレイはビットマップのグラフィカルなものではなかった。

アップル社内には勝ちほこった気分が広がる。企業の管理職ならば、果物の名前が付いた会社よりIBMのような有名企業から買いたいと思うはずだとは、想像もしなかったのだ。

IBM PCが発表された日、ビル・ゲイツはたまたまアップル本社を訪れていた。

「心配する様子はまったく見られませんでしたね。それがなにを意味するのか、アップルが理解したのは1年もたってからです」

思い上がっていたアップルは、「ようこそ、IBM殿」と題する全面広告をウォールストリートジャーナル紙に出す。その後パーソナルコンピュータの世界で展開される戦いを、「活気と反抗心に満ちたアップル」と「体制派のゴリアテ＝ＩＢＭ」による直接対決と位置付けた広告で、コモドールやタンディ、オズボーンなど、アップルと同じように成功していた他の会社は取るに足らないという印象を上手に与えるものだった。

そのキャリアを通じてジョブズは、自分のことを、悪の帝国にあらがう賢明な挑戦者、闇の力と戦うジェダイの戦士あるいは侍、だとすることが多い。そんな彼にとってＩＢＭはまたとない敵役《かたきやく》だった。その状況を活用するため、ジョブズはこれを単なるビジネス上の競争ではなく、もっと神聖な闘争だとした。当時のインタビューでは、こう語っている。

「我々が大きなへまをやらかし、ＩＢＭが勝ってしまったら、コンピュータの暗黒時代が20年くらいは続くんじゃないかと思う。ＩＢＭという会社は、市場を支配するとだいたい、いつもイノベーションをやめてしまう」

それから30年たっても、あれは聖戦だったと言う。

「ＩＢＭはマイクロソフトをもっと悪くしたような会社だ。イノベーションの力じゃない。悪の力だ。ＡＴ＆Ｔやマイクロソフトやグーグルなんかといっしょさ」

アップルにとって不幸だったのは、ジョブズが、リサもマッキントッシュの敵と認定したことだ。開発グループを追われたのだから、仕返しをしたいと思うのもわからなくはない。健全な対抗意識で部下のやる気を引き出すという面もあった。リサとマックの出荷時期について、ジョン・カウチと5000ドルの賭けをしたのもそのためだ。しかし、「リサチームはＨＰ的なエンジニアで動きがにぶいのに対し、自分の部下は優秀だ」とジョブズが公言してはばからなかったのは、不健全な競争と言わざるをえないだろう。

実質的な問題としても、ジェフ・ラスキンが考えていた安価で非力なポータブルマシンではなく、グラフィカルユーザインターフェース（ＧＵＩ）を持つデスクトップマシンとした結果、マックは廉《れん》価《か》版のリサといった製品になっていた。しかも、ビュレル・スミスをつついてマイクロプロセッサーをリサと同じモトローラ６８０００にしてしまったし、ビュレル・スミスが優秀なために、リサよりも高速なマシンに仕上がってもいた。

リサのアプリケーションソフトウェアを管理していたラリー・テスラーは、両方のマシンで同じプログラムが動くようにすべきだと考えた。和平交渉の一環として、スミスとハーツフェルドをリサ部門に呼び、マックプロトタイプのデモをしてもらうことにする。25人のエンジニアが集まって静かに話を聞いていると、プレゼンテーションの半ばでドアがバンッと開いた。飛び込んできたのはリッチ・ペイジ。リサの設計を中心となって進めたエンジニアで、かっとなりやすいところがあった。

「マッキントッシュのせいでリサは失敗する！」

ペイジが叫ぶ。

「マッキントッシュのせいでアップルはだめになる！」

スミスもハーツフェルドも口を開かない。ペイジがまた叫ぶ。

「ジョブズは、自分の好きにさせてもらえなかったから、リサを破滅させようとしているんだ」

泣きそうな表情で続ける。

「誰もリサを買わない！　マックが出るってわかっているからだ！　それでもかまわないっていうんだな！」

ここまで言うと部屋を飛び出し、ドアを力一杯閉める。直後、ドアがまた開くと、ペイジが顔をのぞかせ、スミスとハーツフェルドに声をかける。

「君たちが悪いんじゃない。それはわかってる。悪いのはスティーブ・ジョブズだ。おまえはアップルをつぶそうとしているとスティーブに伝えてくれ」

最終的にジョブズは、低価格でリサと競合するマシンにマッキントッシュを仕上げる。しかも、ソフトウェアに互換性がなかった。さらにまずいことに、どちらのマシンもアップルⅡとも互換性がなかった。アップル全体を引っぱる人もなく、ジョブズは野放し状態だった。

端から端まで支配する

マックをリサ互換にしたくないとジョブズが考えたのは、対抗意識や復讐心《ふくしゅうしん》だけが理由ではなく、その根底には、管理・統制を強く求める心があった。偉大なコンピュータとするためには、ハードウェアとソフトウェアの結びつきを強化しなければならない。ほかのコンピュータでも動くソフトウェアを使えるようにすれば、コンピュータの機能が一部、損なわれたりする。だから最良の製品とは「すべてがウィジェット」となっているもの、つまり、ハードウェアに合わせてソフトウェアを作り、ソフトウェアに合わせてハードウェアを作るという形ですべてができているものだとジョブズは考えたのである。

これこそがマッキントッシュの特徴だった。マッキントッシュのオペレーティングシステムはマッキントッシュのハードウェアでしか動かない。さまざまな会社のハードウェアで同じオペレーティングシステムが使われるマイクロソフトの環境とは違うのだ（最近はグーグルのアンドロイドもやり玉にあげられる）。これをZＤＮｅｔの編集者、ダン・ファーバーは、次のように表現した。

「ジョブズはエリート意識が強くかたくななアーティストで、どこの馬の骨ともわからないプログラマーが自分の作品をおかしな具合にいじってしまうのが耐えられないのです。それは彼にとって、その辺の人がピカソの絵を描きかえたりボブ・ディランの詩を書きかえたりするのに等しいわけです」

ジョブズは、このなにからなにまですべてをウィジェットにするアプローチで、ｉＰｈｏｎｅやｉＰｏｄ、ｉＰａｄなど、きわだつ製品をいくつも作ることになる。たしかにすごい製品は作れるが、市場を占有するのに適した戦略になるとはかぎらない。

「最初のマックから今度のｉＰｈｏｎｅまで、ジョブズのシステムは必ずかたく封印され、消費者がいじったり改造したりできないようになっている」と、『ザ・カルト・オブ・マック』の著者、リアンダー・ケイニーは書いている。

アップルIIを開発したとき、拡張カードを挿して機能を拡張するためのスロットを用意すべきか否か、ジョブズはウォズニアックと争ったが、これも、ジョブズがユーザー体験をコントロールしたいと考えたから起きたことだ。あのときはウォズニアックが勝ち、アップルIIには８つのスロットが用意された。しかし今度は、ウォズニアックのマシンではなくジョブズのマシンだ。だからマッキントッシュに拡張スロットは用意しない。ケースを開いてマザーボードに触れることさえできなくした。パソコンいじりが趣味の人やハッカーにとってこれはクールではない。しかし、マッキントッシュは一般の人向け——ジョブズはそう考えていた。だから、きちんと管理された体験を提供したいと。適当な回路基板をスロットに挿し、エレガントなデザインをぶち壊すなど、誰にも許すつもりはなかった。

「この背景には、すべてを思うとおりにしたいという彼の性格があります」

と、ジョブズに誘われ、１９８２年にマーケティング戦略担当の見習いとしてテキサコタワーに来たベリー・キャッシュは言う。

「スティーブはよく、アップルⅡについて『我々がコントロールできていない。だから、みんな、いろいろとおかしなことをしようとするんだ。あの失敗は二度と繰り返さない』と愚痴っていました」

マッキントッシュのケースをふつうのねじまわしで開けられないようにと、専用ツールまで作ったのだから徹底している。

「アップルの社員しか中が見られないようにするんだ」とキャッシュは言われたそうだ。

ジョブズはまた、マッキントッシュのキーボードから矢印キーをなくしてしまった。カーソルを動かす方法はマウスだけ。旧来のやり方に慣れたユーザーにもマウスを使わせようというわけだ。製品開発の常識に反しているが、ジョブズは顧客が常に正しいとは考えていない。マウスを使いたがらない人は間違っていると考える。顧客の要求を満たすよりも偉大な製品を作ることを優先する姿勢が表れた一例と言えるだろう。

カーソルキーの排除には、もうひとつメリットがあった（デメリットでもあるが）。さまざまなコンピュータに移植できる汎用ソフトウェアではなく、マックのオペレーティングシステムに合わせたプログラムを書かざるをえない状況にソフトウェアディベロッパー各社を追い込んだのだ。この結果、アプリケーションソフトウェアからオペレーティングシステム、ハードウェアデバイスまで、ジョブズが望む緊密な垂直統合が実現した。

すべてを管理したいと望むため、ジョブズは、事務機器メーカーにマッキントッシュのオペレーティングシステムをライセンスし、マッキントッシュのクローンを作らせるという提案にも激しいアレルギー反応を示した。1982年5月、マッキントッシュのマーケティング部長に就任したばかりのマイク・マレーがジョブズに提出したマル秘メモがある。

「マッキントッシュのユーザー環境を業界標準にしたいと考えます。ここで問題になるのは、当然ながら、マックのハードウェアを買わなければマックのユーザー環境が手に入らない点です。他メーカーがサポートできない形で業界全体をカバーする標準を1社が作り、維持した例はないに等しいと言えます」

マレーはこう指摘し、マッキントッシュのオペレーティングシステムをタンディ社にライセンスする提案をおこなった。タンディが展開する量販店のラジオシャックはターゲットとする顧客が異なるため、アップルの販売が大きく落ち込む心配はないからだ。しかし、ジョブズは耳を貸さない。端麗な作品を他人に委《ゆだ》ねるなど、想像もしたくなかったからだ。結局、マッキントッシュはジョブズの望みどおり、厳しく管理された環境を維持するが、それは同時に、マレーがおそれたとおり、ＩＢＭクローンの世界で業界標準になれないことを意味した。

マシン・オブ・ザ・イヤー

１９８２年が終わろうとするころ、ジョブズはタイム誌の「今年の人《マン・オブ・ザ・イヤー》」に選ばれるだろうと思っていた。タイムのサンフランシスコ支局長、マイケル・モリッツとともに出社し、取材に協力するよう社員に指示したりしていたからだ。しかし、タイムの表紙を飾ったのはジョブズではなくコンピュータだった。「今年の人」ではなく「今年のマシン《マシン・オブ・ザ・イヤー》」が選ばれたのである。本文の特集記事にはジョブズも紹介されていた。ふだんはタイムのロック音楽セクションを担当している編集者、ジェイ・コックスがモリッツの取材をもとに書いたものだ。

「流れるようなセールストークとキリスト教草創期の殉教者もうらやむほどのひたむきな信仰によ

り、スティーブ・ジョブズが門を開き、パーソナルコンピュータを招き入れた」

とてもよく書かれた記事だったが、とげとげしいところもあった。実際、とげがありすぎ、「ロックンロールのめちゃくちゃな世界をいつも取り扱っているニューヨークの編集者に（自分の取材内容が）吸い上げられ、ろ過され、ゴシップのベンゼンという毒を添加された」

と取材にあたったモリッツも非難したほどだった（モリッツは、アップルを題材に本を書いたあと、ドン・バレンタインとともにベンチャーキャピタル、セコイアキャピタルのパートナーとなる）。記事では、「現実歪曲フィールド」というバド・トリブルの言葉が紹介されていたほか、ジョブズは「会議で突然泣き出すことがある」とも書かれていた。最高傑作は「ジョブズをフランス国王にしたらさぞかし立派だっただろう」というジェフ・ラスキンの言葉だろう。

見捨てた娘、リサ・ブレナンがいると書かれていたことにもジョブズは驚いた。「あの子の父親である可能性は米国人男性の28パーセントにある」とクリスアンを激怒させた言葉をジョブズが放ったと報じたのもこの記事だった。リサのことをしゃべったのはコトケに違いないと思ったジョブズは、数人の同僚がいる前でコトケを責めた。

「スティーブにリサという娘はいるのかとタイムの記者に聞かれたので、もちろんと答えました」

と、コトケは私に語っている。

「父親であることを否定させないのが本当の友だちでしょう。私は、友だちに、父親であることを否定するような卑劣なやつになってほしくありません。あのとき彼は怒り狂い、裏切られたと皆の前で私を糾弾《きゅうだん》しましたけどね」

ともあれ、この件でジョブズが一番傷ついたのは、なんだかんだ言っても、「今年の人」に選ばれなかったことだった。そのときのことを彼はこう語ってくれた。

タイムが僕を「今年の人」に選ぶと決めたとき、僕は27で、そういうことがかなり気になる歳だった。かっこいいなと思ったよ。取材にきたのはマイク・モリッツ。僕らは同い年で僕はものすごく成功していたからね、彼が僕をねたんでいることはわかったし、腹に一物があるのも感じた。で、あの突っかかるような記事を書いたわけだ。それを受け取ったニューヨーク側の編集者は、これじゃあ「今年の人」にはできないなとなる。あれは傷ついたよ。でも、いろいろと学ぶこともできた。ああいうとき、あんまり喜んじゃいけないんだ。メディアというのは、しょせん見せ物だからね。あの雑誌が宅配で届き、その包みをあけたときのことはよく覚えている。僕の顔写真が表紙だと思ったのに、あのコンピュータに彫像さ。はぁ？　って思ったね。しかも本文を読んだらあのひどさだ。思わず泣いてしまったよ。

実際には、モリッツがジョブズをねたんでいたと信ずるに足る理由もなければ、わざと不適切な記事を書いたという証拠もない。あるいはまた、本人がそう思ったというだけで、ジョブズが「今年の人」の候補になったという事実もない。あの年、タイム誌は、早い段階で人ではなく「コンピュータ」にすると決め、有名彫刻家のジョージ・シーガルに表紙用の彫刻を発注していた。何ヵ月も前のことだ（当時、私もタイムで働いていた）。あの号の編集を担当したのはレイ・ケイブだった。「ジョブズを選ぼうと考えたことはありません。コンピュータを擬人化するわけにはいかないので、あの年が命のない物体を選んだはじめての年となりました。シーガルの彫刻を起用するのはすごいことなので、表紙に載せるべき人を探すことはしませんでした」

リサはマックに先駆けること1年の1983年1月に発売となり、ジョブズは賭け金の5000ドルをカウチに支払う。リサの広報には、ジョブズも引っぱり出された。リサの開発からははずれたが、アップルの会長で看板的な存在だったからだ。

広報コンサルタントのレジス・マッケンナから、出し惜しみによって独占インタビューを盛り上げる方法を学んだジョブズは、指名した媒体の記者をひとりずつ、カーライルホテルのスイートに招きいれては1時間だけインタビューに応じた。テーブルの上には切り花に囲まれたリサが置かれている。このインタビューではリサに集中し、マッキントッシュには触れないはずだった。マックのうわさが広まるとリサが失速する可能性があったからだ。しかしジョブズはがまんできなかった。

このインタビューをもとに書かれた記事は、タイム誌、ビジネスウィーク誌、ウォールストリートジャーナル紙、フォーチュン誌など、その大半がマッキントッシュに言及していた。フォーチュン誌は「今年のうちにアップルは、リサよりも能力は落ちるが安価なマシンを発売する予定である」と報じた。「そのプロジェクトはジョブズ自身が率いた」と紹介したビジネスウィーク誌には、ジョブズの言葉として「発売されたとき、マックは世界一のすばらしいコンピュータになる」と記されていた。ジョブズはこのとき、マックとリサに互換性がないこともあきらかにしている。裏切りのキスでリサを送り出したと言えるだろう。

実際、リサはゆっくりと死に向かい、2年とたたずに製造打ち切りとなる。

「高すぎたし、消費者向けの販売ノウハウしかないのに大会社に売り込もうとしたしね」

とジョブズはのちに評しているが、リサの失敗はジョブズにとって希望の兆《きざ》しでもあった。リサ発売から数ヵ月後には、マッキントッシュに望みをかけるしかないと社内の雰囲気が変わったのだ。

ジョブズの採用基準

マッキントッシュの開発チームは成長に伴い、テキサコタワーからバンドリー・ドライブのアップル本社ビルへと移動し、１９８３年にバンドリー3という新しいビルに落ちつく。モダンなアトリウムにはビデオゲーム（ビュレル・スミスとアンディ・ハーツフェルドが選んだ）のほか、東芝のＣＤステレオコンポにマーチンローガンのスピーカー、１００枚ほどのＣＤがあった。ロビーからは金魚鉢のようなガラスの部屋で仕事をするソフトウェアチームが見えたし、キッチンにはオドワラのジュースがたっぷりと用意されていた。時間がたつにつれ、アトリウムのおもちゃは増えてゆく。精巧な職人芸に対する熱い想いをかき立てるとジョブズが感じた、ベーゼンドルファーのピアノやＢＭＷのバイクなどだ。

採用はジョブズががっちり掌握していた。目標は、創造的で嫌になるほど頭がよく、反抗心のスパイスがきいた人間を集めることだ。応募者に対し、ソフトウェアチームからはディフェンダーというテレビゲームが課題として与えられた（ビュレル・スミスが大好きだったゲームである）。

ジョブズは例によってとっぴな質問を投げ、不測の事態にどこまで対応できるか、ユーモアの余裕を持って押し返せるかを見た。ある日、ハーツフェルドやスミスといっしょに面接をしたソフトウェアマネジャー候補は、どうにもまじめすぎて金魚鉢の魔法使いたちを統率できるとは思えなかった。ジョブズは容赦なくいじりはじめた。

「はじめてシタのはいくつのときだった？」

面接に来た男は自分の耳が信じられなかった。

「なんとおっしゃいました？」

「君は童貞かい？」

重ねてジョブズがたずねる。相手が混乱しているのを確認したジョブズは話題を変える。

「LSDは何回くらい使ったことがある？」

面接に来た男が真っ赤になるのを見たハーツフェルドは、純粋に技術的な質問をしてあげた。ぐだぐだと続く答えにジョブズが割り込む。

「ハムハムハムハム」

これにはスミスもハーツフェルドも大笑いしてしまう。

かわいそうな男は、

「私には合わないところのようです」

と去っていった。

はた迷惑な言動が多いジョブズだが、その一方で、チームの団結力を高める能力には見るべきものがある。部下をたたきのめしたあと、今度は持ち上げ、マッキントッシュプロジェクトに参加できるのはすばらしいことだと思わせるのだ。半年に1回ほど、近くのリゾートで2日間の合宿研修もおこなった。

1982年9月の研修会は、モントレーにほど近いパハロ・デューンズでおこなわれた。50人ほどのマック部門メンバーが暖炉のあるロッジに集まる。ジョブズは正面のテーブルに座ってしばらくしゃべったあと、イーゼルのところへ行き、自分の考えを書きはじめた。

最初に書かれたのは「妥協するな」だった。この訓示は、薬と毒、両方の働きを示すことになる。技術開発の世界でトレードオフはごくふつうのことだ。これに対してマックはジョブズらの限界まで

「めちゃくちゃすごい」製品となるが、出荷はこの16ヵ月後とスケジュールが大きく遅れてしまうのだ。

完成予定日については、一応示したあと、

「おかしなものを作るくらいなら、遅れたほうがましだ」

と宣言。プロジェクトマネジャーならトレードオフを受け入れ、この日以降は変更しないという日を決めるのがふつうだろう。ジョブズは違う。続けて書いたモットーは「出荷の瞬間まで完成ではない」だった。

次は禅の公案のような一言、「旅こそが報い」だった（ジョブズが大好きな言葉だそうだ）。マックチームというのは至高の任務を与えられた特任部隊なのだとジョブズはよく語っていた。いつの日かふり返れば、つらかったことなど忘れてしまうか笑い飛ばすかして、人生最高の日々だった、魔法のような日々だったと思う――というのだ。

最後にジョブズは、

「かっこいいものを見たいと思わないか？」

とたずねて、卓上日記ほどのなにかを取り出した。ふたを開くとコンピュータが現れた。キーボードとスクリーンがちょうつがいで一体化された、ノートのような感じのマシンだ。

「80年代の半ばから末にかけて、こんなものが作れたらいいなと思っている」

彼らが作っていたのは、ずっと続くアメリカ企業、未来を発明するアメリカ企業だったのだ。

そのあと2日間、各チームリーダーの報告やコンピュータ業界の有名アナリスト、ベン・ローゼンの講演などがおこなわれた。夜はプールでのパーティーやダンス。

研修会の最後、ジョブズは集まった部下の前に立ち、独り言のようにこう語った。

「毎日、ここに集まった50人がする仕事は宇宙に大きな波紋を広げるものになる。僕はいっしょに仕事がしにくいタイプかもしれないっていうのはわかっているけど、でも、こんなに楽しいことはいままで経験したことがない」

何年もあと、そこに集まった人々の大半は「いっしょに仕事がしにくいタイプ」という話があったねと笑い合ったことだろうし、大きな波紋を広げるほど楽しいことはほかにないと賛同しただろう。

次の研修会は1983年1月末におこなわれた。リサが発表されたあとで、雰囲気が少し違っていた。その4ヵ月前、ジョブズは「妥協するな！」と書いたばかりだったが、今回は「出荷するのが真のアーティスト」だ。皆、神経をすり減らしていた。

リサ発表時のインタビューで名前を出してもらえなかったアトキンソンは、ジョブズの部屋に押しかけてきて「辞めてやる」と脅す。たいした話じゃないとなだめても、アトキンソンの気はおさまらない。ジョブズもいらいらしてきた。

「いまはこんな話をしているときじゃない。全身全霊でマッキントッシュに打ち込んでる連中が60人も僕を待ってるんだ」

そう言うと、アトキンソンの脇をすり抜けて忠実な部下たちが待つ部屋へと向かった。

ジョブズは皆に元気を与えるスピーチをおこなった。オーディオ・メーカー、マッキントッシュ・ラボラトリーとのあいだで問題になっていた名前も解決したと発表する（まだ交渉中だったが、その場の状況から現実歪曲フィールドの出番だったのだ）。ジョブズはミネラルウォーターのボトルを取り出すと、壇上に置かれたプロトタイプに洗礼を施して名前を付ける。ホールの反対側にいたアトキンソンはこの歓声を聞き、ためいきをついてグループの後ろに付いた。

そのあとのパーティーは、素っ裸でプールに飛び込む、ビーチでキャンプファイアーをする、一晩中、大音量で音楽を流すと大騒ぎだった。このホテル、カーメルのラ・プラヤに出入り禁止となったほどだ。

合宿研修の数週間後、ジョブズはアトキンソンを「アップルフェロー」と認定した。昇給とストックオプション、そして、好きなプロジェクトを選ぶ権利がついてくる役職だ。アトキンソンが開発したペイントソフトをマッキントッシュで起動すると、「MacPaint By Bill Atkinson」と表示されるようにすることも決まった。

1月の研修会でジョブズが訴えたことがもうひとつある。「海軍に入るより海賊になろう」だ。どのようなものにも立ち向かう反逆者魂を持ってほしい、むちゃくちゃをしながらどんどん先に進む冒険好きになってほしい、自分たちがしていることに誇りを持ちながら、まわりから次々と盗むチームになってほしい、と思ったからだ。「君子は豹変《ひょうへん》す」を地でゆけば、なんでもすばやく片付けられる――そう言いたかったのだろう。この数週間後、「祝28歳、スティーブ。旅こそが報い。―海賊より」という文言がアップル本社近くのビルボード広告に躍った。ジョブズの誕生日を祝おうとチームの皆が費用を出し合って掲げたものだ。

それなら海賊旗を掲げなきゃ、と思いついたのが、マックチーム内でもクールだと言われたプログラマー、スティーブ・キャップスだ。黒い布を用意し、ドクロと交差させた骨をケアに描いてもらった。眼帯はアップルのロゴだ。そして日曜日の真夜中、バンドリー3ビルの屋上にのぼり、建設業者が忘れていった足場用パイプを使って海賊旗を掲げた。ところがその2～3週間後、深夜にリサメンバーの急襲を受けて旗を盗まれてしまう。身代金を要求する手紙も届いた。キャップスを頭に救出隊が編成され、頼まれて保管していた秘書から旗を奪還する。

アップル上層部の大人のなかには、海賊精神の度が過ぎると眉をひそめる人もいた。アーサー・ロックもそのひとりだ。

「あのような旗を掲げるなど、愚の骨頂です。あの連中はどうにもならないと社内でよく話していました」

一方、ジョブズはとても気に入り、マックプロジェクトの終了まで旗を掲げさせた。

「僕らは反逆者で、そう知らしめたいと思ったんだ」

マックチームの古参メンバーは、ジョブズに反論しても大丈夫だとわかっていた。問題をきちんと理解していれば反論してもジョブズは怒らないし、にっこり笑って褒めてくれることもある。そして1983年ごろ、現実歪曲フィールドに詳しい一部メンバーは、その先があることを発見する。必要なら指示を黙殺しても大丈夫なのだ。その結果うまくいけば、権力を無視する意思の力や反逆者精神が評価される。そもそも、彼自身がそうしてきたのだから当然かもしれない。

そのような例のなかでとくに重要性が高かったのはディスクドライブだろう。アップルは社内に大容量記憶装置の部門があり、ツイギーというコードネームのディスクドライブを作っていた。きゃしゃな5・25インチのフロッピーディスクを読み書きするドライブだ。しかし、リサの出荷がはじまった1983年春ごろ、ツイギーには問題が多いと判明する。ハードディスクドライブを搭載しているリサはそれでもなんとかなる。ハードディスクのないマックは危機に直面したとハーツフェルドは言う。

「マックチームはパニックでした。フロッピーディスクのツイギーが1基あるだけで、保険となるハードディスクはなかったからです」

この問題については1983年1月のカーメル合宿で相談がおこなわれ、ツイギーの故障率データもデビ・コールマンがジョブズに提出。数日後、ジョブズはサンノゼにあるアップル工場まで、ツイギーの製造現場を確認に出かける。製造工程の段階ごとに半分以上が不良品としてはねられていた。ジョブズは激怒した。ここにいる全員をクビにすると、顔を真っ赤にして怒鳴る。その彼を、マックのエンジニアリングチームを率いるボブ・ベルヴィールがなだめて駐車場に連れ出し、ふたりで歩きながら対応策を検討した。

そのひとつはベルヴィールが考えていたもので、ソニーが開発した新しい3・5インチのディスクドライブを採用するという方法だった。しっかりしたプラスチックケースにディスクが収められており、胸ポケットに入れることもできる。このクローンをアルプス電気に作らせる方法も考えられた。日本の小さなメーカーだが、アップルⅡ用のディスクドライブはそこから供給を受けていたし、アルプスはソニーとライセンス契約を結んでいた。アルプスが間に合えば、かなりのコストダウンが期待できる。

方針を決めるため、ジョブズとベルヴィール、それに古株のロッド・ホルト（アップルⅡ用電源を設計した人物）の3人が日本に飛んだ。東京からは新幹線でアルプスの工場に向かう。だが、不完全なモデルだけでプロトタイプさえなかった。そのモデルをジョブズはすごいと思ったが、ベルヴィールはぞっとした。1年以内にマック用のドライブが完成するとはとても思えなかったのだ。

日本では数社を訪問したが、どこに行ってもジョブズの態度はひどいものだった。相手はダークスーツを着ているというのに、ジーンズにスニーカーで会いに行く。日本の慣例で渡されたお土産は置いてくるし、ジョブズがお土産を渡すこともなかった。ずらりと並んだエンジニアがお辞儀をして製品を差し出す様子をせせら笑った。製品も、おもねるような様も気に入らなかった。

ミーティングでは、

「こんなものを見せてなんになるんだ？　こんなのはガラクタだ。誰でももう少しましなものが作れるぞ」

などとわめく。あぜんとする人が多かったが、一部は、がさつで鼻持ちならないとうわさに聞くジョブズとはこういう人物か、と楽しんでいる人もいた。

最後に訪れたのは、東京のうらぶれた下町にあるソニー工場だった。乱雑だし費用をかけすぎだとジョブズは思った。手作業が多かったのだ。気に入らない。

ホテルに戻ると、ベルヴィールがソニーのディスクドライブを推してきた。ジョブズは反対。アルプスに作らせると決め、ソニーとの作業はすべて打ち切れとベルヴィールに指示する。

しかし、ベルヴィールはジョブズの指示を一部無視したほうがいいと判断。状況をマイク・マークラに説明し、ディスクドライブを確実に用意するため必要なことをしろ、ただしジョブズに見つからないようにという内々の指示を取りつけた。ベルヴィールは一部エンジニアの協力を取りつけるとともに、ソニーのディスクドライブをマッキントッシュで使えるようにしてほしいとソニー重役に依頼する。アルプスが間に合わなかったらソニーに乗り換えられるように。この要請に応え、ソニーはドライブの開発に携わったエンジニア、嘉本秀年《かもとひでとし》を派遣した。嘉本はパデュー大学卒で、この極秘任務をこなすユーモアも持ち合わせていた。

ジョブズが本社のオフィスからマックチームの仕事場を訪れるたび（つまりほぼ毎日午後）、チームは、嘉本を隠れさせる場所を急いで探さなければならなかった。クパチーノのニューススタンドでふたりがはち合わせし、日本で会った人間だとジョブズが気づいたこともあったが、幸い、それ以上は疑われずにすんだ。一番危なかったのは、嘉本がキューービクルで仕事をしている最中に突然、ジョブズが事務所に駆け込んできたときだろう。近くにいたエンジニアが嘉本の肩をつかみ、掃除用具のロッカーを指さす。

「急いであのロッカーに隠れて。さあ、早く！」

ハーツフェルドによると嘉本は不思議そうな顔をしていたが、急いで言われたとおりにしたという。結局、嘉本は5分ほど、ロッカーに隠れていなければならなかった。出てきた嘉本にエンジニアが謝る。

「別にいいですよ。それにしても、アメリカのビジネスというのはおかしなものですね。いや、本当に変です」

事態はベルヴィールの予想どおりとなった。1983年5月、ソニードライブのクローンの開発にはあと18ヵ月かかるとアルプスから連絡が入る。パハロ・デューンズの研修会で、マークラは、これからどうするつもりだとジョブズを詰問《きつもん》した。ジョブズがじっくり責められたあと、じつは代替品を短期間で用意できるかもしれないとベルヴィールが申告。ジョブズは一瞬、えっという顔をしたが、すぐ、ソニーのディスク担当者をどうしてクパチーノで見かけたのかに気づく。

「こんの野郎！」

その声に怒りはなかった。それどころか満面の笑みである。ベルヴィールらが隠れてなにをしていたのかを知ると、ジョブズはプライドを抑え、命令に背いて正しいことをしてくれてありがとうと感謝した。逆の立場であれば自分がそうしていたはずなのだ。

第14章 スカリー登場 ペプシチャレンジ

熱烈な求愛

マイク・マークラはなりたくてアップルの社長になったわけではない。彼の望みは、新しい家についてあれこれ考えたり、自家用機を飛ばしたり、ストックオプションでいい暮らしをしたりすることだった。意見の対立に裁定を下すのも手間のかかる人間の相手をするのも好まなかった。ただ、マイク・スコットを解任せざるをえなくなったとき、仕方なく社長の座についただけで、妻には少しのあいだだけだと約束していた。それから2年近くがたった1982年末、マークラは、いますぐ後任を探しなさいと妻から最後通告をつきつけられる。

一方、ジョブズは、やってみたいという思いはあるが、会社経営ができるとは自分でも思えなかった。尊大ではあるが、自己認識も意外にしっかりしていたのだ。マークラも同意見で、社長になるにはまだ少し不作法すぎる、もう少し大人にならなければならないと考えていた。

ふたりは、社外に人材を求めることにした。

一番に目をつけたのはドン・エストリッジだった。ＩＢＭのパーソナルコンピュータ部門を立ち上げ、ジョブズらは馬鹿にしたが、アップル製品よりも人気となった製品ラインアップを生み出した人物である。

エストリッジは、ニューヨーク州アーモンクにある本社の影響を受けずにすむよう、自分の部門をフロリダ州ボカラトンに置いていた。精力的でチームに活力を与え、頭がよくて少し反抗的なところはジョブズと同じだが、優れたアイデアは思いついた人のものとして扱うあたりはジョブズと異なっていた。ジョブズは、年俸100万ドルと契約金100万ドルという条件を手にボカラトンを訪れたが、エストリッジに断られてしまう。敵に寝返る男ではなかったのだ。また、体制側のほうが好きで、海賊よりも海軍を選ぶタイプだった。電話の夕ダがけというジョブズの武勇伝も彼にとっては眉をひそめる話だったし、お仕事はと聞かれて「ＩＢＭです」と答えられるのがうれしいという話もあった。

エストリッジに断られたジョブズとマークラは、ジェリー・ローチにヘッドハンティングを依頼する。求めたのは技術系ではなく、消費者向けのマーケティングに詳しい人物、広告や市場調査の知識があり、ウォールストリートが歓迎するような企業人だ。

ローチが推薦してきたのは、当時、消費者向けマーケティングの名手といわれていたジョン・スカリーである。スカリーはペプシコのペプシコーラ部門を率いる人物で、彼が展開した「ペプシチャレンジ」は広告という意味でも広報という意味でも大成功を収めていた。ジョブズはスタンフォード大学のビジネススクールで講演したことがあるが、スカリーもその少し前にしゃべっており、いろいろと良い評判を聞いていた。だから、スカリーになら会ってみたいとジョブズは思った。

スカリーはジョブズと経歴が大きく異なる。母親はマンハッタンのアッパーイーストサイド出身で、外出時に白い手袋をするような上流階級の人間だった。父親はウォールストリートの弁護士である。ハイスクールは寄宿舎住まいのサンマルコで、ブラウン大学を卒業後、ウォートン・スクールでMBAを取得。ペプシコに入社後はマーケティングと広告で手腕を発揮した。製品開発や情報技術にはほとんど関心がない。

クリスマスにロサンゼルスへ行き、前妻の子どもたちを連れてコンピュータショップに出かけたスカリーは、アップルはマーケティングがあまりに下手だと嘆いた。なぜコンピュータに興味を持つのかと不思議に思った子どもたちに、これからクパチーノでスティーブ・ジョブズに会う予定だからと答えると、ふたりとも目が丸くなった。まわりに映画スターがたくさんいる環境で育った子どもたちだが、彼らにとってはジョブズこそがセレブだったのだ。そういう話なら、そのジョブズの上司になるのも悪くないかもしれないとスカリーは思った。

アップル本社に着いたスカリーは、あまりに自由な雰囲気に驚く。ペプシコの整備作業員よりもラフな格好をしている人が多かった。ランチのとき、ジョブズは静かにサラダをつついていたが、「コンピュータは役に立つより問題を引き起こすほうが多い、と会社の上層部はだいたい考えている」とスカリーに指摘されたとたん、伝道者モードに切り替わった。

「我々は、コンピュータの使い方を変えていきたいと思っています」

戻りの機中で、スカリーはアイデア出しをしてみた。その結果、消費者や企業役員に対するコンピュータのマーケティング方法が書かれた8ページものメモができた。あちこちにアンダーラインが引かれていたり(スカリーはアンダーラインをよく使う)、囲みや線が加えられていたりと、未整理なところもあったが、ともかく、炭酸飲料よりもおもしろいなにかを売る方法にスカリーが興味を持ったことはあきらかだった。メモには、「〈人生を豊かにしてくれる〉アップルの可能性を〈熱く語る〉商品化計画に投資する」などとあった。

ペプシに未練はあったが、ジョブズにも興味をそそられたと現在のスカリーは言う。

「この若くてせっかちな天才に魅せられ、彼のことをもう少し深く知ってみたいと思いました」

だからスカリーは、ジョブズがニューヨークに来たらまた会おうと約束した。チャンスはすぐにやってきた。1983年1月、リサの発表がカーライルホテルでおこなわれたからだ。報道関係者を相手にしたセッションが終日続いたあと、予定にない人物の来訪にアップルチームは皆、驚いた。ジョブズはネクタイを緩《ゆる》め、ペプシの社長で大口法人顧客となる可能性があるのだとスカリーを紹介する。ジョン・カウチがリサのデモをおこない、そこにジョブズがいろいろとコメントをさし挟む。「革命的」や「信じられないほどの」といったお気に入りの言葉をちりばめ、このマシンが人間とコンピュータの関係をどう変えるのかを力説したのだ。

デモのあと、ふたりはフォーシーズンズレストランへ向かった。ルートヴィヒ・ミース・ファン・デル・ローエとフィリップ・ジョンソンの手によるエレガンスとパワーがきらめく隠れ家的なレストランだ。絶対菜食主義の特別メニューを食べるジョブズに、ペプシジェネレーションのキャンペーンは製品を売るものではなく、ライフスタイルと楽観的な未来を売るものだったなど、スカリーはペプシのマーケティングがなぜ成功したのかを語った。ジョブズも、アップルジェネレーションを生み出せるかもしれないと相づちを打つ。

一方、ペプシチャレンジは、製品そのものに焦点をあてるキャンペーンだった。広告、イベント、広報を上手に組み合わせて話題を盛り上げるのだ。ジョブズやレジス・マッケンナも、新製品の発表で国全体を興奮のうずに巻き込みたいと考えていた。

ふと気づくと、時計は零時をまわろうとしていた。カーライルホテルまでスカリーに送ってもらいながら、ジョブズは興奮を隠せなかった。

「これほど刺激的な夜ははじめてです。言葉では表せないほど楽しい時間を過ごさせてもらいました」

コネチカット州グリニッジの自宅に戻ったスカリーは眠れない夜を過ごす。ジョブズと話すのは、ボトラーと交渉するよりずっとおもしろい。このときのことを、スカリーはのちにこう語っている。

「すごい刺激で、アイデアを生み出す人間になりたいという昔からの思いに火がつきました」

翌朝、ローチが電話をかけてきた。

「昨日の夜、ふたりでなにをしたのか知りませんが、とにかく、スティーブ・ジョブズは恍惚《こうこつ》としていますよ」

こうしてふたりの求愛関係は続いた。スカリーは、アップルに来てくれるかもしれないと期待を抱かせるような態度でじらし続ける。2月のある土曜日は、ジョブズが東海岸に飛び、リムジンでグリニッジを訪ねた。スカリーが新築した豪邸は天井までの掃き出し窓などこれ見よがしなところがあると感じたが、特注で130キロあまりもあるオークの扉が、絶妙なバランスと取り付けにより指1本で開くのはすごいとジョブズは思った。

「スティーブは私と同じように完璧主義者ですから、あの扉に感嘆したのでしょう」

とスカリーは言う。スターに会えて感動というスタートをきったスカリーだったが、このように、ジョブズと同じものを自分も持っていると気づいてゆく。

スカリーはいつもキャデラックを運転しているが、(ゲストの好みを尊重して) この日は妻のメルセデス450SLコンバーチブルを借り、58万平方メートルもあるペプシ本社に向かった。ペプシ本社は、アップルが質素であるのと同じくらい、ぜいたくな造りだった。ジョブズには、これが、元気いっぱいの新興デジタル企業と体制的なフォーチュン500企業の違いだと感じられた。

きちんと手入れされた林と屋外彫刻（ロダン、ムーア、カルダー、ジャコメッティなどの作品があった）を通るゆるやかにうねった道を抜けると、エドワード・ダレル・ストーンの設計によるコンクリートとガラスのビルが登場した。スカリーのオフィスはとても広く、床にはペルシャ絨毯が敷かれ、9枚の窓からは専用の小さな庭が見えたし、小さな書斎にバスルームまで備えられていた。フィットネスセンターも驚きだった。役員専用のエリアがあり、大型のジェットバスまで用意されていたのだ。ジョブズが疑問をぶつける。

「これはちょっとおかしくないかな」

スカリーも同意した。

「じつは私もこれはよくないと思っていてね。だから一般従業員用のエリアを使うこともあるんだ」

次はカリフォルニア州のクパチーノだった。ハワイでおこなわれたペプシボトラーズ会議から戻る途中、スカリーが立ち寄ったのだ。マッキントッシュのマーケティングマネジャー、マイク・マレーを中心に見学の準備が進められたが、誰も、スカリー来訪の本当の目的は知らされていなかった。マッキントッシュスタッフに回覧されたメモには、こう書かれていた。

「ペプシコは数年で文字どおり何千台ものマックを買ってくれる可能性がある。ここ1年ほど、スカリー氏とジョブズとかいう人物が友だちとなった。スカリー氏はマーケティング分野でトップ中のトップと目される人物である。そのつもりで準備をしてほしい」

ジョブズは、スカリーにも、自分と同じ興奮をマッキントッシュに対して感じてほしかった。

「この製品は、僕がしてきたことのなかで一番大事なものです。これをアップル社外の人間に見せるのははじめてのことです」

こう前置きをしてから、ビニールバッグからプロトタイプを取り出し、デモをおこなった。

スカリーは、マシンもさることながらジョブズに目を引かれた。

「ビジネスマンというよりショーマンのようでした。その瞬間のために、一挙手一投足、すべてが計算され、練習されているのではないかと感じました」

ジョブズはハーツフェルドらに命じて、スカリーが喜びそうな表示画面を用意させていた。彼は信じられないほど頭がいいからそのつもりで用意するように、と。マッキントッシュの大口顧客になるかもしれないという説明はなにか怪しいと思ってはいたが、ハーツフェルドはスーザン・ケアとともにペプシの王冠や缶がアップルのロゴとともにあちらこちらに登場するスクリーンを作成した。デモ中、興奮でじっとしていられないほどの会心作だったが、スカリーはとくに興味を示さなかった。

「いくつか質問はされましたけど、とくに興味を持ったようには見えませんでした」

とハーツフェルドは言う。結局、スカリーを夢中にさせることはできなかった。

「まったく顔に出ないんですよ。取りすましまくってましたね。技術に興味があるのはふりだけで、本当は興味なんてありません。マーケティングの人間というのはそういうものでしょう。お金をもらって取りすます人種なんです」

事態が大きく動き、求愛からひたむきな恋へと進んだのは、3月、ジョブズがニューヨークを訪れたときだった。セントラルパークを歩きながら、ジョブズは訴えた。

「あなたしかいないと思うのです。あなたからなら多くが学べます」

父親的な位置付けの人物と好んで付き合ってきたジョブズは、どうすればスカリーの自尊心と不安に訴えられるのか、よくわきまえていた。

「あれには心が大きく動かされました」

と、スカリーも言う。

「スティーブほど頭のいい人間にはほとんど会ったことがありません。その彼と私は、アイデアに対する情熱が共通していました」

美術史に興味があったスカリーは、他人から学ぶ気が本当にあるのか試すため、ジョブズをメトロポリタン美術館に連れて行った。ギリシャ時代やローマ時代の美術品を前に、アルカイック時代という紀元前6世紀ごろの彫刻とその1世紀ほどあと、ペリクレス時代の彫刻の違いを詳しく解説する。これをジョブズはどんどん吸収した。大学時代に学ばなかった歴史がおもしろかったのだろう。

「知識のない分野の指導をどれほど受け入れられるのかを知りたかったのですが、優秀な生徒の先生になれそうだという感触を得ました」

ここでもスカリーは、ふたりが似ていると感じた。

「彼には、自分が若いころのイメージを重ねて見ていました。私もせっかちで頑固、傲慢《ごうまん》で性急でした。アイデアが次から次へと湧いてきて、ほかのことをみんな押し流してしまったのです。期待に応えてくれない人には、私も容赦しませんでした」

こうしてふたりで歩きながら、スカリーは、ビジネスマンにならなければ、休みにはパリの左岸で絵を描いている画家をめざしただろうと打ち明けた。ジョブズは、コンピュータの仕事をしていなければパリで詩人をしていたんじゃないかと返す。ふたりはそのままブロードウェイを歩き、49丁目のコロニーレコードにつくと、ジョブズがスカリーに自分の好きな音楽を紹介する。ボブ・ディランやジョーン・バエズ、エラ・フィッツジェラルド、ウィンダムヒルのジャズアーティストなどだ。そこから、2階分を占有するペントハウスをジョブズが買おうとしているマンション、サンレモがあるセントラルパークウエストの74丁目まで戻る。

仕上げはテラスの上。高所恐怖症のスカリーは壁に背を預けていた。まず、金銭面の相談をした。

「年俸100万ドル、契約金100万ドル、そして、うまくいかなかった場合の退職金100万ドルが必要だと彼に伝えました」

ジョブズは大丈夫だ、最悪の場合、自分がポケットマネーで払うと回答。

「お金の件はなんとかします。あなた以上の人は考えられないからです。あなたはアップルにぴったりの人だし、アップルは最高の人材を必要としています」

自分は心から尊敬する人のもとで働いたことはないが、スカリーなら多くを教えてくれると信じていると付け加え、スカリーの目をじっとのぞき込む。スカリーはジョブズの黒髪が豊かであることに驚いていた。

スカリーは最後の抵抗をつぶやく――やはり友だちとして、社外からアドバイスをするにとどめたほうがいいのではないか、と。

「そう言うとスティーブはじっと足元を見つめ、重苦しい時間が流れました。そして、そのあと何日も私にまとわりつく問いを発したのです。『一生、砂糖水を売り続ける気かい？　それとも世界を変えるチャンスに賭けてみるかい？』と」

お腹をズンと殴られたような気がした。首を縦にふる以外、道はなかった。

「必ず自分が思うとおりにしてしまうスティーブの能力は驚異的です。相手を見極め、どう言えばその人を動かせるのかを把握するのです。彼と付き合って4ヵ月でしたが、ノーと言えなかったのはあのときがはじめてでした」

冬の太陽は、そろそろ沈もうとしていた。ふたりはセントラルパークを横切り、カーライルホテルに戻っていった。

蜜月と悪い予兆

条件についてはマークラが交渉した結果、年俸50万ドルにボーナス50万ドルで決着し、スカリーは1983年5月、カリフォルニアに到着した。アップルがパハロ・デューンズでおこなった管理職研修にぎりぎり間に合うタイミングだ。ダークスーツはほとんどをグリニッジに残し、1着しか持参しなかったが、だからといって、アップルのカジュアルな雰囲気にすぐ慣れるわけではなかった。

研修室の前方ではジョブズが座禅を組み、素足の指をなんとなくいじっている。スカリーは、アップルⅡ、アップルⅢ、リサ、マックという製品の差別化について検討するとともに、製品ラインアップ、市場、機能のいずれに合わせて会社を組織すべきか考えたいと主張したが、会議はさまざまなアイデアや不平不満、討論が脈絡なく続く乱戦模様となった。

リサは失敗作だとジョブズがなじる。リサチームも負けてはいない。

「マッキントッシュなんか、出荷にこぎ着けてもいないじゃないか！　批判をしているヒマがあったら、まず、自分の製品を完成させたらどうなんだ？」

スカリーはただただ驚いていた。こんなふうに会長にたてつくなどペプシではありえない、でも、アップルでは誰もがスティーブをがんがんたたく。その様子を見ていたら、アップルの広告営業から聞いた言葉が思い出された。

「アップルとボーイスカウトの違いがわかりますか？　ボーイスカウトには監督役の大人がついているところですよ」

論争の最中に小さな地震があった。

ひとりが叫ぶと、皆、我先にと飛び出す。別の誰かが、前の地震では津波が起きたぞと叫ぶ。ざぁ〜っと、走る向きが反対になる。物事が決まらない、矛盾するアドバイス、自然災害……いまふり返ると、あれは将来を暗示していたように思うとスカリーは言う。

「ビーチに逃げろ！」

当時、製品グループ同士は対抗心むき出しで争っていたが、海賊旗の一件のように楽しんでいる面もあった。マッキントッシュチームは週90時間も働いているとジョブズが自慢したのを受け、「週90時間、喜んで働こう！」と書かれたスウェットをデビ・コールマンが作ると、リサグループは「週70時間で製品を出荷中」というシャツで応酬する。アップルⅡグループも参戦し「週60時間でリサとマックを支える」と、こつこつ稼いでいる実績をアピールする。ジョブズはアップルⅡを荷馬にちなんで「クライズデール」と呼び、馬鹿にしていたが、アップルという荷車が走れているのはその荷馬のおかげであることもわかっていた。

とある土曜日、スカリーと妻のリージーは朝食をいっしょにとジョブズの家に招待された。そのころジョブズは、レジス・マッケンナで働く頭がよくて控えめな美女、バーバラ・ヤシンスキーといっしょにロスガトスに住んでいた。チューダー風のありふれた、しかしすてきな家だ。リージーはフライパンを持参し、ベジタリアンのオムレツを作った（このころジョブズは、絶対菜食主義を少しひかえていた）。

「あまり家具がなくてすみません。そこまで手がまわらなくて」

ジョブズにとってはいつものことだった。職人芸へのこだわりと簡素を旨とする性格から、どうしても欲しいと思わないと家具が買えないのだ。ティファニーのランプ、アンティークなダイニングテーブル、レーザーディスクプレイヤーにソニーのトリニトロンテレビがあったが、ソファや椅子はなく、床にスタイロフォームのクッションが置かれていた。これを見たスカリーは、若いころ、ニューヨークの乱雑なアパートで質素な暮らしをしていた自分と同じだと誤解する。

この日、ジョブズは、自分は早死にすると思うので、シリコンバレーの歴史に名前を残せるようにいろいろ早期に達成したいとスカリーに打ち明けた。

「僕らは皆、少しのあいだしか地上にいられない。本当にすごくて上手にできることなんて、たぶん、ほんの少ししかないんじゃないかな。どのくらい地上にいられるかなんて、誰にもわからない。もちろん、僕にもわからない。でも、若いうちに多くのことをしなければならない――そう思うんです」

このころ、ジョブズとスカリーは、一日に何度もいろいろなことを話し合った。

「スティーブと私はとても相性がよく、ほとんどいつもいっしょにいました。すべてを口にしなくてもわかり合える心友《しんゆう》でした」

一方、ジョブズもスカリーを褒めたたえた。検討事項を抱えてスカリーのところへ来ると、「これはあなたでなければわからないのですが……」と切り出すのだ。いっしょに仕事ができて幸せだとあまりによく口にするため、逆に心配しているのではないかと思うほどだった。こうしてスカリーは、ジョブズと自分は似ているとの思いを深めてゆく。

私たちはお互いに考え方がよく似ており、相手が言おうとしていることを先まわりして理解することができました。なにか思いつくと午前2時に電話をかけて私を起こし、「ああ、僕だけど……」と寝ぼけた私に話をはじめるのです。どういう時間なのか気づいていないだけで、悪意はありません。おもしろいことに、私もペプシ時代に同じようなことをしていました。スティーブは、翌日朝一番にしなければならないのに、プレゼンテーションのスライドやテキストをすべて捨てたりします。私も、若いころ、経営者として話術を武器にしようと模索していた時代、同じことをしていました。若手経営幹部として私は、なんでもどんどん処理していかないと気がすみませんでしたし、自分ならもっとうまくできるのではないかとよく思ってもいました。スティーブも同じです。スティーブを見ていると、ときどき、映画で私の役を演じているかのように感じました。不思議なほどよく似ていましたし、私たちの共生関係があれほど深くなった背景にはこのようなことがあったわけです。

これは自己欺瞞《ぎまん》であり、不幸のレシピだった。この問題にジョブズは比較的早く気づいていた。

「僕らは世界の見方も違っていたし、他人の評価も違っていたし、価値観も違っていた。彼が着任して数ヵ月でそう感じはじめた。吸収は遅いし、彼が引き上げようとする連中はだいたいがまぬけだった」

その上でジョブズは、ふたりが似ているという感覚を強化してスカリーを操ろうとした。そして、操るにつれ、スカリーをさげすむようになる。マックグループのなかには、ジョアンナ・ホフマンなど、この状況に気づき、その結果、いつか訪れる破局が激しいものになると予想する者もいた。

「スティーブは、自分は特別だとスカリーに思わせようとしていましたが、そのことにスカリーは気づいていませんでした。本当とは違う自分をスティーブは投影し、その姿にスカリーは夢中になったのです。舞い上がり、スティーブに夢中になったわけです。投影されたものにスカリーがつり合わないと判明したとき、スティーブの現実歪曲フィールドが一触即発の状況を生み出したことがあきらかになりました」

スカリー側の激情も少しずつ落ちついてゆく。スカリーはほかの人々を喜ばせたいと思う性格で（ジョブズと異なる点のひとつ）、これは機能不全の会社を経営するにあたって弱点のひとつでもあった。要するに、スカリーはジョブズと違って礼儀正しい人間だったのだ。だから、社員に対するジョブズの不作法なやり方についていけなかった。

「夜の11時にマックビルへゆくと、皆、自分が作ったコードを見せにくるのです。それをスティーブは見ようともしないことがありました。受け取ってすぐに突っ返すのです。そんなことがどうしてできるのかと聞くと『もっといい仕事ができるはずだとわかっているからさ』などと答えるんです」

これをなんとかしたいとスカリーは考えた。

「もう少し自分を抑えるということを学んだほうがいい」

というスカリーのアドバイスにジョブズも同意したが、感情をガーゼでこすという機能はジョブズに備わっていなかった。

そのうちスカリーは、ジョブズが気まぐれで、他人の扱いが気分次第で大きく変化するのは精神的にそういう人物だからで、軽い双極性《そうきょくせい》障害なのかもしれないと思うようになった。とにかく気分が大きくゆれる。有頂天だったかと思うと、がっくり落ち込む。突然、長々とした非難をはじめることがあり、そういうときはスカリーがなだめなければならなかった。

「でもその20分後、スティーブがまたおかしくなったと電話がかかってきたりするんですよ」

ふたりがはじめて大きく対立したのは、マッキントッシュの価格設定だった。もともと1000ドルの予定でスタートしたマシンだが、ジョブズの設計変更でコストが大幅にアップし、1995ドルで発売することになっていた。しかし、大がかりな発売キャンペーンの計画をジョブズと進めたスカリーは、価格をもう500ドル引き上げる必要があると主張。スカリーにとって、マーケティング費用は製造コストと同じように価格に算入すべきものだったからだ。これにジョブズは猛反対する。

「そんなことをしたらすべてがだめになる。僕はこれを革命にしたいんだ。利益を出したいわけじゃない」

スカリーは、価格を１９９５ドルにするか、発売キャンペーンのマーケティング予算をどんと用意するかの二者択一を迫った。

ジョブズはこの状況をハーツフェルドたちエンジニアに教えた。

「悪いニュースがある。マックの値段を１９９５ドルではなく２４９５ドルにしろとスカリーが主張している」

皆、ぞっとした。マックは自分たちのようなふつうの人のために作ったもので、高すぎる価格設定はもともとの目的に対する「裏切り」だとハーツフェルドも指摘した。ジョブズは大丈夫だと請け合う。

「心配するな。彼の好きにはさせないから」

しかし結局、スカリーの主張が通ってしまう。それから25年がたった今日でも、この決定にジョブズは声を荒らげる。

「ああいうことをするから、マッキントッシュの販売が失速し、マイクロソフトが市場を占有してしまったんだ」

価格設定をめぐる争いに負けた結果、ジョブズは、自分が作ってきた製品にも会社にも影響力を失いつつあると感じた。これは、追いつめられたと虎に思わせるのと同じくらい危険なことだった。

第15章

発売 宇宙に衝撃を与える

出荷するのが真のアーティスト

1983年10月にアップルがハワイで開催した販売会議の目玉となったのは、『デートゲーム』というテレビ番組を模した寸劇だった。司会者はジョブズで、ビル・ゲイツ、ミッチ・ケイパー、フレッド・ギボンズというソフトウェア業界の有名人3人が出演するという構成だ。調子のいいテーマソングが鳴り響くなか、3人が登場して椅子に座り、自己紹介をする。ハイスクールの2年生という感じのゲイツは、

「1984年、マイクロソフトとしては、売り上げの半分をマッキントッシュ用ソフトウェアで上げることになると考えています」

と語って喝采を浴びる。

きれいにひげを剃り、元気いっぱいのジョブズは満面の笑みを浮かべ、マッキントッシュのオペレーティングシステムが業界の新たな標準になると思うか、とゲイツにたずねた。

「新しい標準を作るためには多少違う程度のものを作ったのではだめで、本当に新しく、人々の想像力をとらえるようなものを作らなければなりません。いままでたくさんのマシンを見てきましたが、この基準を満たすのはマッキントッシュだけです」

ゲイツはこう語ったが、そのころマイクロソフトはアップルの協力者から競争相手へと変化しつつあった。マイクロソフトワードをはじめとするアプリケーションはアップルへの提供を続けていたが、売り上げはＩＢＭパーソナルコンピュータ用オペレーティングシステムが急速に増えていたのだ。その前年、販売台数はアップルⅡの27万9０００台に対してＩＢＭ　ＰＣおよびそのクローンが24万台だった。これが１９８３年には42万台対１３０万台と、ＩＢＭとそのクローンが急増する。一方、アップルⅢとリサは両方とも完全に沈んでいた。

アップルの販売部隊がハワイに集まりつつあったころ、ビジネスウィーク誌の表紙をこの大逆転が飾った――「パーソナルコンピュータ――勝者は……ＩＢＭ」。本文では、ＩＢＭ　ＰＣの隆盛が詳しく報じられていた。

「市場における覇権争いは決着した。電撃的な勢いで、ＩＢＭはわずか2年のうちに26パーセント以上のシェアを獲得した。また、１９８５年には世界市場の半分を占めるものと思われる。市場の残りの25パーセントがＰＣ／ＡＴ互換機になると予想されるのだ」

このため、3ヵ月後の１９８４年1月に発売が予定されていたマッキントッシュに、土壇場での逆転勝利の期待が大きくのしかかっていた。ジョブズは、この対決をめいっぱい活用することにした。壇上に上がると、１９５８年からＩＢＭが繰り返してきた失敗を列挙したあと、ＩＢＭがパーソナルコンピュータの市場を乗っ取ろうとしているとまがまがしい調子で語った。

「ビッグブルーがコンピュータ業界を席巻してしまうのでしょうか？　情報化時代のすべてを？　ジ

ヨージ・オーウェルの『1984年』は正しかったというのでしょうか?」

ここで、天井から下りてきたスクリーンに60秒のテレビ広告が流される。この数ヵ月あとには、広告史の金字塔とも評されることになる、SF映画のような雰囲気のコマーシャルだ。この広告を目の当たりにした販売部隊の士気は大いに高揚した。ジョブズはそれまで何度も、暗黒の力に対する反逆者だと考えては自分を鼓舞してきた。同じ手法で販売会議に活を入れることに成功したのだ。

ハードルがもうひとつあった。ハーツフェルドたち魔法使いがマッキントッシュ用コードを書き上げなければならなかった。期限は1月16日の月曜日だ。しかし、その1週間前、とてもではないが無理だという結論になる。バグがたくさんあったのだ。

そのときジョブズは報道関係者を呼ぶ内覧会の準備でマンハッタンのグランドハイアットにいた。日曜日の朝に緊急電話会議がおこなわれた。ソフトウェアマネジャーが冷静に状況を説明する。ハーツフェルドらは、スピーカーフォンのまわりに集まり、息をひそめていた。もうあと2週間あればなんとかなる。初回出荷分には「デモ」というラベルのソフトウェアを付けておき、1月末にコードが完成したら交換する。

しーんとした間があった。結局、ジョブズは怒らなかった。そのかわり、ひんやりとまじめな声で、皆、すばらしい部下だ、だから必ずなんとかできると宣言する。

「しくじるなどありえない!」

バンドリー3ビルにいた人々は、皆、はっとした。

「もう何ヵ月も作業をしてきたソフトウェアだ。1~2週間で大きな違いは出ない。片を付けたほうがいいんじゃないか? 予定どおり、週明け月曜日から1週間でコードは出荷する。君たちの名前を書いて、ね」

「なんとか仕上げるしかないな」

スティーブ・キャップスの言葉に、皆、賛同した。今回も、ジョブズの現実歪曲フィールドが不可能を可能にする。

金曜日の夜、ランディ・ウィギントンが持ってきたのはエスプレッソの豆にチョコをコーティングしたもの。最後の3晩完徹に向け、大量に用意されていた。

期限である月曜日の朝8時半にジョブズが出社すると、ハーツフェルドがソファに沈んでいた。若干の問題が残っていると説明を受けたジョブズは、そのくらいはかまわないと出荷を承認。ハーツフェルドは自分の車（「MACWIZ」というナンバープレートが付いていた）までよろよろとたどり着き、自宅に戻って熟睡した。その直後、アップルのフリーモント工場から、カラフルなラインに彩《いろど》られたマッキントッシュの箱が続々と出荷されていった。

出荷するのが真のアーティスト――ジョブズはそう宣言した。マッキントッシュチームもようやく出荷にこぎ着けたのだ。

『1984年』コマーシャル

マッキントッシュの発表について計画を練りはじめた1983年春、ジョブズは、製品と同じくらい革命的で驚くようなコマーシャル（CM）が欲しいと思った。

「人々が思わず動きを止めるようなモノが欲しい。ドカーンというやつだ」

CMを担当したのはシャイアット・デイ社。レジス・マッケンナ広告部門の買収に伴ってアップルの口座を獲得した広告代理店だ。

担当者は引き締まったスリムな体でひげも髪ももじゃもじゃ、グーフィーのように笑い、きらきら光る目をしたリー・クロウ。ロサンゼルスはベニスビーチにあるオフィスでクリエイティブディレクターを務める人物だ。高い実力を持ちながらおもしろく、ゆったりした雰囲気ながら集中力があるというタイプで、その後30年にわたってジョブズと付き合うことになる。

クロウとチームのコピーライター、スティーブ・ヘイデンとアートディレクターのブレント・トーマスが案として持ってきたのは、ジョージ・オーウェルの小説をもじったキャッチフレーズ「1984年が『1984年』のようにならない理由《わけ》」だった。気に入ったジョブズは、これをもとにマッキントッシュ発表用のCM制作を依頼する。こうしてできたのが、SF映画のワンシーンかと思うようなストーリーだ——オーウェル的思想警察に追われる若い女性が、マインドコントロールをおこなうビッグ・ブラザーの映ったスクリーンに巨大なハンマーを投げつけるのだ。

このコンセプトは、パーソナルコンピュータ革命の時代精神にぴったりだった。当時の若い人々、とくにカウンターカルチャー系の人々は、オーウェル的な政府や巨大企業が個人を弱体化する道具としてコンピュータを見ていた。しかし、1970年代末ごろから、コンピュータは個人に力を与えるツールになりうるとの見方が登場する。このCMは、後者を推進する戦士としてマッキントッシュを印象付けた。世界支配と完全なるマインドコントロールをめざす邪悪な巨大企業にただひとり立ち向かうヒーローとなるクールで反抗的な会社だとアップルを提示するものだったのだ。まさにジョブズの好みだった。

実際、このコンセプトは彼にとって特別な意味があった。自分を反逆者にたとえるのが好きだったし、マッキントッシュグループにリクルートしたハッカーや海賊たちと同じ「価値観」を自分も持っていると思っていた。なにせビルの屋上に海賊旗をひるがえしていたほどだ。アップルを興すためにオレゴン州のアップルコミューンは後にしたが、依然として、企業人ではなくカウンターカルチャー側の人間として見られたいと思ってもいた。

同時に、心の底では、自分がハッカー精神を捨てつつあることも自覚していた。いや、ハッカー精神を売り物にしたとされても仕方がないだろう。

ウォズニアックがアップルⅠの設計図をただで配ろうとしたのに対し、仲間にボードを売ると押し切ったのはジョブズだった。ウォズニアックは気が進まなかったのにアップルの法人化を推し進めたのもジョブズだったし、ガレージ時代からいっしょにがんばった友人にストックオプションを与えなかったのもジョブズだった。もうすぐ発売するマッキントッシュについても、ハッカーが大事にする原理にいくつも反しているとわかっていた。まず値付けが高すぎる。ジョブズの指示で拡張スロットもなかった。つまり、拡張カードを挿したりマザーボードにいろいろと接続したりして機能拡張することができない。それどころか、中身に触れないようにしてしまった。専用ツールがなければケースを開けることさえできないのだ。閉鎖的で管理されたシステム、ハッカーよりもビッグ・ブラザーが作りそうなシステムだった。

つまり、『1984年』CMは、彼が望む自己イメージを世界に対し、また、自分自身に対して再確認するものだったのだ。マッキントッシュが描かれた真っ白なタンクトップを着たヒロインは、体制をたたき壊す反逆者である。『ブレードランナー』で大きな成功を収めたばかりのリドリー・スコットを監督に迎え、ジョブズは自分やアップルを当時のサイバーパンク的エートスにつなげようとしたのだ。ふつうとは異なる考え方をする反逆者やハッカーなのだとアップルを位置付け、同時に、ジョブズ自身もそういう人間に戻ろうとしたわけだ。

スカリーは絵コンテに懐疑的な見方を示したが、革命的なものが必要なのだとジョブズは強硬に主張し、撮影だけで75万ドルという前代未聞の予算を用意する。撮影はロンドンでおこなわれた。巨大なスクリーンに映るビッグ・ブラザーの演説をぼーっと聴き入る人々には、一部、本物のスキンヘッドを起用。ヒロインは円盤投げの選手である。メタリックグレーに満ちた無機質な工場のようなセットを使うことで、リドリー・スコットは『ブレードランナー』が持つ暗黒のディストピア的雰囲気を演出した。最後は、スクリーンのビッグ・ブラザーが「我々は勝利する！」と宣言する瞬間、ヒロインのハンマーがスクリーンを砕《くだ》き、ビッグ・ブラザーが光と煙のなかに消える。

このCMをハワイで見せられたアップル販売部隊は震えるほどの興奮を覚えた。ジョブズは、1983年12月、取締役会においてもこのCMを上映する。

ふたたび会議室の照明がついたとき、口を開く者はいなかった。カリフォルニアメイシーズのCEO、フィリップ・シュラインは机に突っ伏していた。マークラも一点を見つめて動かない。ひたすらCMに圧倒されているように見えた。そのマークラが口火を切った。

「後任の広告代理店を探してくれる人はいますか？」

室内は反対一色だったとスカリーは言う。

「ほとんどの取締役は、これほどひどいCMは見たことがないと思っていました」

スカリーは怖くなり、スーパーボウルで流す予定だった60秒と30秒のCM枠を両方とも売り払うよう、シャイアット・デイ社に指示。ジョブズははらわたが煮えくり返るような思いだった。

そんなある晩、ここ2年ほどアップルに来たり来なかったりしていたウォズニアックがマッキントッシュ・ビルにふらりと顔を出した。そのウォズニアックをジョブズがつかまえ、

「ちょっとこれを見てくれ」

と、CMを見せる。

「あれにはびっくりしたね。すごいなーと思ったよ」

スーパーボウルで流すはずだったのに取締役会に否決されたとジョブズが怒りをぶちまける。ウォズニアックは広告枠の値段をたずね、80万ドルだと言われると、即座に提案した。

「そうかぁ。君が半分出すなら残りはぼくが負担するよ？」

ウォズらしい提案である。

結局、その必要はなかった。スカリーの意向どおり30秒の枠は売却されたが、60秒のほうはシャイアット・デイが消極的反抗として売らなかったのだ。

「60秒のほうは売れなかったと報告しましたが、じつは、売ろうとしなかったのです」

とリー・クロウが証言している。取締役会ともジョブズとも正面からぶつかりたくなかったのだろう、スカリーは、対応をマーケティング部門のトップ、ビル・キャンベルに一任する。昔フットボールのコーチをしていたこともあるキャンベルは、思い切って超ロングパスを投げてみるべきだと判断した。

第18回スーパーボウルはロサンゼルス・レイダースがワシントン・レッドスキンズを圧倒し、第3クォーターの前半にもタッチダウンを奪う。その直後、リプレイ映像が流れるはずの場面で米国中のテレビがブラックアウト。2秒後、おどろおどろしい音楽が流れ、行進する男たちのモノクロ映像が不気味にスクリーンを満たす。全米で9600万人以上が、それまで見たこともないタイプのCMに見入った。その最後は、蒸発するように消えてゆくビッグ・ブラザーを信じられないという顔で見ている男たちの映像に、静かなアナウンスが重なる――「1月24日、アップルコンピュータがマッキントッシュを発売します。今年、1984年が『1984年』のようにならない理由がおわかりになるでしょう」。

これはもう事件だった。その晩、全国ネットの3大テレビ局すべてと50の地方局がこの広告をニュースで取り上げた。ユーチューブ登場前の時代、これほどの拡散は信じられないレベルだった。評価も高く、ＴＶガイド誌もアドバタイジングエイジ誌も、過去最高のＣＭだと絶賛したほどだ。

爆発的パブリシティ

スティーブ・ジョブズは、製品発表の名人として有名である。

マッキントッシュの場合、リドリー・スコット監督のコマーシャルは材料のひとつにすぎなかった。レシピを構成するもうひとつの重要な要素が報道だ。ジョブズは爆発的なパブリシティを生み出す。パワフルで、連鎖反応のように熱狂が熱狂を呼ぶ状況を生み出すのだ。

大事な製品の発表では、１９８４年のマッキントッシュから２０１０年のｉＰａｄにいたるまで、いつもそうである。何度も繰り返され、どういう仕組みなのかジャーナリスト側もわかってはいるのだが、それでもなお、毎回、魔法のように成功させてしまう。一部は誇り高いレポーターとの関係構築のプロ、レジス・マッケンナから学んだ手法だが、ジョブズはもともと、どうすれば、興奮をあおる、ジャーナリストの競争心を操る、独占取材と引き換えに豊富な報道を得ることが可能になるのか、直感的にわかってもいた。

１９８３年12月、ジョブズは、ニューズウィーク誌による「マックを作った男たち」の取材に応じるため、おちゃめなエンジニアリング系魔法使い、アンディ・ハーツフェルドとビュレル・スミスを伴ってニューヨークを訪れた。マッキントッシュのデモをおこなったあと、新しいものに目がない有名オーナー、キャサリン・グラハムと面談。その後ニューズウィークは、テクノロジーコラムニストとカメラマンをパロアルトに派遣してハーツフェルドとスミスの取材をおこない、ニューエイジの智天使ケルビムかと思うようなふたりの写真（自宅で撮ったもの）とともに4ページの称賛記事を掲載した。この記事でスミスは、次にしたいことをこう語っている。

「90年代のコンピュータを作りたいと思います。明日にでも、ね」

記事は、激しやすさとカリスマ性が同居する上司についても触れていた。

「ジョブズは怒りをはっきり口にすることで自分の考えを守ろうとする場合があるし、言葉だけの問題ではない場合もある。時代遅れだとジョブズが思うカーソルキーを付けたいと主張した社員に対し、首にすると脅したこともあるらしい。一方、機嫌がよいときのジョブズは魅力と短気が不思議に混じりあった人物になる。静かで賢明な状態と、『めちゃくちゃすごい』といったお得意の言葉で熱意を示す状態とのあいだを行ったり来たりするのだ」

テクノロジー系のライターで、当時ローリング・ストーン誌の記者をしていたスティーブン・レヴィのインタビューを受けたとき、ジョブズは、マッキントッシュチームの特集記事を組むべきだと主張した。しかし、スティングのかわりにコンピュータおたくを表紙に載せることに、編集責任者のヤン・ウェナーが同意する可能性はかぎりなくゼロに近いとレヴィは正しく判断する。

ジョブズはレヴィをピザに誘ってたたみかけた。

「ローリング・ストーンは安っぽい記事ばかりの非常にまずい状態で、新しい話題と新しい読者を必要としている。マックなら救世主になれるかもしれない」

レヴィも黙ってはいない。ローリング・ストーンはいい雑誌だ、最近、読んだことはあるのかと押し返した。機中でMTVについての記事を読んだが、あれはくずだったとジョブズ。間の悪いことにそれはレヴィが書いた記事だった。さすがはジョブズで、それを聞いても評価を変えたりはしなかったが、攻撃目標をタイム誌に変え、1年前の悪意に満ちた記事を取り上げた。

そのあとは、急に冷静になり、マッキントッシュについて語る。人類はいつも過去の成果の恩恵をこうむってきた、先達が開発したモノを活用してきた、と。

「人類の体験と知識という財産にお返しができるモノを生み出すのは、うっとりするほどすばらしいことなんだ」

このときマッキントッシュチームの記事がローリング・ストーン誌の表紙を飾ることはなかった。しかしその後は、ジョブズが話題の新製品を発表するたび――ネクストでもピクサーでも、そして何年もあと、アップルに戻ってからも――タイム誌やニューズウィーク誌、ビジネスウィーク誌の表紙を必ず飾るようになるのである。

マッキントッシュ発売（1984年1月24日）

チームメイトとともにマッキントッシュのソフトウェアを完成させた朝、疲れ切って自宅に戻ったアンディ・ハーツフェルドは、そのまま一日、寝て過ごすつもりだった。しかし結局、6時間寝ただけで午後には事務所に戻ってしまった。問題が発生していないか心配だったのだ。同じように考えた人も多かった。集まったメンバーはぼうっとしながらも興奮を隠せない様子で、なんとなくぶらぶらしていた。そこへジョブズが来る。

「ほらほら、みんな立て！　まだ終わってないぞ？　紹介用のデモがいるんだ」

大勢の前でマッキントッシュをドラマチックに紹介し、『炎のランナー』のテーマに合わせて新機能の紹介をする――それがジョブズの考えだった。

「リハーサルがあるから、週末までになんとかしてくれ」

メンバーからはうめき声があがったとハーツフェルドは言う。

「でも、いろいろと相談をはじめたら、印象に残るものを作るのは楽しいだろうなと思うようになりました」

発売記念イベントとなるのは、8日後の1月24日にデアンザコミュニティーカレッジの講堂で開催されるアップルの株主総会だ。熱狂的なファンやジャーナリストの前でファンファーレとともに製品の紹介をおこなう（そしてジャーナリストも興奮のうずに巻き込む）——これこそ、テレビ広告と爆発的報道に続く第3の要素、新製品の発表を世界史に残る瞬間であるかのように見せる、スティーブ・ジョブズの台本を構成するもうひとつの要素である。

『炎のランナー』のテーマをコンピュータで再生できるように、音楽プレイヤーを2日で作るという離れ業にハーツフェルドは成功した。しかしジョブズの望むレベルに達しなかったため、音楽は録音を使うことになる。一方、入力された文章を電子機器独特の、なかなかチャーミングな音声で出力する音声合成は、デモに組み込まれた。

「マッキントッシュを、自己紹介する世界初のコンピュータにするんだ！」

スクリプトには1984年のコマーシャルも手がけたコピーライター、スティーブ・ヘイデンを起用。マッキントッシュの名前を大きなフォントでスクリーンに流すプログラムはスティーブ・キャップスが作り、オープニング用のグラフィックスはスーザン・ケアが制作した。

リハーサルが前夜におこなわれたが、うまくゆくものはなにもなかった。文字が流れるアニメーションは最悪だと、ジョブズは繰り返し修正を命じる。舞台の照明にも不満で、スカリーをあちこちの席に座らせては、照明の調整に対する意見を求めた。舞台照明についてそれまで深く考えたことがなかったスカリーは、検眼でどちらのレンズがよく見えるかと聞かれた患者のように、煮え切らない感想ばかりを答えていた。リハーサルと調整は夜中まで5時間にわたっておこなわれた。とても間に合わないとスカリーは思った。

だいたい、ジョブズ自身がプレゼンテーションにいらいらしっぱなしだった。

「こんなスライドは使えないと投げる、プレゼンテーションが少しでもうまくゆかないと裏方を叱りとばすという具合で、めちゃくちゃでした」

文章を書くのがうまいと自任するスカリーは、スクリプトをこう変えたらどうかなどのアドバイスもした。ジョブズにしてみればむしろじゃまな話だったが、このころはまだスカリーを一生懸命おだてていた時代だった。

「あなたのことは、ウォズやマークラと同じように考えています。アップル創設者のひとりという感じです。ほかの人たちは会社を作りましたが、あなたと私は未来を作っているわけです」

このようなジョブズの言葉を、スカリーはのちに一つひとつ回想している。

翌朝、定員2600人のフリントセンターは満員となった。ダブルのブレザー、糊《のり》の利《き》いた真っ白なワイシャツ、淡いグリーンの蝶ネクタイで到着したジョブズは、舞台裏で総会の開始を緊張しつつ待っていた。

「今日は僕の生涯で一番大事な日だ。ものすごく緊張している。いま、僕がどういう状態かわかるのはあなたくらいでしょう」

スカリーはジョブズの手をとり、大丈夫だとささやいた。

ジョブズはまず、アップルの会長として株主総会の開会を宣言する。いかにも彼らしいやり方だった。

「本総会を、20年前のディランの詩、ボブ・ディランの詩とともに開会したいと思います」

ちょっとほほえむと下を向き、「時代は変わる」の2番、最後の「……今日の敗者も／明日は勝者に転じるだろう／時代は変わるのだから」まで10行を緊張した声で一気に読み上げた。この歌があったから、億万長者の会長がカウンターカルチャーの自己イメージを持ち続けられたのだ。ジョブズお気に入りのバージョンは、1964年のハロウィーンにリンカーンセンターのフィルハーモニックホールでおこなわれたジョーン・バエズといっしょのライブコンサートで、ジョブズはその海賊盤を持っていた。

続いてスカリーが登場して会社の概況を説明するが、退屈な話に聴衆が飽きてしまう。最後はスカリーの個人的な感想だった。

「アップルにきて9ヵ月、私にとってもっとも重要だったのは、スティーブ・ジョブズと親交を結べたことです。この友好関係は私にとって大きな意義を持っているのです」

ジョブズが再登壇すると照明が暗くなり、ハワイの販売会議と同じ、戦いの歌のドラマチックバージョンがはじまる。

「1958年のことです。IBMは、ゼログラフィーという新技術を発明した新しい会社を買うチャンスを見送りました。その2年後、ゼロックスが誕生します。それ以来、IBMはほぞをかみ続けています」

笑い声があがる。ハーツフェルドはハワイを含めて何度も同じ話を聞いてきたが、今回はとくに熱気が強く感じられることに驚いた。ほかにもIBMの過《あやま》ちを列挙したあと、ジョブズはペースを上げ、現在に向けて盛り上げてゆく。

そして1984年。IBMはすべてを支配下に置こうとしているようです。アップルは、IBMに対抗できる最後の希望だと言われるようになりました。IBMを歓迎していた販売店も、IBMが独占し、その言うことを聞かざるをえない未来におびえるようになりました。そして、その絶望的な目をアップルに向けるところが増えています。未来の自由を保障してくれる唯一の力として。IBMはすべてを我が物にしようと、業界を思うままに操るための最後の障害、アップルに狙いを定めました。ビッグブルーがコンピュータ業界を席巻してしまうのでしょうか。情報化時代のすべてを？　ジョージ・オーウェルは正しかったというのでしょうか。

クライマックスが近づくと、ざわめきは声援となり、喝采へと盛り上がってゆく。しかし、オーウェルに関する質問に皆が答えるより早く暗転し、『1984年』CMの上映がはじまる。これが終わると、会場は総立ちの大騒ぎとなった。

ドラマチックな能力に長けたジョブズは、布製のバッグが置かれたテーブルまで暗い壇上を歩いてゆく。

「ここで、マッキントッシュそのひとをご紹介したいと思います。このあと、そこの大型スクリーンに映し出される映像は、すべて、そこの袋に入っているものが生成します」

そう言うと、袋からコンピュータとキーボード、マウスを取り出してさっと組み立てると、真新しい3・5インチフロッピーをシャツのポケットから取り出す。会場から歓声があがる。『炎のランナー』のテーマが流れはじめ、マッキントッシュと同じ画像が大きなスクリーンに映し出される。

前の晩にデモがうまくいかなかったことを思い出し、ジョブズの顔に緊張が走る。成功だった。「マッキントッシュ」という文字が水平に流れたあと、画面の下半分に「めちゃくちゃすごい《insanely great》」という文字が手で書いているかのようにゆっくりと描かれてゆく。美しいグラフィックスを見慣れていない会場がシーンとする。聞こえるのは息を呑む音だけ。このあとは、スクリーンショットが次々と表示される。ビル・アトキンソンのクイックドロー、さまざまなフォント、文書、グラフ、絵、チェスゲーム、表計算ソフト……吹き出しでマッキントッシュのことを考えているスティーブ・ジョブズも登場した。

デモが終わると、ジョブズはにっこりと笑い、お楽しみを提供した。

「このところ、マッキントッシュについていろいろな話をしてきました。でも今日は、はじめて、マッキントッシュ自身に話をしてもらおうと思います」

こう言うとコンピュータのところへ戻り、マウスのボタンをクリック。すると、ちょっと震えるような低い電子の声で、マッキントッシュは自己紹介をするはじめてのコンピュータとなった。

「こんにちは、マッキントッシュです。袋から出してもらってほっとしました」

この一言に反応して会場から起きた大きな歓声と笑い声が静まるのを待つことだけは、さすがにできないようだ。

「スピーチは慣れていないので、ＩＢＭのメインフレームにはじめて会ったとき思いついた格言をご紹介しましょう。持ち上げられないコンピュータを信ずることなかれ、です」

ここでも爆笑が起こり、最後のせりふがほとんど埋もれてしまった。

「このようにしゃべることはできるのですが、いまはのんびりと聞き手にまわりたいと思います。では、誇りを持って、私の父親ともいうべき人物をご紹介しましょう。スティーブ・ジョブズです」

会場は大騒ぎとなった。多くの人がさっと立ち、ガッツポーズを繰り返す。それを見たジョブズはゆっくりとうなずく。口はきっと結んでいるが、それ以外は満面の笑みだ。感極まったのだろう。泣きそうな顔になると下を向いてしまう。大喝采は5分ほども続いた。

その日の午後、マッキントッシュチームがバンドリー3ビルに戻ったあと、駐車場に1台のトラックが到着し、ジョブズの指示で全員がトラックのところに集まった。積み荷は新品のマッキントッシュが100台。1台ずつ、チームメンバーの名前が書かれたプレートがついていた。

「これをスティーブがひとりずつ渡してゆくんです。笑顔で握手して。残り全員の拍手を浴びながら」

とハーツフェルドは記憶している。

厳しい旅だった。ジョブズの管理スタイルにはうんざりするのはもちろん、残酷なことさえあって多くの人が心に傷を負った。それでも、マッキントッシュを生み出すのは、ラスキンにもウォズニアックにもスカリーにも、アップルのほかの誰にもできないことだった。フォーカスグループや設計委員会からも生まれない。マッキントッシュ発表の日、どういう市場調査をしたのかとポピュラーサイエンス誌の記者にたずねられたジョブズは鼻で笑った。

「アレクサンダー・グラハム・ベルが電話を発明したとき、市場調査をしたと思うかい?」

第16章 ゲイツとジョブズ 軌道が絡み合うとき

マッキントッシュにまつわるパートナーシップ

互いの重力に引かれてふたつの星の軌道が絡み合ったとき、それを天文学では連星と呼ぶ。歴史をふり返ると、連星と同じようにふたりのスーパースターが絡み合い、張り合った結果、ひとつの時代が生まれたことが何度もある。20世紀の物理学におけるアルベルト・アインシュタインとニールス・ボーアしかり、アメリカ建国時代の政治におけるトーマス・ジェファーソンとアレクサンダー・ハミルトンしかりである。1970年代末にはじまるパーソナルコンピュータの最初の30年間において、明確な連星として輝いたのは、1955年生まれのふたりのエネルギッシュな大学中退者だった。

ビル・ゲイツとスティーブ・ジョブズは技術と事業の融合という似たような願望を抱いていたが、育ちもかなり違えば性格はまったくというほど違っていた。ゲイツは父親がシアトルの有名弁護士で、母親は市民リーダーとしてさまざまな取締役会に名前を連ねていた。地域一番の私立学校であるレイクサイドスクール時代にテクノロジーおたく《テックギーク》となったが、反逆者やヒッピー、求道者、あるいはカウンターカルチャー側の人間であったことはない。作ったのも電話のタダがけができるブルーボックスではなく、授業選択のスケジュール作成プログラムや自動車の台数計測プログラムだった（前者はお目当ての子がいるクラスを選択するのに役立ったし、後者は地域の交通工学系エンジニア向けだった）。大学はハーバードだったし、中退した理由もインドの導師から悟りを得るためではなく、コンピュータソフトウェアの会社を興すためだった。

ジョブズと違い、ゲイツはコンピュータプログラムを習得しており、考え方は現実的で規則を重んじる。分析能力も高い。ジョブズはもっと直感的で夢見がちだが、技術を使えるようにする、デザインを魅力的にする、インターフェースを使いやすくするなどの面にするどい勘が働く。完璧を強く求める情熱があり、そのせいで他人に対してとても厳しく、カリスマ性と広範囲・無差別な激しさで人を動かす。ゲイツはもっと整然としている。きっちりとスケジュールが組まれた会議で製品レビューをおこない、緻密なスキルで問題の核心に斬り込む。

両者とも不作法な態度を取ることがあるが、ゲイツの場合（アスペルガー的特性から、子ども時代、ギーク系の遊びに熱中したものと思われる）、手厳しい言動もその原因は感情的な冷たさよりも知的な鋭さにあり、個人攻撃的な意味合いが薄い。ジョブズは燃えるような激しさで相手の目を見つめる（激しすぎて相手が痛みを感じる場合もある）。ゲイツはアイコンタクトが苦手だが、他人には基本的に優しい。

「どちらも、『頭は自分のほうがいい』と思っていましたが、美的感覚やスタイルを中心にスティーブがビルを若干、下に扱うことが多かったと思います。逆にビルは、プログラミングができないことからスティーブを格下に見ていました」

とアンディ・ハーツフェルドはふたりを評する。知り合ったころからゲイツはジョブズに惹かれていたし、人を魅了する能力をうらやんでいるところもあった。同時にジョブズを「根本的におかしく」「人間として大きな欠陥を抱えている」とも評価していたし、ジョブズの荒っぽいところや「相手を罵倒《ばとう》するか誘惑しようとするかのどちらか」であるところは嫌だと思っていた。ジョブズはジョブズで、ゲイツは人間の幅が狭すぎると感じており、「若いころにLSDをやったり僧院に入ったりしていれば、もう少し人間の幅が広がったかもしれないけどね」とコメントしたことさえある。

個性や人格の違いから、ふたりは、デジタル時代を二分するラインの両側に分かれた。ジョブズは完璧主義者ですべてをコントロールしたいと強く望み、アーティストのように一徹な気性で突き進んだ。その結果、ジョブズとアップルはハードウェアとソフトウェアとコンテンツを、シームレスなパッケージにしっかりと統合するタイプのデジタル戦略を代表する存在となった。これに対してゲイツは頭がよくて計算高く、ビジネスと技術について現実的な分析をおこなう。だから、さまざまなメーカーに対し、マイクロソフトのオペレーティングシステムやソフトウェアのライセンスを供与する。

知りあって30年がたち、ゲイツは不本意ながらもジョブズに敬意を払うようになった。

「技術そのものはよくわからないというのに、なにがうまくいくのかについては驚くほど鼻が利きますね」

一方、ジョブズは、ゲイツの強さを正当に評価しようとしない。

「ビルは基本的に想像力が乏《とぼ》しく、なにも発明したことがない。だから、テクノロジーよりもいまの慈善事業のほうが性に合ってるんじゃないかと思うんだよね。いつも、ほかの人のアイデアをずうずうしく横取りしてばかりだから」

初代マッキントッシュの開発を進めていたころ、ジョブズがゲイツを訪問したことがある。当時、マイクロソフトはマルチプランという表計算ソフトなど、アップルⅡ用アプリケーションのメーカーでもあり、そのやる気を引き出してマッキントッシュ用ソフトウェアの開発もがんばってもらおうと思ったのだ。ワシントン湖を挟んでシアトルと向き合うマイクロソフトの会議室で、ジョブズは、大衆向けコンピュータという魅力的なビジョンを展開した。使いやすいインターフェースを持つマシンが、高度に自動化されたカリフォルニア工場で何百万台も生み出される、と。

カリフォルニアのシリコン部品を吸い込んで完成品のマッキントッシュを吐き出す、というイメージの説明をジョブズがした結果、このプロジェクトはマイクロソフト社内で「Ｓａｎｄ《サンド》」というコードネームで呼ばれるようになる。これが頭字語となるようにそれらしい言葉を新たに作ることさえおこなわれた――「Steve's Amazing New Device（スティーブの驚くような新型機器）」である。

ゲイツのマイクロソフトは、アルテア用ＢＡＳＩＣからスタートした（ＢＡＳＩＣというのはBeginner's All-purpose Symbolic Instruction Code の頭字語で、技術にあまり詳しくない人でも異なるプラットフォームへの移植が簡単なソフトウェアが作れるプログラミング言語である）。マイクロソフトにジョブズが求めたのは、まず、マッキントッシュ用ＢＡＳＩＣの開発である。ジョブズがいくらせっついても、浮動小数が取り扱えるようにアップルⅡ用ＢＡＳＩＣを拡張する作業をウォズニアックがしてくれなかったからだ。さらに、ワープロやグラフ、表計算などのアプリケーションもマッキントッシュ用に開発してほしいとジョブズは考えていた。ゲイツは応諾し、ＢＡＳＩＣのほかに、エクセルという新しい表計算ソフトとワードというワープロソフトについてグラフィカルなバージョンを開発すると約束した。

このころはジョブズが王様でゲイツが廷臣だった。１９８４年の売上高はアップルの15億ドルに対してマイクロソフトは1億ドルしかなかったのだ。だから、マッキントッシュ向けのデモでは、ゲイツがクパチーノまで出向いた。同行したのは、ゼロックスPARCから移籍したチャールズ・シモニーなど3人である。マッキントッシュはまだ完動プロトタイプさえもできていなかったので、マッキントッシュのソフトウェアが動くようにアンディ・ハーツフェルドがリサを改造し、マッキントッシュのプロトタイプスクリーンに接続していた。

ゲイツはあまり感動しなかった。

「最初に訪問したときスティーブに見せられたのは、いろいろなものがスクリーンをはねまわるアプリケーションでした。動くのはそれだけだったのです。マックペイントも完成していませんでした」

ジョブズの態度もむかついた。

「なんとも不思議な誘惑の仕方で、『本当はお宅なんか必要ないんだけど』『我々はこんなすごいことをしている』と言われるわけですよ。いろいろとかこつけて。営業モードのスティーブ・ジョブズではあるのですが、『お宅は不要だけど、参加させてやらないこともないよ』という営業モードだったわけです」

マッキントッシュの海賊側も、ゲイツをやりにくい相手だと感じた。

「ビル・ゲイツは人の話をあまり聞かないタイプでした。仕組みの説明を聞いていられず、先まわりして、どうなっているのか自分で勝手に推測してしまうのです」

とハーツフェルドは言う。マッキントッシュはカーソルがスムーズに動き、ちらつかないと示したときもそうだった。

「カーソルの描画にどういうハードウェアを使っているのですか?」

こうゲイツにたずねられたハーツフェルドは、ソフトウェアだけで機能を実現していると胸を張った。

「専用ハードウェアは使っていません」

それでもゲイツは、そのようにカーソルを動かすには専用ハードウェアが必要だと納得しなかった。マッキントッシュエンジニアのブルース・ホーンも同じような感想をいだいた。

「ああいうタイプにはなにを言えばいいんでしょうね。マッキントッシュのエレガンスを理解もできなければ評価もしない、そういうタイプにゲイツは思えました」

このように双方とも若干の警戒心を抱きながらではあったが、マイクロソフトがマッキントッシュ用グラフィカルソフトウェアを開発し、パーソナルコンピュータを新たな次元へと進めるこのプロジェクトに全員の血が騒いでいた。マイクロソフトは大人数の専任チームを編成する。

「マックを担当する人数は、あちらより我々のほうが多かったのです。アップルは14人とか15人でしたが、我々は20人ほどでした。社運を賭けていたのです」

マイクロソフトは美的感覚がないと言うジョブズも、彼らがねばり強いことは認めざるをえない。

「連中のアプリケーションはひどいものだったけど、がんばって少しずつ改善はしていった」

最終的にジョブズはエクセルがとても気に入り、エクセルを2年間、マッキントッシュ専用とし、IBM　PC用エクセルを作らないなら、マッキントッシュ用BASICの社内開発を中止し、永久にマイクロソフトBASICのライセンスを買うという秘密の取引をゲイツに申し込んだ。頭のよいゲイツはこれに同意。こうしてマイクロソフトは未来の交渉を有利に進める材料を手に入れ、プロジェクトを解消されたアップルチームは憤激した。

このころ、ゲイツとジョブズは仲が良かった。その年の夏には、業界アナリスト、ベン・ローゼンが主催する会議に出席するため、ウィスコンシン州のレイクジェニーバにあるプレイボーイクラブの保養所にふたりで出張している。アップルがGUIを開発していることは、ふたり以外、誰も知らない場所だ。

「あそこはＩＢＭ　ＰＣがすべてという人ばかりで、それはそれでなかなかにいいものでしたが、スティーブと私は、なんというか、いいものがあるんだけどなぁという感じでにっこり笑っていたわけです。スティーブはけっこういろいろと漏らしていましたが、それに気づく人はいませんでした」

ゲイツは、アップルの研修会にも必ず参加するようになる。

「会には毎回、参加しました。私も乗組員のひとりだったのです」

ゲイツはたび重なるクパチーノ訪問を楽しんだ。ゲイツの目の前で、ジョブズは、奇矯なふるまいで社員を振りまわしたり強いこだわりを示したりした。

「スティーブは例によって究極のハーメルンの笛吹きモードで、マックが世界を変えるんだと言い切り、すさまじい緊張感と複雑な人間関係で、正気とは思えないほど皆を働かせていました」

ハイな状態から一気に落下し、不安をゲイツに漏らすこともあったという。

「金曜夜、みんなでいっしょに夕食を食べに出かけるときは、万事最高だと言い続けるわけです。ところが次の日は、まず間違いなく、『どうしよう、アレは売れるのかなぁ、困ったなぁ、値段を上げなきゃいけない、こんな話をしてごめん、うちのチームはばかばっかで』みたいになるのです」

ジョブズの現実歪曲フィールドも、ゼロックスのスターが発売されたとき、目の当たりにした。金曜夜のチーム合同ディナーで、スターの累計販売台数をジョブズにたずねられ、ゲイツは600台と回答した。ところが翌日、ゲイツとチーム全員を前にジョブズは、スターの販売台数を300だと宣言。直前にゲイツが600だと答えたことなど忘れていたのだ。ゲイツが語る。

「チーム全員が私のほうを見るんです。『あんたはあほだとスティーブに言いますか？』という感じで。やめておきましたけどね」

ジョブズとそのチームがマイクロソフトを訪問し、シアトルテニスクラブで夕食を取ったときも、ジョブズは例によって説法をはじめ、マッキントッシュとそのソフトウェアはとても簡単に使えるのでマニュアルは用意しないと宣言した。

「マック用アプリケーションにマニュアルを用意しようと考えていた人間は大ばか野郎だという感じでした。我々はというと、『本気なのか？　マニュアルの準備を進めていることは黙っていたほうがいいのか？』という感じでした」

しばらくすると、いろいろと問題が発生した。当初の計画では、エクセルやチャート、ファイルといったマイクロソフトのアプリケーションにアップルのロゴを付け、マッキントッシュとバンドルした状態で販売する予定だった。つまり、ジョブズは端から端まですべてを統合したシステムとし、箱から出しただけで使えるコンピュータにすべきだと考えていたからだ。アップルのマックペイントやマックライトもバンドルする予定だった。

「マイクロソフトには、アプリケーションごと、マシン1台ごとに10ドルが支払われる話になっていました」

とゲイツも証言する。ところが、この取り決めにロータス社のミッチ・ケイパーなどソフトウェアメーカーが反発した。マイクロソフトの開発が遅れそうだという問題もあった。そのためジョブズは、マイクロソフトとの契約に書かれたとある条項にもとづき、バンドルをやめることにした。マイクロソフトは、消費者に直接、製品を販売しなければならなくなったわけだ。

このときゲイツはとくに抗議しなかった。ジョブズは拙速が多いとわかっていたし、バンドルしないほうがマイクロソフトにとっては有利かもしれないと思ってもいたからだ。

「ソフトウェアを別個に販売したほうが儲かるだろうと思いました。ある程度の市場シェアが取れると思うなら、そのほうがいいわけです」

最終的にマイクロソフトはさまざまなプラットフォームにソフトウェアを販売するようになる。マイクロソフトワードなどは、ＩＢＭ　ＰＣ用の準備をはじめた段階でマッキントッシュ用の販促をやめた。結局、バンドル中止というジョブズの決定は、マイクロソフトよりもアップルにとってマイナスとなったのだ。

マッキントッシュ用エクセルがリリースされたとき、ジョブズとゲイツはいっしょに、ニューヨークのタバーンオンザグリーンでプレスディナーを開いた。ＩＢＭ　ＰＣ用も開発するのかと聞かれたゲイツは、ジョブズとの約束には触れず、「そのうち」開発するかもしれないとだけ回答した。

これを聞いたジョブズがマイクを取り、冗談を飛ばす。

「『そのうち』、我々は皆、間違いなく死にますけどね」

GUIをめぐる戦い

マイクロソフトとの取引には心配な点があった。そのころマイクロソフトは、ＤＯＳと呼ばれるオペレーティングシステムを開発し、ＩＢＭのコンピュータやＩＢＭ互換機にライセンスしていた。「C:¥>……」のように、つっけんどんなプロンプトにユーザーが対処しなければならない従来型コマンドラインインターフェースのシステムだ。そのため、マイクロソフトがマッキントッシュのグラフィカルなアプローチをコピーするのではないかとジョブズらは心配した。マッキントッシュのオペレーティングシステムに関するマイクロソフトの質問が細かすぎる、と感じたアンディ・ハーツフェルドも不安になったひとりだ。

「マイクロソフトはマックのクローンを作ろうとしているのではないかとスティーブに報告しました。でも、彼はそれほど心配していませんでした。マックという例があっても、マイクロソフトにまともな実装などできるはずがないと考えていたからです」

本当のところ、ジョブズは心配していた。とても心配していた。ただ、そういう姿を部下に見せたくなかったのだ。

心配するのが正解だった。ゲイツも今後はGUIの時代になると信じていたし、ゼロックスPARCで開発された技術をアップルがコピーするなら自分たちもしていいはずだと考えてもいた。ゲイツ自身、のちにそう認めている。

「『今後はGUIだと我々は考えている。ゼロックスのアルトなら我々も見た』という感じでした」

契約時、ジョブズは、1983年1月のマッキントッシュ発売から1年間、アップル以外にはグラフィカルソフトウェアを出荷しないという条件をゲイツに呑ませていた。失敗は、マッキントッシュの発売が1年遅れるという可能性を契約に織り込まなかったこと。だからゲイツは、1983年11月、ウィンドウやアイコンを持ち、マウスが使えるGUIのオペレーティングシステム、「ウィンドウズ」をIBM　PC用に開発すると大手をふって発表できたのだ。

このときゲイツはジョブズのようなやり方で製品発表をおこなった。ニューヨークのヘルムズリー・ホテルを使った、マイクロソフト史上最高というぜいたくな発表会だった。同じ月、ゲイツはまた、ラスベガスで開催される大規模な展示会、COMDEXの基調講演をはじめておこなった（スライドショーは父親が手伝った）。「ソフトウェアのエルゴノミクス」と題するこの基調講演で、ゲイツは、コンピュータグラフィックスは「超重要」であり、今後インターフェースはもっとユーザーフレンドリーになる、また、マウスはもうすぐすべてのコンピュータが標準でサポートするようになるなど語った。

ジョブズは激高した。グラフィカルなオペレーティングシステムを作らないと約束した期間は終わろうとしており、マイクロソフトは独自に開発権利があった。つまり、する権利のあることをしているだけ――それはわかっていたが、それでも腹の虫がおさまらなかった。

「ゲイツを呼べ。いますぐだ」

アップルのエバンジェリストとしてソフトウェア関連の窓口をしていたマイク・ボイチに指示する。ゲイツはやってきた――ひとりで、ジョブズといろいろ相談しようと。

「あのとき、彼はうさばらしがしたくて私を呼んだのです。クパチーノまで行きましたよ。まあ、御前演奏のようなものですね。そして、『マイクロソフトはウィンドウズを開発する。GUIに社運を賭けているのです』と伝えました」

ゲイツが招き入れられた会議室には、親分の勇姿を見ようとアップルの社員が10人ほど集まっていた。ハーツフェルドもそのひとりだった。

「スティーブがビルに怒鳴るのを私はじっと見ていました」

ジョブズは子分の期待にそむかない。

「おまえがしているのは盗みだ！　信頼したというのに、それをいいことにちょろまかすのか！」

ゲイツはじっと座り、スティーブの目を冷静に見かえしていた。そして、ちょっと甲高い声で伝説となる一言を投げ返す。

「なんと言うか、スティーブ、この件にはいろいろな見方があると思います。我々の近所にゼロックスというお金持ちが住んでいて、そこのテレビを盗もうと私が忍び込んだらあなたが盗んだあとだった――むしろそういう話なのではないでしょうか」

ゲイツが来訪した2日間、ジョブズは感情的反応や操縦テクニックのすべてを披露した。それまで共生だったアップルとマイクロソフトの関係が、どちらが一刺ししても両方に問題が起こるとわかった状態で、手を取り合って踊るサソリのダンスになったこともあきらかだった。会議室で対決したあと、ゲイツは、ウィンドウズにすべく開発中の技術のデモをジョブズにだけ提供した。

「なにを言うべきか、スティーブはわからなくなっていたようです。『これはあれに違反するな』などと言うこともできたはずですが、そうはしませんでした。そのかわり、『これはまたなんともひどいものだな』と言われました」

これは、ジョブズを落ちつかせるいいチャンスだとゲイツは思った。

「だから、『そうですね。これはなかなかにひどいものだと思いますよ』と返しました」

ジョブズはあらゆる種類の感情をさらけ出した。

「あのときの彼は、これ以上はないというほど非礼を尽くしました。かと思えば、泣きそうな声で『これをなんとかするチャンスをくれよ』と言ったりもしました」

感情的になるジョブズを前にゲイツはどんどん冷静になってゆく。

「感情的な相手のほうが得意なのです。私自身は感情の起伏が少ないものですから」

ジョブズは歩きながらゆっくり話をしようと提案する。真剣な話をしたいと思うとき、ジョブズはこうすることが多い。ふたりはクパチーノの通りをデアンザ・カレッジまで行ったり、途中に夕食を挟んでまた歩いたりした。

「歩きながら話をしなければなりませんでした。私のやり方ではなかったのですが。ともかく、そうしているとき、『わかったわかった。ただ、似せすぎないように注意してくれ』などとようやく言われました」

実際、ジョブズに選択肢はほとんどなかった。マイクロソフトには、マッキントッシュ用ソフトウェアの開発を続けてもらう必要もあった。訴えるとのちにスカリーが脅しをかけたことがあるが、そのときマイクロソフトはワード、エクセルなどのマッキントッシュ版を中止すると応酬。それはアップルの死を意味するので、スカリーも降伏文書にサインせざるをえなかった。アップルのグラフィカルな外観をウィンドウズで使用する権利をマイクロソフトに供与し、その見返りとして、マイクロソフトはマッキントッシュ用ソフトウェアの開発を継続するとともにエクセルについては独占期間を設けることとなった。つまり、一定期間、エクセルはマッキントッシュ専用とし、PC／AT互換機用を販売しないとしたわけである。

しかし結局、1985年の秋まで、マイクロソフトはウィンドウズ1・0の開発にかかってしまう。しかも、できあがったのは粗悪品だった。マッキントッシュのようなエレガンスに欠けていたし、ウィンドウを切り取って重ねあわせるビル・アトキンソンの魔法もコピーできず、不恰好なタイル型のウィンドウになっていた。専門家は酷評、消費者は拒否反応を示した。それでも、マイクロソフトの製品ではいつものことだが、ねばり強く改良を続け、最終的にはウィンドウズが支配的となる。


このときの怒りをジョブズはいまも忘れていない。30年近くたっても、

「連中は僕らの寝首をかいたんだ。ゲイツには恥という概念がないからね」

と私に言う。この言葉をどう思うかとゲイツにぶつけたところ、

「本当にそうだと思っているのなら、現実歪曲フィールドのせいでしょう」

というコメントが返ってきた。法的にはゲイツが正しく、そのことは法廷でも確認されている。現実面でもゲイツに理がある。ゼロックスPARCで見たものを利用する権利について交渉した事実は

あるが、同じようなGUIを他社が開発するのは時間の問題でもあったからだ。アップルが身をもって体験したように、コンピュータインターフェースの「ルック&フィール」（コンピュータ操作画面の見た目や操作感）を守るのは、法的にも現実的にも、とても難しいことだったのだ。

それでも、ジョブズが落胆したのは無理からぬことだった。アップルのほうが革新的で創造的であり、実装はエレガント、デザインはすばらしかった。ところが、不完全なコピーを作ったマイクロソフトが、最終的に、オペレーティングシステムの戦いを制してしまった。つまり、宇宙の美には欠陥がある――もっとも革新的な最高の製品が勝つとはかぎらないのだ。

そう思うからだろう。ジョブズは10年後、尊大で言いすぎだとは思うが、一面の真実を含む言葉を吐いている。

「マイクロソフトが抱えている問題はただひとつ、美的感覚がないことだ。足りないんじゃない。ないんだ。オリジナルなアイデアは生み出さないし、製品に文化の香りがしない……僕が悲しいのはマイクロソフトが成功したからじゃない。成功したのはいいと思う。基本的に彼らが努力した成果なのだから。悲しいのは、彼らが三流の製品ばかりを作ることだ」

第17章

イカロスのぼりつめれば墜ちるだけ

空高く飛ぶ

マッキントッシュの発売でジョブズはそれまで以上に有名人となり、オノ・ヨーコが主催した息子のパーティーに出席し、9歳のショーン・レノンにマッキントッシュを贈るなどした。ショーンは大喜びだった。パーティーに出席していたアーティストのアンディ・ウォーホルやキース・ヘリングもマッキントッシュに心を奪われた。ウォーホルなど、クイックドローを使って、

「円が描けたぞ」

と感嘆の声をあげたほどで、このとき現代美術がおかしな方向に進みはじめたと言っても過言ではなかっただろう。1台、ミック・ジャガーにも持っていくべきだとウォーホルに言われ、ジョブズは、ビル・アトキンソンを伴ってロックスターの私邸を訪れる。だが、ジャガーはジョブズが誰だかよくわからず、とまどっているように見えたという。このときのことをジョブズは、

「ドラッグを使ってたんじゃないかと思う。それとも頭がおかしくなっていたのかな」

と部下たちに語ったらしい。ともかく、ジャガーの娘、ジェイドがコンピュータの前に座り、マックペイントで絵を描きはじめたので、そのマッキントッシュはジェイドにプレゼントすることになった。

買うつもりだとスカリーに見せたセントラルパークウエストのマンション、サンレモも、最上階の2階分を占有するペントハウスを買い、イオ・ミン・ペイ建築事務所のジェイムズ・フリードにリフォームを依頼した。細かいところが気になる性分がじゃまして、結局、ここに住むことはなかったが（このマンションは、のちに1500万ドルでU2のボノに売る）。一方、パロアルトを見下ろすウッドサイドにも、14ベッドルームもある邸宅を購入。銅鉱山で財をなした人物が建てたスパニッシュ・コロニアル様式の邸宅で、こちらも住むには住んだが家財道具をそろえるにはいたらなかった。

アップルにおける立場も回復した。スカリーもジョブズの権限縮小をやめ、逆に強化する方向に動きはじめた。リサ部門とマッキントッシュ部門をひとつにまとめ、そのトップにジョブズを据えたのだ。絶好調で空高く飛んでいる感じだったが、だからといってジョブズが優しくなることはなかった。実際、リサとマッキントッシュのチームを全員集めておこなった統合の説明でも、ジョブズ流の残酷な率直さがいかんなく発揮された。重要な役職は、すべて、マッキントッシュ側のリーダーたちに与え、リサ側スタッフの4分の1は解雇するというのだ。

「おまえたちは失敗した」

リサのメンバーに刺すような視線を向けながらジョブズは宣言した。

「君たちはBチーム、Bクラスのプレイヤーだ。ここにはBクラスやCクラスのプレイヤーが多すぎる。だから一部の人員を解放し、シリコンバレーにある我々の兄弟会社で働くチャンスを与えることにした」

リサとマッキントッシュ、両方で働いた経験を持つビル・アトキンソンは、これは無情である上に不公平だと感じた。

「皆、優秀なエンジニアだったし一生懸命働いていましたから」

しかしジョブズは、マッキントッシュの体験から経営の鍵を学んだと信じて疑わなかった——Aプレイヤーのチームを作りたいなら残酷にならなければならない、と。

「チームが成長するとき、多少ならBクラスのプレイヤーがいてもいいと思ってしまうが、そうするとそいつらがまたBクラスを呼び込み、気づいたらCクラスまでいる状態になってしまう。Aクラスのプレイヤーは同じAクラスとしか仕事をしたがらない、だから、Bクラスを甘やかすわけにはいかない……そう、僕はマッキントッシュの体験から学んだんだ」

このころはまだ、ジョブズもスカリーも、ふたりのあいだに強い友情があると自分自身をだますことに成功しており、カード売り場でいちゃつく高校生カップルかと思うほど、お互い、相手に対する好意をおおっぴらに、また、たびたび示していた。1984年5月、スカリーのアップル入社1周年を祝うため、ジョブズは、クパチーノ南西にあるエレガントなレストラン、ル・ムートン・ノワールでディナーパーティーを開いた。会場に到着したスカリーは、アップルの取締役、主だったマネジャー、それに東海岸の投資家も何人か招かれていることに驚く。スカリーによると、カクテルタイムに皆がスカリーを祝福しているのを見ながら、ジョブズは、晴れやかな表情で隅のほうに立ち、にこにこしながらしきりにうなずいていたという。乾杯の音頭はジョブズがとった。

「私がいままで一番幸せだと思った日は、マッキントッシュが出荷された日とジョン・スカリーがアップル入社に同意してくれた日です。この1年は私の人生最良の年となりました。とても多くのことをジョンから学べたからです」

そう言うと、1年間の出来事を集めたコラージュをスカリーに手渡した。

応えてスカリーも、この1年間、パートナーとして働けたことの喜びを語った。最後は、理由は人それぞれだが、テーブルについていた人々、全員の記憶に残る一言で締めくくる。

「アップルはひとりのリーダー、スティーブと私に率いられています」

部屋を見渡し、ジョブズと目が合った。にっこり笑うのが確認できた。

「ふたりは通じ合っていると感じました」

しかし同時に、アーサー・ロックなど数人がいぶかしげな表情を浮かべていることにも気づいた。疑いのまなざしと言ったほうがいいかもしれない。ジョブズがスカリーを完全に丸め込んだのではないかと心配していたのだ。ジョブズの手綱を取らせるためにスカリーを入れたのに、結局、ジョブズが支配者になってしまった。

「スカリーはスティーブに認められたいという気持ちが強すぎて、彼に立ち向かえなくなってしまったのです」

と、ロックはのちに語っている。

ジョブズを喜ばせ、彼の手腕を尊重したほうがその逆よりもよいとスカリーは考えたわけだが、その判断は正しかった。問題は、権限を他人と分け合う気がジョブズにないと気づかなかったことだ。ジョブズは他人に従うタイプではない。すぐに、会社の経営方針に対しても口を挟むようになった。たとえば1984年の事業戦略に関する会議で、ジョブズは、本社の営業およびマーケティングのスタッフが各製品部門に提供するサービスを入札で決められるようにすべきだと主張した。賛成する者はいなかったが、ジョブズはこれを無理にでも通そうとした。皆、なんとかしてくれとスカリーのほ

うを見るが、スカリーは動かない。会議が終わったとき、
「スカリーはどうして彼を黙らせないんだ?」
とつぶやく声がスカリーの耳に届いた。

ジョブズの美的な情熱と支配欲は、フリーモントに最新鋭のマッキントッシュ工場を造った際、ピークに達した。アップルロゴのような明るい色に工作機械を塗ろうと考えたが、色見本の検討にかける時間が長すぎたため、製造部門を統轄するマット・カーターに一般的なベージュやグレーとされてしまう。視察したジョブズは自分が指定する明るい色に塗り直せと指示。いずれも精密機械であり、再塗装で問題が起きる可能性があると抗議したカーターは正しかった。明るい青に塗り直されたとくに高価なマシンがおかしくなってしまう。このマシンは、「スティーブの愚行」と社内で呼ばれた。カーターは退社した。

「彼との争いにものすごくエネルギーを取られました。しかも、たいがいはほとんど意味がないことだったので、これ以上はやっていられないと思ったのです」

後任にジョブズはデビ・コールマンを起用する。マッキントッシュ部門の財務を担当していた快活な女性で、〝ジョブズによく立ち向かったで賞〟を獲得したこともあるが、必要ならジョブズの気まぐれに合わせることもできた。アップルのアートディレクター、クレメント・モックから、工場の壁をピュアホワイトにしろというジョブズの指示を伝えられたときも、最初は反対した。

「工場の壁をピュアホワイトなんてありえません。ほこりなどがどうしてもつきますからね」

「スティーブにとっては、白ければ白いほどいいんだ」

この件は、結局、コールマンが譲歩した。真っ白な壁に明るい青、黄、赤など色とりどりのマシンが並ぶ工場は、まるで彫刻家アレクサンダー・カルダーの作品展示場みたいだとコールマンは思った。

ジョブズ本人に「工場の見た目にどうしてそこまでこだわるのか」とたずねたところ、完璧を求める情熱をかき立てるためという答えが返ってきた。

工場にゆくと、白い手袋をはめてほこりをチェックするんだ。ほこりはいたるところにあった。機械の表面にもラックの上にも床にも。だから、きれいにしろとデビに指示した。工場の床に直接食べ物を置いて食事ができるくらいにすべきだと言ったんだ。いやー、これにはデビも食ってかかってきたね。どうして、工場の床に食べ物を直接置いて食べなければならないんだって。僕も、あのころはなぜそう思うのか、はっきり説明できなかった。いま思うと、日本で見た光景に強い影響を受けていたんだ。日本のすばらしいところであり、僕らの工場に欠けている点は、チームワークと規律だと僕は思う。工場をきれいに保てるだけの規律がなければ、あれだけのマシンをちゃんと動かせるだけの規律もないってことなんだ。

とある日曜日の朝、ジョブズは父親を連れて工場に姿を現した。ポール・ジョブズは職人の技を厳しく追究するとともにツールは常に整理整頓しておくべきだと考える人物であり、その息子は自分も同じようにできると父に見せたかったのだ。見学にはコールマンも同行した。

「スティーブは、なんというか、顔が輝いていました。自分が作ったものを、とても誇らしげに見せていたのです」

一つひとつ、ジョブズが詳しく説明し、それを父親が感慨深げに聞く。

「スティーブは父親にずっと視線を注いでいましたし、父親はいろいろなものにさわり、どれもとてもきれいで完璧に見えると褒めていました」

しかし、社会党系のフランス大統領、フランソワ・ミッテランの妻で、キューバを支持する活動家、ダニエル・ミッテランが夫の米国公式訪問に伴って来訪したときは、見学がスムーズに行かなかった。ジョブズは、ジョアンナ・ホフマンの夫、アラン・ロスマンを通訳に起用した。自分が連れてきた通訳を通じて工場における労働条件について細かな質問を連発するミッテラン夫人に、ジョブズは、最先端のロボット工学などテクノロジーの説明をしようとする。ジョブズがジャストインタイムの製造方式について説明すると、夫人から残業手当の質問が返ってくる。いらついたジョブズは、自動化で労務費を抑えているとわざと夫人が喜びそうにない説明をした。

「仕事はきついの？　休暇はどのくらいあるのかしら？」

ジョブズはキレて、夫人の通訳に吐き捨てる。

「社員の福祉にそれほど興味があるなら、いつでも働きにきていい。そう伝えてくれ」

通訳は青ざめてしまった。沈黙を破ったのは、ロスマンのフランス語だった。

「ご来訪いただいたこと、また、工場に深い興味をお持ちいただいたことに感謝しますと、ジョブズは申しております」

なにが起きたのかジョブズにもミッテラン夫人にもわからなかったが、夫人の通訳はほっとした顔になった。

このあとジョブズは、クパチーノに向かうフリーウェイでメルセデスを飛ばしながら、ミッテラン夫人の態度に悪態をついていた。それを困惑顔で聞いていたロスマンによると、ジョブズは時速160キロ以上で警察に捕まり、違反切符を切られたという。数分後、警官がまだ書類を書いているときに、ジョブズがクラクションを鳴らした。

「なんでしょう？」

そうたずねた警官にジョブズは、

「急いでるんだけど」

と怒らせるようなことを言う。警官はあわてず騒がず書類を書き終えると、今度制限速度の88キロを超えて捕まったら刑務所行きになると警告し、去っていった。ジョブズはすぐにまた160キロでぶっ飛ばす。ロスマンは心の底から驚いたという。

「世間一般のルールに自分は従う必要がないと本気で思っているようです」

ロスマンの妻、ジョアンナ・ホフマンも、マッキントッシュ発売の数ヵ月後にジョブズと行った欧州出張で同じような経験をしたという。

「とにかく自分勝手で、なにをしても許されると思っていたようです」

パリでは、フランスのソフトウェアディベロッパーとフォーマルなディナーをともにする予定だったが、その直前、ジョブズは勝手にキャンセルする。ホフマンを乗せずに車のドアを閉めると、有名なアーティスト、フォロンのところへ行ってしまったのだ。

「先方はすごくご立腹で、握手もしてもらえませんでした」

イタリアでは、ひとめ見るなり先方のゼネラルマネジャーをきらう。ふつうのビジネスから移ってきた、物腰が柔らかく、とても立派な体格の人物だ。ジョブズは、営業部隊もだめなら営業戦略もだめと辛辣《しんらつ》だった。

「おまえのような人間にマックが売れるはずがない」

それでも、この不運なマネジャーが選んだレストランへの反応に比べればずっとましだった。絶対菜食主義の料理を要求したジョブズに、ウェイターはサワークリームたっぷりのソースがかかった料理を出してきたのだ。ジョブズの態度があまりにひどくなったので、ホフマンは、いいかげんにしないと熱いコーヒーを足にかけると脅して静かにさせるしかなかった。

欧州出張で最大の問題となったのは販売予測だった。現実歪曲フィールドをまとったジョブズは、常に、予測値を高くするよう部下に強《し》いる。最初にマッキントッシュの事業計画を作成したときもそうだったし、欧州出張でも繰り返しそうした。予測値を引き上げなければ製品を供給しないと、欧州各国のマネジャーを脅して歩いたのだ。現実を見なければならないとするマネジャーらとの仲裁は、ホフマンがやるしかなかった。

「出張が終わるころには、体中が震えてどうにもならなくなっていました」

ジョブズがフランスのマネジャー、ジャン＝ルイ・ガセーと知り合ったのもこの出張だった。ガセーは、この出張でジョブズにたてつくことのできた数少ない人物だ。

「彼には彼の真実があるわけです。ジョブズに対応するには、やられる以上にやり返す。これしかありません」

販売予測の数字を引き上げなければ製品の供給を絞るとジョブズに脅されたとき、ガセーは怒った。

「胸ぐらをつかんで黙れと言うと、矛を収めてくれました。私も昔はよく怒っていました。元罵倒中毒患者なんですよ。だから、スティーブが同類だとすぐにわかりました」

ガセーがすごいと思ったのは、ジョブズの場合、その気になれば相手を魅了するという魔術が使える点だ。当時、「あらゆる人にコンピュータを」という政策をミッテラン大統領が推進しており、マーヴィン・ミンスキーやニコラス・ネグロポンテといった技術系の著名な学者らが賛同の声を上げていた。ジョブズもパリのホテルブリストルで講演をおこない、すべての学校にコンピュータを配布すればフランスはこうなるだろうと未来を描いて見せた。

余談だが、パリはやはり恋の都らしい。滞在中、ジョブズも、とある女性に焦《こ》がれていたとガセーもネグロポンテも証言している。

墜ちてゆく

１９８４年の第2四半期、発売に伴う興奮が収まると、マッキントッシュの販売は急激に落ち込みはじめる。根本的な問題があったからだ。

すばらしいコンピュータではあったが、同時に処理能力不足で嫌になるほど遅いコンピュータでもあり、その点はなにをどう宣伝しても言いつくろえるものではなかった。この機種の魅力はＧＵＩ。どんよりと暗いスクリーンに緑色で生気の感じられない文字が脈打ち、ぶっきらぼうなコマンドラインを使わなければならなかった従来のインターフェースに比べると、マックは陽光に満ちた遊戯室という感じだった。しかし、それは同時に最大の弱点でもあったのだ。

テキストベースのディスプレイなら、１バイトも使わずに1文字を表示できるのに対し、マックではピクセル単位で文字を描き、エレガントなフォントとするため、メモリーが20倍から30倍も必要になる。だからリサにはＲＡＭが１０００Ｋ以上も積まれていたが、マッキントッシュは１２８Ｋでやりくりしなければならなかった。

マックにはハードディスクドライブが内蔵されていないのも問題だった。そういう記憶装置が必要だとジョアンナ・ホフマンは主張したが、ジョブズは「ゼロックス病」だと取り合わなかった。結局、マッキントッシュに用意されたのはフロッピーディスクドライブが1基だけ。そのため、データのコピーでは、新種のテニス肘《ひじ》になるのではないかと思うほど何度も2枚のフロッピーディスクを入れ替えなければならなかった。

ファンもなかった。コンピュータの静けさを損なうとジョブズが意地でもファンを付けさせなかったのだ。その結果、マッキントッシュは動作がおかしくなることが多く、「ベージュトースター」というありがたくないニックネームまで付いてしまった。その魅力から最初の数ヵ月はよく売れたが、コンピュータとしての限界が知られるにつれ、売れ行きは落ちていった。ホフマンが指摘するように、現実歪曲フィールドで拍車をかけることはできるが、最後は現実そのものがものを言うのだ。

1984年末、リサの売り上げはゼロに等しく、マッキントッシュも月1万台を割り込んでいた。困ったジョブズは、苦しまぎれに彼らしくない手を打つ。不良在庫となっていたリサにマッキントッシュのエミュレーションプログラムを載せ、「マッキントッシュXL」として売り出したのだ。リサは製造が打ち切られており、再開の予定もなかった。自分が良いと思わない製品を売るなど、ジョブズとしてはきわめて珍しい。このやり方に、ホフマンは腹を立てた。

「マックXLなんてまがい物です。余ったリサをやっかい払いするためだけの製品。たしかによく売れましたけど、遅かれ早かれやめなければならないいんちきです。だから私は会社を辞めたのです」

1985年1月の広告も暗い雰囲気だった。すさまじい反響を得た『1984年』CMと同じように反IBM感情を盛り上げようとする企画だったが、今回は基本的な部分に違いがあったのだ。前回はヒロインが登場して楽観的な雰囲気で終わったが、今度の広告は集団自殺すると言われるネズミにちなんで「レミングス」と題されたもので、まったく違っていた。

リー・クロウとジェイ・シャイアットが持ってきた絵コンテの最後は、ダークスーツを着て目隠しをした管理職が列をなして崖から飛び下りるシーン。これを見たとき、ジョブズもスカリーも不安を感じた。アップルについてプラスのイメージや偉大なイメージが伝わらず、ＩＢＭのマシンを購入したマネジャーを侮辱するだけと思われたのだ。

ジョブズとスカリーは別案を要求したが、広告代理店はどうしてもこの案で行きたいと言う。

「去年の『１９８４年』も、アップルは反対されましたよね？」

と言う担当者もいた。また、スカリーによると、リー・クロウも、

「キャリアのすべてをこのＣＭにかける」

とまで言ったという。こうして、リドリー・スコットの弟、トニー・スコットを監督に起用して映像が作られたが、できあがったのは心配がさらに深まるものだった。蒙昧《もうまい》なマネジャーが縦一列に並び、一人ひとり、崖から落ちてゆく。「ハイホー、ハイホー」という白雪姫の歌を、葬式に似合いそうなゆっくりしたテンポで歌いながら。荒涼とした雰囲気の映像で、絵コンテから想像したよりもずっと気分が落ち込むものに仕上がっていた。この映像を見たとき、デビ・コールマンは、

「こんな広告でアメリカ中のビジネスマンを侮辱するなんて、信じられません」

とジョブズに食ってかかった。マーケティング会議でも、この広告が大きらいだとはっきり示した。

「文字どおり、彼の机に辞表を置いたのです。マックで書いた辞表でした。あの広告は、企業の管理職に対する公然たる侮辱でした。せっかく、デスクトップパブリッシングで足がかりが得られそうになっていたというのに」

それでもジョブズとスカリーは広告代理店の訴えに負け、このＣＭをスーパーボウルで流すことにする。その日、ふたりは、スカリーの妻、リージー（ジョブズが苦手）と、そのころジョブズが付き合いはじめたばかりの快活なティナ・レドセとともに、会場となるスタンフォード大学のスタジアム

れたが、会場に集まったフットボールファンからは反応らしい反応がなかった。テレビで見ていた人々も、ほとんどが否定的な反応を示した。

「この広告は、アップルが訴求したいと考えている人々を侮辱するものだ」

とフォーチュン誌にコメントした市場調査会社の社長もいる。ウォールストリートジャーナル紙に謝罪広告を載せたほうがいいのではないかとアップルのマーケティングマネジャーが漏らし、そんなことをするなら同じ見開きのページに謝罪の謝罪を載せる、とジェイ・シャイアットがいきまく一幕もあった。

ジョブズは、1月中にニューヨークで報道関係者から一対一の取材を受けたが、そのときも、この広告とアップルの状況、ふたつの問題でいらいらしていた。今回も、カーライルでのアレンジはレジス・マッケンナのアンドレア・カニンガムが担当した。会場に着いたジョブズは、まず、スイートの模様替えを要求する。取材前日の夜10時だというのに。いわく、ピアノの位置がおかしい。いわく、イチゴの種類がよくない。とくに、花が気に入らなかった。カラーリリーと呼ばれるユリの一種でなければならない。

「カラーリリーで大げんかしました。カラーリリーは結婚式で飾った花なのでよく知っています。でも、ユリの種類を替えろ、おまえは本当のカラーリリーを知らない『あほう』だと彼には言われました」

仕方がないのでカニンガムは花を探しに出かけ、真夜中だというのにジョブズが望む花を手に入れて戻ってきた（さすがはニューヨークである）。部屋の模様替えが終わると、今度は彼女の服だ。

「そのスーツはひどすぎる」

いらいらが抑えられないことのある人物だと理解していたカニンガムは、ジョブズをなだめようとした。

「お怒りになっているのですね。お気持ちはよくわかります」

逆効果だった。

「おまえなんぞに僕の気持ちがわかってたまるか。僕のような立場に立つ気持ちがわかってたまるか」

30歳という節目

30歳というのは多くの人にとって人生の節目である。それ以上、年齢が上の人は信用できないと公言していた時代の人間にとっては、とくに大きな節目だろう。1985年2月、ジョブズは30歳の誕生日を祝うため、サンフランシスコのセントフランシス・ホテルのボールルームに1000人を集め、黒いタイにテニスシューズというフォーマルかつやんちゃなパーティーを開いた。招待状にはこう書かれていた――「ヒンズー教の古い格言によると、『人生前半の30年は人が習慣を作る。人生後半の30年は習慣が人を作る』そうです。この節目を祝う会にどうぞお集まりください」。

あるテーブルには、ビル・ゲイツやミッチ・ケイパーなど、ソフトウェア業界の有力者が並んでいた。別のテーブルには古くからの友人が集まっており、エリザベス・ホームズもタキシード姿の女性を同伴して座っていた。アンディ・ハーツフェルドもビュレル・スミスもくたびれたテニスシューズに貸衣装のタキシードを着込んで出席。その彼らがサンフランシスコ交響楽団が演奏するシュトラウスのワルツに合わせて踊る姿は忘れようにも忘れられない光景となる。

エラ・フィッツジェラルドも登場し（ボブ・ディランには断られた）、スタンダードなレパートリーを中心に、「イパネマの娘」の歌詞を「クパチーノ出身の少年」にして歌うなどした。ジョブズのリクエストも何曲か歌う。最後は、ゆったりとした「ハッピーバースデー」だった。

スカリーは壇上に上がり、「テクノロジー界随一のビジョナリー」と乾杯の音頭を取る。ウォズニアックは、ザルテアのチラシを額に入れたものをプレゼントする。アップルⅡを発表した1977年のウエストコーストコンピュータフェアでしかけたいたずらの記念品だ。わずか10年ほどで変われば変わるものだとドン・バレンタインは思った。

「ホー・チ・ミンのような格好で、30以上の人間など信用できないと公言してきた男が、30歳の誕生パーティーとして、エラ・フィッツジェラルドを呼んでぜいたくな会を催すようになるとはね」

プレゼント選びに困る相手だったが、皆、頭を絞って特別な贈り物を選んでいた。F・スコット・フィッツジェラルド著『ラスト・タイクーン』の初版本を探し出したデビ・コールマンのように。

しかしジョブズは、彼らしいといえばそうなのだが、もらったプレゼントをすべてホテルの部屋に置いて帰ってしまう。なにひとつ、持ち帰らなかったのだ。ウォズニアックをはじめとする古参のアップル社員のなかには、パーティーで出されたヤギのチーズとサーモンのムースなどが口に合わず、パーティー後にみんなでデニーズに出かけた人もいた。

「30代や40代になっても、驚くような作品が作れるアーティストというのはめったにいません。もちろん、生まれながらに好奇心が強く、いくつになっても子どものように人生に感動する人もいるにはいますが、まれです」

言葉を選ぶようにゆっくり、ジョブズはデービッド・シェフに語った。ジョブズが30歳の誕生日を迎えた月のプレイボーイ誌に詳細なインタビュー記事を書いた記者だ。

さまざまな話題が取り上げられたが、このとき、彼の心を一番大きく占めていたのは、歳を取ることと未来と向き合うことへの苦悩だった。

精神に組まれた足場のように、思考はパターンを構成します。実際、化学的なパターンが刻み込まれてゆくのです。ほとんどの人は、レコードの溝《みぞ》のようにこのパターンにとらわれてしまい、そこから出られなくなってしまいます。

僕はこれからもずっとアップルとつながっているはずです。タペストリーのように僕の人生という糸とアップルの糸が絡《から》んだり離れたりする……そういう人生になったらいいなと思います。アップルから離れる時期があるかもしれませんが、でも、いつか必ず戻ります。実際、そうしたほうがいいのかなという気もしています。僕という人間について念頭に置いておいていただきたいのは、僕はまだ学んでいる段階、ブートキャンプでしごかれている段階だということです。

アーティストとして、創造的な人生を送りたいと思うなら、あまり過去をふり返るのはよくありません。自分がしてきたこと、自分という人間をそのまま受け入れ、それを捨て去らなければならないのです。

自分のイメージを強化する外界の圧力が強くなればなるほど、アーティストであり続けることは困難になります。だから、多くのアーティストが「さようなら。もう行かなきゃ。気が狂いそうだからもうやめるわ」と言ってはどこかに隠れてしまうのです。しばらくしたら、また現れて少し違う姿を見せてくれるかもしれませんけど。

このインタビューを読むと、人生の転機を予感していたのかもしれないと思える。ジョブズの人生という糸とアップルの糸が絡んだり離れたりしようとしていたのかもしれない。いままでの自分を捨て去るときが来たのかもしれない。あるいは、「さようなら。もう行かなきゃ」と言い、のちに、違う考え方を持って戻ってくる——そういうときだったのかもしれない。

大量脱出はじまる

１９８４年、マッキントッシュが発売されたあと、アンディ・ハーツフェルドはしばらく休職した。充電も必要だったし、きらいな上司のボブ・ベルヴィールから逃げたいとも思ったからだ。その休職中に、リサよりも給料が安かったマッキントッシュのエンジニアに対して、ひとり5万ドルのボーナスをジョブズが与えたと小耳に挟んでジョブズを訪ねるが、休職中の人間には出さないとベルヴィールが決めたと断られてしまう。後日、そう決定したのがじつはジョブズだったと判明し、ハーツフェルドはもう一度ジョブズと話し合おうとした。しばらく口を濁《にご》していたジョブズに、

「じゃあ、仮に君の話が正しかったとして、それでなにがどう変わると言うんだい？」

とたずねられたので、ハーツフェルドは、復職させるためにボーナスの支払いを止めているのであれば筋として戻るわけにはいかないと回答。こうしてジョブズから譲歩を引き出すことはできたが、あと味の悪い事件だった。

休職期間が終わりに近づいたとある夕方、オフィス近くのイタリアンレストランへと、ハーツフェルドとジョブズは歩いていた。

「戻りたいという気持ちはとても強いのですが、どうにも状況がよくないように感じます」

ジョブズの機嫌がなんとなく悪いように感じたが、ハーツフェルドは話を続けた。

「ソフトウェアのチームはやる気を完全になくしていて、もう何ヵ月も成果が出せていないに等しい状態ですし、ビュレルもすっかり気落ちして年末まで持たないのではないかと思うほどです」

ジョブズが話をさえぎる。

「なにをばかなことを言ってるんだ！　マッキントッシュチームはいい仕事をしているし、僕は人生最高の時間を過ごしている。おまえはなにもわかっちゃいない」

思わずひるむような視線だったが、ハーツフェルドの意見をおもしろがっているようにも見えた。ハーツフェルドは肩を落とす。

「本当にそう信じておられるのであれば、私が戻る話はないと思います。私が戻りたいと思うマックチームはもう存在さえしていないということですから」

「マックチームは大人にならなければならなかった。君もだ。君には帰ってきてほしいと思う。でも、戻りたくないというなら、君の好きにすればいい。どうせ、君が思うほど君は重要な人物じゃないんだ」

こうして、ハーツフェルドは復職を取りやめた。

1985年の頭、ビュレル・スミスも辞めようと思っていた。心配は、ジョブズに慰留されたら断れないであろうこと。現実歪曲フィールドを破れたためしがなかったのだ。だから、ハーツフェルドに相談して対策を練った。そしてある日、完璧な方法をあみ出した。

「思いついたよ！　現実歪曲フィールドを完全に無効化できる方法だ。スティーブのオフィスでパンツを下ろし、机に小便をするんだ。これならさすがの彼もなにも言えないだろう？　成功間違いなし、さ」

ただ、いくら勇敢なビュレル・スミスでもそこまでのガッツはないとマックチームの大方は見ていた。ジョブズの誕生パーティーのころ、今日こそ退職すると決意してジョブズのオフィスを訪ねたスミスは、満面の笑みに迎えられた。

「やるのか？　マジにやるのか？」

うわさがジョブズにまで届いていたらしい。

「やらなきゃいけませんか？　やらなきゃだめというならやりますが……」

ジョブズの表情は不要だと告げていた。こうして、スミスはわりとふつうに円満退社した。

その直後にまたひとり、マッキントッシュの優秀なエンジニアが辞めた。ブルース・ホーンだ。退職のあいさつに訪れたホーンにジョブズは、

「マックのだめなところは、ぜんぶ、おまえの責任だ」

と厳しい言葉を投げつける。そのくらいでめげるホーンではない。

「いや、実際のところ、スティーブ、マックのいろいろな良いところが私の責任です。いずれも、押し込むために必死で戦う必要がありましたが」

「そうだな。会社にとどまるなら1万5000株やろう」

その申し出をホーンが辞退すると、最後にジョブズは人なつこい面を見せた。

「ハグしてくれないか」

しかし、この月最大のニュースは、アップルの共同創設者、スティーブ・ウォズニアックの離職だった。ふたりが大げんかせずにすんだのは、おそらく、性格が大きく異なっていたからだろう――ウォズニアックは夢見がちで子どもっぽいまま変わらなかったし、ジョブズはさらに苛烈で冷淡になっていた。同時に、アップルの経営や戦略という面でふたりが基本的に食い違っていたのも事実だ。

そのころウォズニアックは会社の経営や社内政治からできるかぎり離れ、会社のルーツを示す謙虚なマスコットとして、アップルII部門の中堅エンジニアに交じってひっそりと仕事をしていた。ジョブズがアップルIIを正しく評価しないという不満を彼は感じていたが、それも無理からぬことだった。会社のドル箱として、1984年クリスマスの時点で売上高の70パーセントをアップルIIがたたき出していたのだから。

「社内におけるアップルIIグループの評価はとても低かった。アップルIIがそれまでずっと最大の売り上げを立ててきた製品だというのは事実だったし、その後もそうであり続けるだろうと思われたのに、だ」

ウォズニアックにしてはきわめて珍しいことだが、スカリーに電話をかけ、ジョブズとマッキントッシュを優遇しすぎるとしかりつけたこともある。

いろいろと不満の多かったウォズニアックは、ひっそりと退職し、自分が発明したユニバーサルリモコンの会社を作ることにした。ごく簡単なプログラムでさまざまな機器がコントロールできる、ボタンの数が少ないリモコンだ。退職の意思は、アップルIIのエンジニアリング部門を統轄する人物にだけ伝えた。ジョブズやマークラなど会社の上層部にまで伝えなければならないほど重要な人物だと自分をみなしていなかったからだ。だからジョブズは、ウォールストリートジャーナル紙のニュースでウォズニアックの退社を知ることになる。きまじめなウォズニアックは、記者の質問になんでも答えていた。そう、アップルII部門の扱いが軽すぎると感じていることも含めて。

「この5年間、アップルの方向性はすさまじいほどに間違っていると思う」

それからわずか10日ほどあと、ウォズニアックとジョブズは、第1回のナショナル・テクノロジー・メダルを受け取りにホワイトハウスに出向いた。授与式でロナルド・レーガン大統領は、「すご

ラザフォード・ヘイズ大統領の言葉を引用し、「電話をはじめて見たという、こんなものを使いたいと誰が思うのだ？」と冗談を飛ばしたりした。

「そのとき私は、ヘイズ大統領は間違っているのではないかと思いました」

このときアップルは社内がウォズニアックの離職でぎくしゃくしていたため、授与式のあとに祝賀会も開かなければスカリーら上層部がワシントンに来ることもなかった。だからジョブズとウォズニアックはふたりだけで歩き、サンドイッチショップで夕食をともにした。ウォズニアックによると、このときは意見の食い違いに触れず、いい感じで話をしたという。

ウォズニアックとしては友好的に別れたかった。そういう性格なのだ。だから、年俸2万ドルのパートタイム社員としてアップルにとどまり、会社の顔としてイベントやトレードショーに参加することに同意した。これですんなり行くかと思われたが、すべてを水に流すことができないのがジョブズだ。

ワシントン訪問の数週間後、ジョブズはハルトムット・エスリンガーがパロアルトに新設したスタジオを訪問した。彼の会社、フロッグデザインがそこでアップルのデザインをしていたからだ。そこでたまたま、ウォズニアックが開発していたリモコンのデザインスケッチを見たジョブズは激怒。コンピュータ関連プロジェクトではアップル以外と仕事をしないという契約条項を守れとフロッグデザインに迫る。

「ウォズの仕事はアップルとして許容できないと伝えたんだ」

この事件を聞きつけたウォールストリートジャーナル紙がウォズニアックを取材すると、ジョブズは自分を罰しようとしているのだと思うと、いつものようにあけっぴろげで正直なコメントが返ってきた。

「スティーブ・ジョブズはぼくがきらいなんだと思う。たぶん、アップルについてぼくが言ったことが原因なんじゃないかな」

このときのジョブズの行動はあまりに狭量だと感じられるが、その背景には、彼なりの理由もあった。一般的には見すごされがちだが、製品の外観やスタイルはブランドの一部であり、アップルと同じ雰囲気のデザインにウォズニアックの名前が入っていれば、アップルの製品と間違われるおそれがあるのだ。だから、ウォズニアックのリモコンがアップル製品と似ないようにしたのだとジョブズは新聞の取材に答えている。

「個人的な問題ではないのです。アップルのデザインをほかの製品に使わせるわけにはいきません。取引先はウォズにも自分で探してもらう必要があります。アップルの資源は使わせられないのです。いくらウォズでも、特別扱いはできません」

ウォズニアックの料金は個人的に肩代わりするとの提案をジョブズから受けたが、この事件はフロッグデザインにとって青天の霹靂《へきれき》だった。ウォズニアックのデザイン画は自分のところに送るか破棄しろと通告されたが、フロッグデザインはこれを拒否。最終的にジョブズは、契約書に明記されたアップルの権利を行使するというレターを送って寄こした。フロッグデザインのデザインディレクター、ヘルベルト・ファイファーは、ウォールストリートジャーナル紙の取材でウォズニアックとの争いは個人的なものではないというジョブズの主張についてたずねられ、ジョブズの不興を買うのを承知で、

「あれは力で押さえつけようとしたのですよ。個人的な確執がありますからね」

と切り捨てている。

ハーツフェルドも、ジョブズのやり方に腹を立てたひとりだ。家が10ブロックほどと遠くない場所

にあるので、ジョブズは散歩の途中によく立ち寄っていた（ハーツフェルドがアップルを辞めたあともだ）。

「ウォズニアックのリモコンの話で私は頭にきたので、スティーブが来ても家に入れませんでした。スティーブは自分が悪かったとわかってはいましたが、なんだかんだと理屈をつけていました。例の現実歪曲フィールドで納得していたのかもしれません」

一方、ウォズニアックはといえばいつもどおりのテディベアで、とくに気にした様子もなく、別のデザイン事務所を見つけ、アップルお抱えのスポークスマンとしてそのままとどまった。

対決のとき（1985年春）

1985年春、さまざまな理由でジョブズとスカリーの関係にひびが入りつつあった。スカリーはマッキントッシュの価格を高く保って利益を出そうとしたのに対し、ジョブズはもっと買いやすくすべきと考えたなど、事業戦略の相違もあった。

はじめのころ、お互いに強く惹かれていたがゆえの心理的なものもあった。スカリーはジョブズの愛情を強く求め、ジョブズはスカリーに理想の父親像とメンターを求めたが、その激情が収まるにつれ、感情的な引き潮に足を取られたわけだ。だがその中心は、両者がひとつずつ抱えていた根本的な問題だろう。

ジョブズにとっての問題は、スカリーが製品に興味を持たないことだった。自分たちが作っているモノがどう優れているのかについて、興味を持とうという姿勢も見られなければそういう能力があるとも思えない。それどころか、技術やデザインの細かい点を追究するジョブズの情熱を強迫的で非生産的だとさえ考えていた。アップルに来るまで、スカリーは炭酸飲料やスナック菓子など、レシピを気にもしていないものを売る仕事をしており、製品に強い思い入れを持つタイプではなかった。これは、ジョブズにとってこれ以上はないという大罪だった。

「エンジニアリングの機微を教えようとはしたんだけど、製品がどのように作られるのか彼は理解できず、最後はいつも口論になってしまった。でも、僕は自分の見方が正しいとわかっていた。製品がすべてなんだ」

やがてジョブズはスカリーを無知蒙昧だと見るようになり、その結果、スカリーの気に入られようとする言動やふたりがよく似ているという幻想が鼻についてさらに軽蔑するようになった。

スカリーにとっての問題は、求愛や操縦の必要性がなくなったジョブズが、下品で自分勝手、他人に意地悪と、とても不快な言動をしょっちゅう示すようになったことだった。スカリーは上品な寄宿学校と法人営業で磨きあげられた人間であり、製品の細かな点に情熱を持てないスカリーを軽蔑すべきものとジョブズが思ったように、ジョブズの粗野な言動は軽蔑すべきものと思っていた。スカリーはすぎるほどに寛容で親切丁寧だが、ジョブズは違う。ゼロックスの副会長、ビル・グラビンとの面談で、言動には気をつけてくれと頼んでおいたにもかかわらず、座るやいなや、ジョブズが、

「あんたらは自分がなにをしているのかわかっちゃいない」

と言い放ち、会議をめちゃくちゃにしてしまったこともある。

「すみません。でも、がまんができなくて」

と、一応、謝りはするが、同じようなことを繰り返すのだ。アタリ社のアル・アルコーンはふたりの違いをこう表現する。

「スカリーは、人間関係に気を配り、ほかの人々に喜んでもらうのが大事だと信じていました。そう

くことにスティーブは頓着しません。でも製品に対しては、スカリーには絶対にできないほど細かく注意を払いますし、Aクラス以外は誰彼かまわず愚弄《ぐろう》してアップルにまぬけが増えすぎないようにする力もありました」

この混乱は取締役会でも問題となり、1985年のはじめには、アーサー・ロックら、事態を重く見た取締役がふたりに指導をおこなった。スカリーに対しては、会社の経営を任されているのだから、ジョブズとの仲を気にするより社内の掌握に努めろ、ジョブズに対しては、混乱するマッキントッシュ部門をどうにかするのが仕事で、他部門の仕事のやり方に口を出すなという内容だった。そのあと、自分のオフィスに戻ったジョブズは、マッキントッシュに向かい、

「ほかの部署を批判しないこと。ほかの部署を批判しないこと……」

と、黙々とタイプしたという。

マッキントッシュは1985年3月の売り上げが予算の10パーセントなど、期待はずれの状況が続き、ジョブズはオフィスにこもってうなったり社内をうろついて当たりちらしたりしていた。気分の変動は大きく、当たり方はひどくなる一方だった。中間管理職から反発の声があがる。マーケティングのチーフ、マイク・マレーも、社外でおこなわれた会議に参加した際、スカリーと内密に話をしようとした。ところが、スカリーの部屋へ行く途中、ジョブズに見つかり、同行すると言われてしまう。これをなんとか断ったマレーは、ジョブズのせいでマッキントッシュ部門はめちゃくちゃになっている、はずしてくれとスカリーに訴えた。しかし、ジョブズと対決する心の準備がまだできてない、とスカリーは動かない。マレーはこのあと、直接ジョブズにメモを送り、部下への対応を批判するとともに「誹謗《ひぼう》中傷による管理」を糾弾した。

この騒動が解決するかもしれないと思われた時期もあった。スティーブ・キッチンというエキセン

トリックなエンジニアがウッドサイドデザインという会社をパロアルトの近くで創業し、そこが開発したフラットスクリーンの技術にジョブズは惹かれた。別のスタートアップ企業が開発したタッチスクリーンディスプレイにも興味を引かれていた。指で操作ができるので、マウスが不要になる技術だ。このふたつを組み合わせれば、「本のようなマック」というジョブズのビジョンが実現できるかもしれない。キッチンとふたりで散歩をしていたとき、ジョブズはメンロパーク近くのビルに目をつけ、そこに秘密の開発部署、いわゆる〝スカンクワークス〟を置こうと思いつく。アップルラボという名前にでもしたらいいだろうし、自分がそこを統轄すれば、小さなチームですごい新製品を開発する楽しみがまた味わえるのではないか——そう思ったのだ。

スカリーにとってこのアイデアは渡りに船だった。得意とする仕事にジョブズが戻れば、クパチーノでじゃまをされることもなくなる。ジョブズ関連の頭痛の種を一掃できるかもしれない。マッキントッシュ部門のマネジャーなら、後任のあてもあった。ジョブズの訪問にも耐えたフランスのチーフ、ジャン＝ルイ・ガセーだ。クパチーノに呼ばれたガセーは、ジョブズの部下としてではなく自分をトップにすると保証してもらえるならばやると回答。一方、小さく情熱的なチームを奮《ふる》い立たせ、新製品に取り組んだほうがいいとジョブズを説得する役目は、取締役のひとり、メイシーズのフィル・シュラインが担当した。

ジョブズはしばらく悩んだが、結局、それは自分が進みたい道ではないとの結論に達する。ガセーへの権限委譲も断り、火種がくすぶり出したと感じたガセーはパリに戻る。

この春、ジョブズの心は大きく揺れていた。あるときは会社の経営者らしくあろうと思い、コストを削減するため飲み物の提供や出張時のファーストクラス使用をなくすべきだというメモを書きもした。またあるときは経営から一歩引き、アップルラボで研究開発グループを率いたほうがいいという意見にうなずくこともあった。

3月、マレーが新たなメモを作成、「回覧無用」と指定して複数の同僚に配付した。

「アップルに来て3年になるが、この90日間ほど混乱や恐れ、機能不全が社内に蔓延《まんえん》したことはない。アップルは舵《かじ》のない船で、霧のなかに消えてゆこうとしている——いま、一般の社員はそう感じている」

このころマレーは二股をかけており、ジョブズと共謀してスカリーの地盤沈下をはかることもあったが、このメモでは非はジョブズにあるとした。

「機能不全の原因なのか結果なのかはわからないが、いま、スティーブ・ジョブズは、揺らぐことがないと思われるほどの勢力基盤を有している」

長いあいだ迷っていたスカリーも、この月末ついに、マッキントッシュ部門から降りるべきだとジョブズに宣告する。ジョブズのオフィスを訪れたスカリーは、人事部長のジェイ・エリオットを連れていた。話を正式にするためだ。

「君の能力やビジョンは、誰よりも私が高く評価している」

スカリーはいつものお世辞から入ったが、今回は、話の核心を明確にする、容赦のない「しかし」が続く。

「しかし、いまのままではあきらかにだめだ」

「我々は、お互い、深い友情で結ばれている」

このあたりは、スカリーの幻想という面があったかもしれないが、ともかく、この甘い言葉にも「しかし」が続く。

「しかし、マッキントッシュ部門の運営が君にできるとは思えなくなった」

陰で自分をまぬけ呼ばわりしたことについても激しく叱った。

驚いたジョブズは、まず、自分と過ごす時間を増やし、もっといろいろ教えてくれるべきだと、少々不可思議な抗議をする。そして攻撃に転じた。スカリーはコンピュータのことをなにも知らない、会社の経営もひどいものだ、アップルに来てから期待に背いてばかりだ……。3番目の反応もあった。泣き出したのだ。スカリーは、爪をかみながらじっと座っていた。

「この件は取締役会で取り上げる。取締役会で、マッキントッシュ部門を統轄するポジションの辞任を君に勧告する。君には抵抗せず、あらかじめ伝えておく」

そのときは抵抗せず、新しい技術や製品の開発部門への異動に同意してほしいという要請もあった。

ジョブズは椅子からはねるように立ち上がり、スカリーをじっと見つめた。

「うそだろう？　そんなことをしたら、この会社は終わりだ」

それから何週間か、ジョブズは両極端を行ったり来たりした。ここは辞めてアップルラボに行くと言ったかと思うと、スカリー追放の支持者を募る。スカリーの説得に走ったかと思うと、陰で激しく攻撃する。一晩のうちに揺れることもあった。夜9時にアップルの顧問弁護士、アル・アイゼンシュタットに電話をかけ、スカリーは信頼できない、取締役会を説得する手伝いをしてくれと頼んだ同じ晩、11時にスカリーを電話で起こし、君は本当にすごい、君と仕事ができて本当によかったと思っていると語ったりもした。

4月11日の取締役会で、ジョブズにはマッキントッシュ部門のトップから辞任し、新製品開発に集中してもらいたいとスカリーは正式に提案した。続いて口を開いたのは、取締役のなかでも無愛想で独自性が強いアーサー・ロックだった。ふたりともうんざりだ。この1年、会社を掌握する気合を見せないスカリーもスカリーなら、こらえ性のない悪ガキのように行動するジョブズもジョブズ。この問題はこの場で決着を付けなければならない——そう語ると、ひとりずつ、取締役会が面談すべきだと提案した。

スカリーが退室し、ジョブズから面談がおこなわれた。ジョブズは、問題はスカリーにあると主張する。コンピュータについてなにも知らない、と。そのジョブズをロックは叱りつけた。すごみの利いた声で、この1年間ばかなおこないばかりをしてきたジョブズに部門長をやる資格はないと宣言。ジョブズの一番の味方であるメイシーズのフィル・シュラインさえ、いさぎよく辞任し、研究所に異動したほうがいいと勧めた。

自分の順番となったスカリーは、取締役会に最後通告をつきつける。

「私を支持し、責任を持ってこの会社の経営にあたらせるか、あるいは、なにもせず、そのうち新しいCEOを探さなければならない事態に陥るか、どちらかです」

自分に任せてもらえるなら、急な動きは避け、1～2ヵ月かけてジョブズを落ちつかせ、新しい役職に就かせる。そう主張するスカリーを取締役会は全会一致で支持し、適切だと思うタイミングでジョブズを現職からはずす権限をスカリーに与えた。今回は自分の負けだと感じながら待っていたジョブズのところに、長年の友人であるデル・ヨーカムが通りかかり、ジョブズは泣いた。

取締役会の裁定がおこなわれたあと、スカリーはジョブズとの関係修復をはかった。再編は1～2ヵ月をかけてゆっくり進めてほしいというジョブズの求めにも同意。その夜遅くにスカリーの秘書、ナネット・バックホートが電話すると、ジョブズはまだオフィスでぐったりしていた。スカリーは退勤していたので、ジョブズはバックホートのところまで話をしにきた。このときも、スカリーに対する態度は大きく揺れていた。

「どうしてジョンはこんなことをするんだ？　僕を裏切るなんて」

そう言ったかと思うと、今度は、しばらく仕事を離れ、スカリーとの関係修復に努めたほうがいいのかもしれないと言う。

「ジョンとの友情はどんなものにもかえられない。だから、たぶん、いまは友情に集中すべきときなんじゃないかな」

クーデターを画策

ジョブズはノーという回答を受け入れるのが苦手である。だから、1985年5月、スカリーのオフィスを訪れ、自分にマッキントッシュ部門が運営できると示す時間をくれ、事業運営の才があると証明して見せるからと頼んだ。スカリーは譲歩しなかった。とたんにジョブズは矛先をかえ、スカリーに辞職を迫る。

「あなたはいろいろおかしくなっていると思う。最初の年はすばらしい働きだったし、すべてがうまく行った。でも、そのあと、なにかがおかしくなったんだ」

いつもおだやかなスカリーもこのときは痛烈に反撃し、ジョブズはマッキントッシュのソフトウェアも仕上げられなかったし、新しいモデルも作れなかったし、顧客を獲得することもできなかったと指摘する。こうして、マネジャーとしてどちらが下かを争う怒鳴り合いのけんかとなった。えらそうな足取りでジョブズが去ったあと、スカリーは、皆がのぞいているガラスの壁から顔をそむけ、涙を流した。

事態が山場を迎えたのは、5月14日の火曜日、スカリーら経営幹部に対する四半期に一度の進捗状況説明会をマッキントッシュチームがおこなったときだ。まだジョブズはトップの座を明け渡しておらず、けんか腰でチームとともに会議室に登場した。

まず、マッキントッシュ部門のミッションを巡ってジョブズとスカリーは衝突。たくさんのマッキントッシュを売るのがミッションだとするジョブズに対し、スカリーは、アップルという会社全体の利益に資することだと主張した。そのころも部門間の連携がほとんどなく、アップルII部門が開発したものとは違うディスクドライブをマッキントッシュ部門は採用しようとしていた。議事録によると、この論争は1時間も続いたという。

ジョブズは続けて、進行中のプロジェクトを紹介した。製造中止となったリサにかわるパワフルなマックと、マッキントッシュからネットワークにファイルを公開できるファイルサーバーというソフトウェアだ。しかしそれまでと違い、スカリーも予習をおこない、プロジェクトが遅れそうだと知っていた。マレーのマーケティング記録やエンジニアリング関係の期日をボブ・ベルヴィールが守れていないことなど、ジョブズの事業運営についてひややかに論評する。このようなことがあったというのに、ジョブズは最後に、皆が見ている前で、チャンスをもう一度だけくれ、部門トップが自分に務まると証明させてくれと頼んだ。これをスカリーは拒否する。

その夜、ジョブズは、部下とともにウッドサイドのニナズカフェへ出かけた。ジャン＝ルイ・ガセーもいっしょだった。引き継ぎ準備のためにスカリーに呼ばれてきており、ジョブズが誘ったのだ。

乾杯の音頭は、「スティーブ・ジョブズによる世界がなんであるか、本当に理解している人に」とボブ・ベルヴィールがとった。「スティーブによる世界」とは、現実歪曲フィールドをけなす人々が皮肉としてよく使っていた言葉だ。夕食会のあと、ふたりだけになったベルヴィールは、スカリーととことん戦うべきだとジョブズに進言した。

ジョブズは他人の操縦がうまいと有名で、実際、そうしようと思えばあらゆる方法でたくみにおだてて取り込んでしまう。だが意外なことに策謀や計算は不得手だし、他人のご機嫌を取る忍耐力もなければそういうことができる性格でもない。ジェイ・エリオットも、

「スティーブは社内政治をしたことがありません。それは彼の遺伝子《ジーンズ》にも彼のジーンズにも含まれていないのです」

と指摘しているように。おもねるには尊大すぎるのも問題だった。だから、デル・ヨーカムの支持を得ようとしたときも、事業運営についてはヨーカムよりも自分のほうが詳しいなどと口走ってしまうのだ。

この数ヵ月前、アップルはコンピュータを中国に輸出する権利を獲得し、メモリアルデーの週末にジョブズが北京の人民大会堂へ出向いて契約書にサインすることになっていた。この調印式には自分が行くと言い出したスカリーに、ジョブズはかまわないと答える。そのあいだにクーデターを起こそうと考えたのだ。メモリアルデー前の1週間、ジョブズはさまざまな人物を散歩に誘い、計画を打ち明けた。マイク・マレーにも、ジョンの中国出張中にクーデターを起こすと声をかけた。

1985年5月の7日間

5月23日（木）

ジョブズは毎週木曜日にマッキントッシュ部門の上層部を集めて会議をしており、その会議で、スカリー追放の計画と会社の再編について側近たちに話をした。アップルの人事部長であるジェイ・エ

リオットにも計画を内密に伝えたが、うまくいかないだろうと言われてしまう。エリオットは一部の取締役にジョブズ支援を持ちかけるなどしたが、取締役の大半も、アップル幹部の大半もスカリー支持だったのだ。それでもジョブズは計画を進めた。後任となるために呼ばれたガセーにさえ、駐車場を歩きながら計画を漏らした。

「ガセーに話したのは失敗だった」

と、のちのち、苦い顔で認めているが。

その夜、アップルの顧問弁護士、アル・アイゼンシュタットが自宅でバーベキューパーティーを開いた。招待されたのは、スカリー夫婦とガセー夫婦だ。ガセーはジョブズの計画をアイゼンシュタットに話し、スカリーに伝えるべきだとアドバイスされる。

「スティーブは陰謀を巡らし、クーデターでジョンを追放しようとしていました。私はアル・アイゼンシュタットの自宅で人さし指をジョンの胸にあて、『明日、中国に出張したら、あなたは追放されるかもしれない。あなたを排除する準備をスティーブが進めているのです』と伝えました」

5月24日（金）

スカリーは出張を取りやめ、金曜朝におこなわれる定例の幹部会議でジョブズと対決することにした。遅れて会議室に入ったジョブズは、自分がいつも座るスカリーの隣がふさがっていたため、スカリーから一番遠い席につく。仕立てのよいウィルクス・バシュフォードのスーツを着て、元気いっぱいという感じだった。一方、スカリーは顔が青ざめていた。会議冒頭、スカリーは、皆が気にしている問題に対処するため、予定議題はなしにすると宣言。

「君が会社から私を放り出そうとしているという話を聞いた」

スカリーの目はまっすぐジョブズを見ていた。

「まず、それが本当のことなのかを確認したい」

この展開はジョブズも予想していなかった。だが、情け容赦のない率直さでは人後に落ちないジョブズだ。目を細めると、射るようなまなざしでスカリーを見つめる。

「あなたはアップルにとってマイナスだし、アップルの経営者として不適切だと僕は思う」

ひんやりとした声でゆっくりと答える。

「あなたは会社を去るべきだ。経営のやり方がわかっていないし、わかっていたこともない」

製品開発というものがわかっていないとなじったあと、自分本位の痛烈な一撃を追加した。

「あなたには僕の成長を助けるために来てもらったが、僕の助けにはほとんどならなかった」

凍りついた室内で、スカリーは堪忍袋の緒がついに切れた。怒りのあまり、20年ぶりでどもったほどだ。

「き、君は信用で、できない。そ、そして、し、し、信頼の欠如をゆ、許すわけにはい、いかない」

自分のほうがうまく経営できると断言したジョブズに対し、スカリーは賭けに出る。出席者の意見をたずねたのだ。ジョブズは25年たったいまでもこのときの痛みが忘れられないようだ。

「うまい手だった。あれは経営幹部会議だったんだけど、そこで『私とスティーブ、どちらに投票するのか』とスカリーは聞いたんだ。あれで、よほどの馬鹿でなければ僕に投票できない雰囲気になってしまった」

凍っていた人々が居心地悪そうにもぞもぞと動きはじめる。口火は自分が切らなければならないとデル・ヨーカムは思った。ジョブズのことはとても好きだし、今後も社内でいろいろとしてほしいと思う……そう語りはじめ、ジョブズの視線に射貫かれながら、ありったけの力を腹に込め、でもスカリーを「尊敬」しており、会社の経営については彼を支持すると結んだ。アイゼンシュタットもジョブズをじっと見ながら、ジョブズは好きだがスカリーを支持するとほぼ同じ意見を述べた。社外コンサルタントとして傍聴参加していたレジス・マッケンナはもっと端的で、会社経営は早すぎると昔と同じ意見を繰り返した。皆、次々とスカリー支持を表明する。

ビル・キャンベルにとってはとくに答えにくい質問だった。ジョブズは好きだし、とくにスカリーが好きということもないからだ。いかに好きかをジョブズに語るキャンベルの声は震えていた。そして、スカリーを支持はするが、なんとかふたりで相談し、社内にジョブズの仕事を作ってほしいと訴えた。

「スティーブを辞めさせるというのはありえません」

ジョブズは愕然《がくぜん》としていた。

「そうか、そういうことか……」

そうつぶやくと部屋を飛び出す。追いかける者はいなかった。

自分のオフィスに戻ると、忠実なマッキントッシュの古参スタッフを集め、自分はアップルを辞めるしかないと涙ながらに伝える。部屋をあとにしようとしたジョブズを引きとめたのはデビ・コールマンだった。気を静め、一時の思いで取り返しのつかないことをしないようにと皆で頼む。この週末を使って、今後の対策を考えるべきだ。会社をばらばらにするようなことは避けられるかもしれない、と。

一方、スカリーも気落ちしていた。重傷を負った戦士のような足取りでアル・アイゼンシュタットのオフィスへ行き、家まで送ってくれないかと頼む。アイゼンシュタットのポルシェに乗り込んだところでスカリーがつぶやいた。

「やり通せる気がしないな……」

「どういう意味だ？」

「辞任しようかと思う」

「それはだめだ。アップルがばらばらになるぞ」

「いや、やっぱり辞めるよ。この会社にふさわしい人間だとは思えない。取締役会には君から話を通しておいてもらえるかい？」

「それはかまわんが……でも、君は責任から逃げていると思う。彼とはきちんと対峙《たいじ》しなければ」

「失敗したよ……」

真っ昼間に帰宅したスカリーに妻のリージーは驚いた。

そうつぶやくスカリーは小さく見えた。リージーは気性が激しく、ジョブズのことがきらいなら、どうして夫がジョブズに惚れ込んでいるのかも理解できなかった。だから、顚末《てんまつ》を聞くと家を飛び出し、ジョブズに会いに行った。オフィスでグッドアースレストランだと聞き、その駐車場で、デビ・コールマンなどマッキントッシュチームの忠実な部下とともにレストランから出てきたジョブズをつかまえる。

「スティーブ、ちょっといいかしら？」

ジョブズの口がぽかんとひらく。

「ジョン・スカリーのようにすばらしい人物と知り合えただけでもどれほどの栄誉なのか、あなたはわかっているの？」

ジョブズは目をそらす。

「話しかけているのだから、こっちをちゃんと見なさい」

しかし、実際にジョブズが例の鍛《きた》え上げたまなざしでじっと見つめると、さすがの彼女もひるんだ。

「やっぱりいいわ。こっちを見ないで。ふつうなら目に魂が見えるのだけれど、あなたの目には底なしの穴、空っぽのへこみ、生気のないよどみしか見えないわ」

こう言い捨てると、リージーは背を向けて歩き去った。

5月25日（土）

翌土曜日、マイク・マレーがウッドサイドにあるジョブズの自宅を訪れ、プロダクトビジョナリーという役割を受け入れてアップルラボを作り、本社とは距離を置けとアドバイスした。それも悪くないかとジョブズも思った。しかしまず、スカリーと仲直りをする必要があると思い、日曜日の午後、スタンフォード大学裏手の丘をいっしょに歩かないかと電話で和解を申しいれる。幸せだった時代にふたりで歩いた場所なら、打開策が見つけられるかもしれない。

辞めるとスカリーが口走っていたことをジョブズは知らなかったが、それで事態が変わるわけではなかった。一晩寝て落ちつき、スカリーは職にとどまる決意をしていたからだ。また、前日には大げんかをしたが、ジョブズに嫌われたくないという思いが強かった。だから、翌日午後に会おうという話を受け入れた。

このあとジョブズはマレーと映画を観ることにしたが、和解の準備をしていたにしては不思議な映画をジョブズは選ぶ。絶対にあきらめない将軍の物語、『パットン大戦車軍団』を選んだのだ。ところがテープは父親に貸したままだった（父親のポールは、戦時中、パットン将軍に兵を送りとどける作戦に参加したことがあった）。マレーと実家に出かけてみると両親は不在。家の鍵がなかったので、鍵をかけ忘れたドアや窓はないかチェックしたがだめだった。レンタルショップにもなかったので、結局、ふたりは『裏切者』を観ることにした。

5月26日（日）

ジョブズとスカリーは、午後、予定どおり、スタンフォード大学の裏手で落ち合い、馬の牧場が広がるゆるやかな丘を何時間も歩いた。ジョブズは、事業部門を担当させてほしいと繰り返す。スカリーも今度は揺るがず、それはうまくいかないと繰り返す。逆に、スカンクワークスを率いるプロダクトビジョナリーになるようにとスカリーは勧めるが、それでは「お飾り」にすぎないとジョブズは拒否する。それどころか、現実とのつながりをすべて無視し、会社の経営権を自分に譲らないかと提案する。ジョブズでなければありえないカウンターだろう。

「あなたが会長になり、僕が社長兼最高経営責任者というのはどうでしょう？」

ジョブズがまじめに提案していることにスカリーは驚いた。

「スティーブ、それは筋が通らないよ」

「では、会社経営のうち、製品関係は僕、マーケティングや事業についてはあなたが分担するというのは？」

取締役会はスカリーに支持を与えただけでなく、ジョブズを抑え込めと命じていた。

「経営にあたるのはひとりでなければならない。私は支持を得たが君は得られなかった」

ふたりは握手をして別れる。ジョブズは、プロダクトビジョナリーについては考えてみると約束した。

ジョブズはマイク・マークラの家に寄ってみたが不在だったので、翌日の夜、夕食に来ないかというメッセージを残す。マッキントッシュチームのなかでもとくに忠義なメンバーにも声をかけた。スカリー支持は愚かなことだとマークラを説得してもらえればと思ったのだ。

5月27日（月）

メモリアルデーは快晴で暖かかった。マッキントッシュのコアメンバーであるデビ・コールマンにマイク・マレー、スーザン・バーンズ、ボブ・ベルヴィールは、夕食の1時間前にジョブズの家に集合し、マークラ説得の戦略を練った。

夕日のあたるパティオに座り、コールマンは、マレーと同じように、プロダクトビジョナリーとなってアップルラボを立ち上げるというスカリーの提案を受けるべきではないかと提案した。ジョブズ側近のなかではコールマンがもっとも現実的だった。会社の再編計画でスカリーは彼女を製造部門のトップに起用したが、それは、彼女の忠誠心がジョブズだけでなくアップルにも向いていると知っていたからだ。ほかのメンバーはタカ派だった。ジョブズをトップに据える再編を支持するようマークラに求めるべきだ、少なくとも、製品部門のコントロールは彼のまま、とする計画の支持を求めるべきだと考えていた。

来訪したマークラは、ジョブズが黙っているなら話を聞くと承諾する。

「マッキントッシュチームの考えを聞きたいと思ったのです。ジョブズが彼らを反乱に引き込むのを見るのではなく」

夜の冷気が身にしみるようになると屋内に移動し、家具がほとんどない部屋で暖炉のまわりに集まった。カードテーブルの上には、お抱えの料理人が全粒粉で作ったベジタリアンピザがある。マークラは、近くで穫れたチェリーを箱から直接つまんでいた。ジョブズがいつも用意しているオルソンのチェリーだ。愚痴大会にならないよう、マークラは具体的な課題に話が集中するようにした。ファイルサーバーソフトウェアの開発における問題の原因や、需要の変化にマッキントッシュの物流が対応できなかった理由などだ。話を聞き終えたマークラは、ジョブズは支持できないとはっきり断る。

「彼の計画は支持できないと言いました。それで話はおしまいです。ボスはスカリー。皆、頭にきて、反乱がどうとかいう話も出ていましたが、そういうやり方はよくありませんからね」

スカリーも、その日一日、さまざまな人にアドバイスを求めて過ごした。ジョブズの要求を呑むべきかとたずねるたび、返ってきたのは、そのようなことは考えるまでもないという反応だった。そういう質問をするだけで、スカリーは取り乱している、ジョブズに気に入られたいといまだに思っているらしいと見られたりもした。とあるシニアマネジャーには、こう言われたという。

「我々はあなたを支持している。あなたにはリーダーシップを発揮してもらわなければならないし、スティーブを事業に戻してもらっては困る」

5月28日（火）

支持を確認して気合を入れ直したスカリーは、前日、寝返りを求められたとマークラから聞いて激怒し、朝一番にジョブズのオフィスを訪れた。取締役は皆、自分を支持している、君には退《ひ》いてもらう――そう告げたあと、今度はマークラの自宅に出向き、再編計画を説明する。細かな点を確認した上で、マークラは、がんばってくれとスカリーを励ます。オフィスに戻ったスカリーは、取締役全員に連絡を取り、いまも自分を支持しているかと確認。

取締役全員の支持を確認したあと、ジョブズにだめ押しの電話をいれる。再編計画に対し、取締役会から最終承認を得た。今週中に実施する。ジョブズが溺愛《できあい》するマッキントッシュも、ほかの製品も、ガセーが引き継ぐ。ジョブズが担当する部門はない。とはいえ、多少の手はさしのべられた。会長にはとどまることができるし、実権はないがプロダクトビジョナリーにもなれる。ただし、アップルラボといったスカンクワークスを立ち上げるという話は消えていた。

ことここにいたってはジョブズも認めざるをえなかった。上訴もできない。現実を歪曲することもできない。泣きながら電話をかける——ビル・キャンベル、ジェイ・エリオット、マイク・マレー……。マレーの家でジョブズの電話を受けたのは、海外に電話していた妻だった。緊急だと交換手が割って入ったので「重要な用件なんでしょうね」と聞くと、「そうだ」とジョブズの声がした。マレーが出たとき、ジョブズは電話の向こうで泣いていた。

「終わったよ」

その一言で電話は切れた。

落ち込んでばかなことでもするんじゃないかと心配になったマレーが折り返すが、ジョブズは出ない。ウッドサイドの自宅へ行き、ノックをしても返事がない。マレーは庭にまわると壁をよじ登り、ベッドルームをのぞいた。家具のない部屋に置かれたマットレスにジョブズが横たわっていた。この日、ふたりは明け方近くまでいろいろと語り合った。

5月29日（水）

ジョブズはようやく『パットン大戦車軍団』を手に入れ、水曜日の晩はビデオを観て過ごす。だが、マレーと話し合った結果、もう、一戦交える気はなくなっていた。マレーからは、逆に、金曜日にスカリーがおこなう再編計画の発表に顔を出せと言われていた。裏切りの将ではなく、立派な兵となるしか道は残っていなかった。

ライク・ア・ローリング・ストーン

ジョブズは講堂の後ろにそっと滑り込んだ。集まった兵たちに、壇上からスカリーが新しい戦闘の序列を説明している。ちらちらと横目でジョブズを見る人はたくさんいたが、目顔であいさつする人もほとんどなく、まして、わざわざあいさつに来る人はいなかった。ジョブズはスカリーをじっと見つめる。この「軽蔑のまなざし」は何年たっても忘れられなかったとスカリーは言う。

「あの視線はX線のように骨までえぐり、内面の柔らかくて壊れやすいところまで突きささりました」

ジョブズに気づかないふりをしながら、スカリーは、マサチューセッツ州ケンブリッジまでジョブズのヒーロー、エドウィン・ランドをふたりで訪ねた1年前のことを思い出していた。ランドは自分が創業したポラロイドから追い出されたあとで、そのときジョブズはスカリーにこう吐き捨てた。

「たかだか何百万ドルか無駄にしただけじゃないか。その程度で会社を取り上げるなんて」

その彼から、自分はいま、会社を取り上げようとしている――その思いがスカリーをとらえた。

スカリーはプレゼンテーションを続ける。ジョブズのことは無視したままだ。組織図に従って説明を進め、マッキントッシュとアップルⅡを統括した製品グループの新しいトップとしてガセーを紹介する。組織図の一番上には「会長」と書かれた小さなボックスがあったが、そこからは、スカリーにも誰にも線が出ていなかった。「会長」については、「グローバルビジョナリー」として活躍してもらうとだけ説明する。ここでも、会場にいるジョブズのことは無視である。まばらな拍手があがった。

ハーツフェルドはこの件を友人から知り、退社後あまり寄りつかなかったアップル本社を訪問した。残っている昔の仲間に同情の意を示そうと思ったのだ。

「いま思い返しても、取締役会がスティーブをはずすなど信じられません。付き合いにくいときはありますが、スティーブが会社の心であり魂であったのは間違いないのですから。アップルⅡ部門でスティーブの優越感が癇《かん》に障っていた一部は大喜びしていたし、組織再編を昇進のチャンスととらえる人もいましたが、社員の大半は、どんよりと暗い気持ちで将来に不安を感じていました」

アップルラボの立ち上げにジョブズが同意していたら、復職して彼のために働こうとも考えていたが、残念ながらその話はなかった。

それから数日、ジョブズは自宅にこもった。ブラインドを下ろし、留守番電話にして、恋人のティナ・レドセとしか会わなかった。床に座り、何時間もボブ・ディランのテープを聴く。とくに「時代は変わる」を繰り返し聴いた。16ヵ月前、マッキントッシュを株主に紹介したとき、2番の歌詞を紹介した歌だ。そう、最後が「今日の敗者も／明日は勝者に転じるだろう……」というあの歌である。

日曜夜、その憂鬱《ゆううつ》を払うため、アンディ・ハーツフェルドとビル・アトキンソンをトップとする〝救助隊〟をマッキントッシュ時代の仲間が送り込んできた。彼らのノックにもなかなか応えなかったジョブズだが、最後は皆をキッチンの隣の部屋へと招き入れ（多少なりとも家具が置かれた数少ない部屋のひとつだ）、ティナに手伝ってもらって残り物のベジタリアンフードを並べた。そのジョブズにハーツフェルドが声をかける。

「それで、どんな感じだい？　見た目と同じくらいひどいのかな」

「いや、もっとひどいよ」

ジョブズは顔をしかめる。

「想像を超えたひどさだよ」

そう言うと、スカリーには裏切られたとなじり、自分なしでアップルは立ちゆかないと憤慨する。会長という名前が形だけなのも不満だった。バンドリー3ビルのオフィスからほとんど無人のビルに移され、そこを「シベリア」と呼んでいる……。ハーツフェルドが楽しかった時代に話題をふり、皆で思い出話に花を咲かせた。

その週は、ディランの「エンパイア・バーレスク」という新しいアルバムがリリースされた週だった。持参したレコードをハーツフェルドがジョブズの高級ターンテーブルにかける。とくに注目されていたトラックは「フォーリング・フロム・ザ・スカイ」という黙示録的なメッセージの歌で、この日の気分にぴったりなのではないかと思われたが、ジョブズは気に入らないという。まるでディスコのようだし、だいたい「血の轍《わだち》」以降、ディランはどんどん悪くなっているとつぶやく。

それではとハーツフェルドは、アルバム最後の「ダーク・アイズ」に針を動かした。ディランひとり、ギターとハーモニカだけのシンプルなアコースティックナンバーだ。ゆったりと哀愁を帯びた曲で、大好きだった昔のディランを思い出してくれるのではないかとハーツフェルドは期待したのだが、ジョブズはこれも気に入らないし、ほかの曲も聴きたくないと言う。

ジョブズがここまで落ち込んだのもわからないではない。ジョブズにとってスカリーは父親的存在だった。マイク・マークラも。アーサー・ロックも。この1週間で、3人すべてに捨てられたのだ。赤ん坊時代に拒絶されたという原体験が呼び起こされたのだろうと、友だちで弁護士のジョージ・ライリーは言う。

「彼にとっては、そここそが自分だ、というほど大事な部分なのだと思います」

だから、マークラやロックなど父親的存在に拒絶されると、自分はまた捨てられたと感じてしまう。ジョブズ本人は、のちにこう表現している。

「強烈なパンチを食らい、空気が肺からたたき出されて息ができなくなった——そんな感じだった」

なかでもアーサー・ロックの支持を失ったことがつらかったとジョブズは語っている。

「アーサーは僕にとって父親のような人、保護者だった」

ロックにはオペラについていろいろと教えてもらったし、サンフランシスコでもアスペンでも自宅に招いてもらった。贈り物をあまりしないジョブズも、日本出張でソニーのウォークマンを買ってくるなど、ロックには何度かプレゼントを贈っている。

「サンフランシスコに車で入ろうとしたとき、『バンクオブアメリカのあのビルはひどいな』と指摘したら、『いや、あれは最高のビルだよ』といろいろ教えてくれたんだ。もちろん、正しかったのは彼さ」

その彼に捨てられたときのことは、何年たっても、涙なしには語れない。

「彼は僕よりスカリーを選んだ。あれには打ちのめされた。彼が僕を捨てるなんてありえないと思っていたんだ」

しかも、最愛の会社はまぬけだと思う連中の手に落ちてしまった。踏んだり蹴ったりである。

「僕に会社の経営はできないと取締役会は考えたわけだけど、それは彼らが判断すべきことだ。でも、間違いがひとつあった。僕をどうするかとスカリーをどうするかは別々に判断すべきだったんだ。僕にアップルの経営を任せられると思わなくても、スカリーは首にすべきだった」

沈んだ気持ちは多少なりとも癒えていったが、スカリーに対する怒り——裏切られたという恨みの感情——は強くなっていった。仲直りさせようとする共通の友だちもいた。たとえば1985年の夏、ゼロックスPARC時代はイーサネットの開発をしていたボブ・メトカーフがウッドサイドに新築した自宅にふたりを招いた。

「あれは大失敗でした。ジョンとスティーブはテーブルの両端に離れたまま言葉も交わさないし、私にはどうにもなりませんでした。スティーブは優れた思想家にもなりますが、ただただ嫌味な人間にもなれるんです」

スカリーも、アナリストを集めた説明会で「会長という肩書はあってもジョブズは実質的に会社と関係ない」と発言し、事態を悪化させた。

「経営という観点で申し上げるならば、現在も、また、将来も、スティーブ・ジョブズにはなんの役割もありません。今後彼がなにをするのか、私はまったく関知していません」

あまりに冷ややかなコメントに会場は息を呑んだ。

欧州に逃げ出せば少しはましかもしれない——ジョブズはそう考えた。6月にはパリで開かれたアップルのイベントで講演をおこない、米国副大統領のジョージ・H・W・ブッシュの夕食会にも出席。そこからイタリアへ行き、恋人とトスカナの丘をドライブしたり、バイクを買ってひとりで乗りまわしたりした。フィレンツェでは、建物と建築材料の質感をたっぷり見て歩く。とくに印象に残ったのは、トスカナのフィレンツォーラの近くにあるイル・カゾーネ採石場から切り出された敷石だった。落ちついた雰囲気の青みがかったグレーで、華麗さと親しみやすさが共存している。20年後、アップルストアの床は基本的にイル・カゾーネ採石場の砂岩にするとジョブズが決めた背景には、このような経験があったのだ。

アップルⅡが当時のソ連で発売されるタイミングだったので、モスクワへ行き、アル・アイゼンシュタットとも会った。ワシントンから輸出許可の一部が取得できないというトラブルがあり、在モスクワアメリカ大使館の商務官、マイク・マーウィンが同行していた。ソ連への技術供与は法律で厳しく制限されているとうるさく言う商務官にジョブズはいらつく。パリのトレードショーでは、ブッシュ副大統領から「草の根から革命を醸成する」ため、コンピュータをどんどんロシアに輸出してくれと言われていたのだ。シシカバブが名物のグルジアレストランでもマーウィンに文句を言い続けた。

「どう見ても米国の利益になる話なのに、それが法律違反というのはいったいどういうことです？　マックをロシア人に渡せば、みんな、新聞を印刷できるようになるんですよ？」

ジョブズはモスクワでも血気盛んなジョブズで、カリスマ的なロシアの革命家だったが失脚し、スターリンの命令で暗殺されたトロツキーの話をあちこちで繰り返した。トーンダウンしたほうがいいとKGBのエージェントから忠告されたことさえある。

「トロツキーの話はしないほうがいい。歴史を詳しく検討した結果、我々は彼を偉大な男だと考えていない」

そのくらいで黙るジョブズではなかった。モスクワの国立大学でコンピュータ専攻の学生に話をしたときも、トロツキーをたたえる話から入った。トロツキーという革命家に自分と同じものを感じていたのだろう。

7月4日、ジョブズとアイゼンシュタットはアメリカ大使館で開かれたパーティーに出席した。その後、アーサー・ハートマン大使に宛ててアイゼンシュタットが書いた礼状には、今後、ロシアにおけるアップルの事業はジョブズが推進すると書かれていた。

「いまのところ、9月にはモスクワに戻ってくるつもりでいます」

このころは、ジョブズが「グローバルビジョナリー」になってくれればというスカリーの願いが実現するかもしれないと思われた。しかし現実はそうならなかった。この9月、事態が大きく転換したのだ。

第18章

ネクストプロメテウスの解放

海賊、船を捨てる

スタンフォード大学学長、ドナルド・ケネディが主催してパロアルトで開かれた昼食会の席で、ジョブズはノーベル賞を受賞した生化学者のポール・バーグと隣になり、遺伝子組み換え技術についていろいろと話を聞いた。ジョブズは情報を吸収するのが大好きだ。自分より知識がはるかに多いと感じる相手からならなおさらだ。だから、今後の人生ですべきことを模索していた1985年8月、欧州から戻ると、また会えないかとバーグに連絡を入れる。ふたりはスタンフォード大学のキャンパスを歩き、小さなコーヒーショップでランチをともにした。

生物学では実験が大変なこと、実験を1回おこない、その結果を得るのに数週間もかかる場合があることなどをバーグが語ると、ジョブズが別の方法を提案する。

「コンピュータでシミュレーションをされたらどうでしょう。実験時間も短縮できますし、将来、微生物学を学ぶ学生が〝ポール・バーグ遺伝子組み換えソフト〟を使う日が来るかもしれませんよ」

そういうシミュレーションができるコンピュータは高すぎて大学では買えないと説明したところ、「大きな可能性に気づいたスティーブは、急に目の色が変わった」とバーグは語る。

「彼は会社を作りたいと考えていたようです。若くてお金も十分にある。あとは、自分の人生を賭けられるなにかが必要だった。そういうことだったのではないでしょうか」

ジョブズはすでに、大学におけるワークステーションのニーズを詳しく調べていた。1983年にブラウン大学のコンピュータサイエンス学科へマッキントッシュを見せに行き、大学の研究室ではもっとパワフルなマシンでなければ役に立たないと言われて以来、ずっと気になっていたからだ。大学の研究者が欲しいのは、パワフルかつパーソナルなワークステーションだった。

そのころマッキントッシュ部門の長だったジョブズは、ビッグマックというプロジェクトを立ち上げる。使いやすいマッキントッシュのインターフェースからユニックスのオペレーティングシステムが使えるマシンを作ろうとしたのだ。しかし、1985年の夏にジョブズがマッキントッシュ部門を追われると、後任のジャン＝ルイ・ガセーはこのプロジェクトをキャンセルしてしまう。

ビッグマック用チップセットの開発を担当していたリッチ・ペイジは、救難信号を発信する。じつはそれまでにも、ジョブズのところには、新会社を作って自分たちを救ってほしいという話が不満を抱いたアップル社員から何度も入っていた。

レイバーデーの週末に話が具体化する。マッキントッシュの元ソフトウェアチーフ、バド・トリブルに対し、パワフルだがパーソナルなワークステーションを開発する会社を作ったらどうだろうかとジョブズが持ちかけたのだ。マッキントッシュ部門で働いていたエンジニアのジョージ・クロウと経理のスーザン・バーンズにも声をかけた。ふたりとも、退職を考えていたのだ。

もうひとり、どうしてもチームに必要な人物がいた。新製品を大学に売り込める人間だ。第一候補はダニエル・ルイン。ジョブズがパンフレットの勉強に通ったソニーのオフィスで働いていた人物だ。ジョブズが１９８０年に引き抜いたあと、ルインは、マッキントッシュの共同購入をおこなう大学のコンソーシアムを組織する仕事をしていた。クラーク・ケント似の整った顔立ち、プリンストン出身らしい上品さ、大学水泳チームのエースを務めた風格を併せ持つ人物だ。このように生い立ちは大きく異なるが、ルインとジョブズには共通点もあった。ルインはプリンストンの卒業論文でボブ・ディランとカリスマ的リーダーシップについて取り上げたし、ジョブズもこのふたつについては、ちょっとしたものだった。

ルインの大学コンソーシアムはマッキントッシュグループにとって救いの神だったが、ジョブズがいなくなったあと、ビル・キャンベルがマーケティングの再編を進めた結果、大学への直接販売があまり重視されなくなってしまった。がっかりしたルインがジョブズに連絡しようと思った矢先、レイバーデーの週末にジョブズが電話をかけてきたわけだ。家具がほとんどないジョブズの邸宅まで車を飛ばし、庭を歩きながら新会社の構想について話を聞く。すごいと思ったが、すぐには決められない。翌週、ビル・キャンベルとオースティンに出張するので、そのあと決めることにした。

オースティンから戻ったルインの答えは、参加する、だった。そのすぐあとの9月13日はアップルの取締役会が開催される日だった。実権を失ったあとは出席していなかったが、今回は出席する、議題の最後に「会長の報告」を入れてくれとスカリーに連絡する。先日の組織再編に対する糾弾だろうとスカリーは思っていたが、ジョブズの話は新会社の構想だった。

「このところいろいろと考えていたのだけれど、前進すべきときが来たと思う。なにもしないでいるわけにはいかない。僕は30歳だからね」

と話しはじめたジョブズは、高等教育市場向けコンピュータを開発するという考えをメモを見ながら説明した。新会社がアップルと競合することはありえない。社員は何人か連れて行くが、人数も少ないし重要な役職についていない者ばかりだ。アップル会長の職を辞してもいい。ただ、今後も協力してゆけたらと思っている。新製品の販売権をアップルが買うとか、マッキントッシュのソフトウェアを新製品にライセンスするとか、方法はいろいろとあるだろう。

アップルの社員を連れて行くという話にマイク・マークラがかみついた。

「なぜ社員を連れて行くんだ?」

「怒らないでほしいな。いずれも職位が低く、いなくなっても困らない社員だし、いずれにせよ辞めようと考えている人ばかりだから」

この話に取締役会は好意的な反応を示した。ジョブズに退席してもらって対応を協議した結果、新会社の株を10パーセント購入してもよい、ジョブズにもアップルの取締役として残ってほしいとの結論に達する。

その夜も、ジョブズと5人の海賊はジョブズ宅に集まり、夕食を囲んだ。アップルからの投資にジョブズは乗り気だったが、ほかのメンバーが反対し、遠慮することに決まった。また、全員がすぐに会社を辞めたほうがいい、そのほうが後腐れがないという点も意見が一致した。

これを受けてジョブズはきちんとしたレターをスカリー宛てに書いた。会社を去る5人の名前を明記し、小文字だけの繊細な署名を入れる。この手紙を、翌朝、7時半からのスタッフミーティングがはじまる前、スカリーに手渡した。読み終わったスカリーは開口一番、

「スティーブ、これは職位が低い人たちではないよ?」

「……でも、どうせ辞める予定だった連中だ。今朝9時までに辞表を出すと全員が言ってる」

ジョブズとしてはごまかしたつもりなどなかった。退船する5人は部門長でもなければスカリーの

側近チームのメンバーでもないし、組織再編である意味降格されたように感じていた。しかしスカリーにとって、彼らは重要なプレイヤーだった。ペイジはアップルフェローだし、ルインは高等教育市場のキーマンなのだ。ビッグマックについての知識もある。棚上げされたプロジェクトではあるが、その情報が社外秘であることは変わらない。それでも、このときのスカリーは楽観的で問題点を深く追及せず、取締役として残る件についてジョブズの意見をたずねた。ジョブズは考えておくと答える。

しかし、7時半からのスタッフミーティングでスカリーが退社メンバーを発表すると大騒ぎになった。ジョブズの行動は会長として不適切で、会社に対する背信行為だと側近の大半が感じたのだ。スカリーによると、キャンベルなどは、

「彼を救世主だと社員が思わなくなるように、彼の裏切りを公開すべきだ」

と叫んだらしい。

あの朝は本当に頭にきたとキャンベルも認める（のちにはジョブズの擁護・支持にまわる）。

「とくにダニエル・ルインを連れて行ったことが頭にきました。ルインは大学とのパイプでしたから。スティーブと仕事をするのは大変だといつも愚痴っていたのに行ってしまうなんて」

あまりに頭にきたキャンベルはミーティングを抜け出し、ルインの自宅に電話をかける。奥さんがシャワー中だと答えたが、

「では、待たせてもらいます」

と電話を切らない。数分後、まだシャワー中だと言われても、

「待たせてもらいます」

とがんばり、ようやく電話に出たルインに、あの話は本当かと聞く。本当だとルインが答えると、

キャンベルは黙って電話を切った。

幹部の怒りを感じたスカリーは取締役に意見を求めた。取締役も、重要な社員を引き抜かないという約束は取締役会をあざむくものだと感じた。とくに怒ったのがアーサー・ロックだ。メモリアルデーの対決ではスカリーを支持したが、ロックはその後、ジョブズとの関係を修復。ちょうど1週間前、彼女のティナ・レドセを連れてサンフランシスコまで来いとジョブズに声をかけ、ロックの妻も加えて4人で、パシフィックハイツにあるロックの自宅で夕食を囲んだばかりだった。そのとき新会社の話が出ていなかったため、ロックは裏切られたと感じた。

「取締役会でスティーブはうそをついたのです。実質的に新会社を作っていたにもかかわらず、これから会社を作るつもりだと言いました。連れて行くのも、ミドルレベル数人という話でした。でも、実際は幹部5人だったわけです」

表現は抑えているが、マークラも怒っていた。

「立ち去る前、幹部の一部にこっそりと声をかけて連れて行ってしまいました。そういうやり方はよくありません。紳士的だと言えません」

この週末、取締役会も幹部社員も、アップルとして共同創設者に宣戦布告すべきだとスカリーを説きふせた。その結果、スカリーは、「アップルの中核社員を引き抜かないとの誓約に直接違反する」行為をジョブズがしていると非難する声明を発表した。そこには「現在、対応策を検討中です」との一文もあった。ウォールストリートジャーナル紙は、ジョブズの行動に「驚き、ショックを受けた」というビル・キャンベルの言葉も引用。また、取締役のひとりが「いままで数多くの会社で仕事をしてきたが、これほど怒った人々を見たのははじめてだ。全員が、彼にだまされたと感じている」と語ったとも報じた。

スカリーと別れたとき、ジョブズはスムーズにいきそうだと感じ、あとは様子を見ることにした。しかし、このような新聞報道が出た以上、黙っているわけにはいかない。仲のよい記者数人に声をかけ、翌日、自宅で内々の記者会見を開くと伝える。レジス・マッケンナでジョブズのパブリシティを担当してきたアンドレア・カニンガムにも助けを求めた。カニンガムがジョブズの自宅に着くと、スティーブと5人の仲間がキッチンに集まり、外には記者が数人いるという状況だった。

本格的な記者会見を開くつもりだと宣言したジョブズは、そこで話す内容として、相手の名誉を傷つけるようなことをいろいろと語りはじめた。カニンガムはぞっとした。

「そんなことを言ったら逆効果ですよ」

さんざんもめたが、最後はジョブズが折れた。こうして、記者には会長職の辞任を伝えるレターのコピーを渡し、口当たりのよいコメントのみ報道を許すことになった。

辞任のレターは郵送にしようとジョブズは考えたが、それは火に油を注ぐとスーザン・バーンズが説得し、ジョブズ自身がマークラの自宅まで届けることになった。マークラ宅にはアップル顧問弁護士のアル・アイゼンシュタットも来ていた。ドアを挟んで緊迫した会話が15分ほども続いたが、ジョブズがのちのち後悔するようなことを言い出す前にバーンズが玄関まで迎えに行く。あとに残されたのは、ジョブズがマッキントッシュで書き、真新しいレーザーライターでプリントアウトしたレターだった。

1985年9月17日
親愛なるマイク
朝刊に、会長の僕の罷免《ひめん》をアップルが検討しているという記事がありました。どこから出た記

事なのかはわかりませんが、いずれにせよ、これは誤解を招くとともに僕に対して不公平な記事です。

あなたも覚えているはずですが、木曜日の取締役会で、僕は新会社を作ろうとしていることを話し、会長を辞任したいと申し出ました。

あのとき、取締役会は僕の辞任を受け入れず、1週間待ってくれと言ったはずです。その提案に僕が同意したのは、新会社に取締役会が好意的だったから、また、アップルが投資することもあるという話だったからです。金曜日、新会社に参加するメンバーをジョン・スカリーに伝えたときも、アップルと新会社が協力できる分野を検討する意思があると言ってくれました。

ところがその後、会社は態度を硬化させ、僕と新会社に敵対するようになりました。ことここにいたれば、僕としても、辞職願を速《すみ》やかに受理するよう、アップルに要求せざるを得ません。ご承知のように、先日おこなわれた組織再編の結果、僕は仕事もなく、定例の経営報告さえも読めなくなりました。僕はまだ30歳。まだまだ、なし遂げたいことがあるのです。

ここまでいっしょにやってきたのですから、別れも友好と威厳に満ちたものにしようではありませんか。

敬具

スティーブン・P・ジョブズ

総務の人間がジョブズのオフィスを片付けに行ったところ、写真立てが床に転がっていた。写っているのは仲のよさそうなジョブズとスカリー。「すばらしいアイデア、すばらしい体験、そして、すばらしい友情に！　ジョン」という言葉も添えられている。ガラスは割れていた。ジョブズが床にたたきつけたのだ。その日以降、ジョブズがスカリーと言葉を交わすことはなかった。

ジョブズの辞任を受け、アップルの株価は7パーセント近く、ほぼ1ポイントも上昇した。技術系企業の株式ニュースレターは、この動きについて、

「東海岸の株主は、アップルはカリフォルニアの奇人が経営している点に懸念を抱いてきた。今回、ウォズニアックもジョブズも会社を去り、そのような株主が安心したということだ」

と報じた。一方、10年ほど前、メンターとしてジョブズをおもしろいヤツと見ていたアタリ創業者のノーラン・ブッシュネルは、タイム誌の取材に、ジョブズがいなくなったのは大きな損失だと答えている。

「今後、アップルはどこからインスピレーションを得るのでしょうか。ペプシの新ブランドという飾りでも付けるのでしょうか」

スカリーとアップル取締役会は、ジョブズとなんらかの合意にいたろうという努力を数日間続けたが成果をあげられず、「受託義務違反」でジョブズを訴えることにする。訴状には、以下のように書かれていた。


ジョブズはアップルに対して一定の受託義務を負っていたにもかかわらず、アップル取締役会会長として、また、アップルの役員としてその職務をおこないながら、また、アップルの利益に対して忠誠であるかのようにふるまいながら……、
①アップルと競合する企業の設立を秘密裏に計画した。
②彼が新設する競合企業が、次世代製品の設計・開発・販売に関するアップルの計画を不当に利用する計画を秘密裏に策定した。

③アップルの中核社員を秘密裏に引き抜いた……。

そのとき、ジョブズはアップル株式の11パーセントにあたる650万株を所有していた。時価で1億ドルを超える量だ。その株を退職直後から売りはじめ、5ヵ月で1株を残してすべて売ってしまう。1株残したのは、株主総会に出たいと思ったときに出られるようにするためだ。

ジョブズは怒り狂っていた。だから、なにをどう言いつくろおうがライバルとなる会社をしゃにむにスタートさせた。新会社でもしばらく働いたジョアンナ・ホフマンはそう見ている。

「彼はアップルに対してものすごく腹を立てていました。アップルの強みである教育市場を狙ったのは、スティーブがさもしい復讐に燃えていたからです。あれは復讐だったのです」

もちろん、ジョブズは別のとらえ方をしていた。だから、

「自分自身や他人になにかを証明する変なチップなんて、僕の肩には埋め込まれていないよ」

とニューズウィーク誌にコメントした。お気に入りの記者をウッドサイドの自宅に呼んで話をしたときのことだ。なお、このときは慎重にしろとうるさいアンドレア・カニンガムは呼ばなかった。家具のないリビングに集まったジャーナリストを前に、5人を不適切なやり方で引き抜いたという話も否定する。

「みんな、向こうから電話をしてきたんだ。彼らは会社を辞めようと考えていた。アップルは社員をないがしろにするんだ」

自分の側から見た話を世間に知らしめるため、ニューズウィーク誌の特集記事に協力しようと決めたジョブズはさまざまなことを打ち明けた。

「僕が得意なのは、才能のある人材を集め、なにかを作ることだ」

アップルは大好きだと認める。

「アップルとの関係は初恋のようなものだ。初恋の女《ひと》を忘れられないように、僕はアップルのことを忘れられないだろう」

それでも、必要ならアップルの経営陣とは戦う。

「公然と盗っ人呼ばわりされたのでは、黙っているわけにはいかないよ」

自分やその仲間を訴えるとアップルが脅してきたのには腹が立った。悲しくもあった。アップルという会社から自信と反抗心が失われたことを示すからだ。

「4300人あまりを擁する20億ドル企業が、ジーパン姿の6人とまともに競えないなんて、ちょっと考えられないね」

ジョブズの情報戦略に対抗するため、スカリーはウォズニアックを起用する。ウォズニアックは他人を操ろうとしたり意地悪をしたりすることのない人物だが、自分の気持ちは常に正直に語る人物でもある。その週のタイム誌に、ウォズの談話が載った。

「スティーブはひどい言葉や態度でまわりを傷つけることがあるんだ」

新会社への参加も要請されたという。アップルの現体制に一撃を加えられる可能性のある方法だが、そういうもめ事に首を突っ込むつもりのないウォズニアックはジョブズの電話に折り返しさえしなかった。また、サンフランシスコクロニクル紙には、アップル製品と競合する可能性があるというこじつけで、ジョブズがフロッグデザインをウォズのリモコンの仕事からはずした件について語った。

「すばらしい製品ができたらいいなと思うし、彼には成功してほしいとも思う。でも、彼の誠実さをぼくは信じられないんだ」

独立独歩

「スティーブにとって人生最高の出来事は、我々が彼を首にし、どこかに行っちまえと告げたことです」

と、のちにアーサー・ロックは述懐している。愛のむちでジョブズが賢く、大人になったと解釈する人が多いが、そこまでシンプルな話ではない。

アップルから追放されたあとに創設した会社で、ジョブズは、良い意味でも悪い意味でも本能のおもむくままに行動した。束縛する者もなく、自由だった。その結果、華々しい製品を次々と生み出し、そのすべてで大敗を喫する。これこそがジョブズ成長の原動力となった苦い経験である。その後の第3幕における壮麗な成功をもたらしたのは、第1幕におけるアップルからの追放ではなく、第2幕におけるきらめくような失敗の数々なのだ。

最初に追求した本能は、デザインに対する情熱だった。新しい会社の名前はわりと素直な「ネクスト」（Ｎｅｘｔ）だった。この会社を目立たせるためには世界的なロゴが必要だとジョブズは考えた。依頼しようとしたのは企業ロゴのベテラン、ポール・ランドだった。ブルックリン生まれのグラフィックデザイナー、ポール・ランドはこのとき71歳で、エスクァイア、ＩＢＭ、ウェスティングハウス、ＡＢＣ、ＵＰＳなどの有名なロゴを手がけた実績があった。しかしちょうどＩＢＭとの契約がある時期で、ほかのコンピュータ会社のロゴを作るわけにはいかないとスーパーバイザーに断られてしまう。ジョブズはＩＢＭのＣＥＯ、ジョン・エーカーズに電話をかける。出張中だと断られてもジョブズは引き下がらず、結局、副会長のポール・リッツォと話をした。2日後、リッツォはジョブズに抵抗するのはエネルギーの無駄づかいだと悟り、ネクストの仕事をしてもよいとランドに連絡する。

ランドはパロアルトへ飛び、散歩をしながらジョブズのビジョンを確認した。コンピュータの外形は立方体とする。シンプルで欠点のない形で、ジョブズが大好きだったからだ。こう聞いたランドは、ロゴも立方体として、それを小粋に28度傾けたらいいと考えた。選べるように何種類か案を出してほしいと頼んできたジョブズに、自分は複数の案を出すことはしないと答える。

「私があなたの問題を解決し、料金をいただきます。私が作るものをあなたは使ってもいいし使わなくてもかまいません。でも、複数案を出すことはしません。いずれにしても料金はいただきます」

ジョブズはこのような考え方を高く評価する。しっくり来るものを感じるからだ。このとき、ひとつのデザインに10万ドルもの報酬を支払うという賭けに出たのはそのためだろう。

「僕らの関係は明快だった。彼はアーティストの純粋さを持ちつつ、ビジネスの問題を上手に解決する鋭さも持ち合わせていた。一見すると厳しく、気むずかし屋というイメージをまとっているけど、でも、中身はテディベアなんだ」

アーティストの純粋さというのは、ジョブズ最高の賛辞である。

ランドはわずか2週間でロゴを完成させ、ウッドサイドにあるジョブズの自宅をふたたび訪問した。夕食後、エレガントで生き生きとしたブックレットをジョブズに手渡す。そこには、彼がなにをどう考えたのかが記されていた。最後のページにあるのが最終的に選んだロゴだ。

「このデザイン、配色、傾きにより、このロゴはコントラストの見本とも言えるものとなっている。小粋な角度に傾けた結果、ざっくばらんで親しみやすい雰囲気、そして、クリスマスシールが持つ伸びやかさとゴム印が持つ権能があふれるデザインとなった」

ブックレットにはこう書かれていた。また、Ｎｅｘｔの文字は2行にして立方体の一面いっぱいに描かれていた。小文字は「ｅ」だけだ。この「ｅ」は、「教育（education）、卓越さ（excellence）……

$e=mc^2$」を意味するとの説明もあった。

プレゼンテーションに対するジョブズの反応は予測しづらいところがある。くだらないとすばらしい、どちらに転ぶかわからないのだ。しかし、ランドのような有名デザイナーならジョブズも提案を受け入れる可能性のほうが高いだろう。ジョブズは最後のページをじっと見つめたあと、顔を上げ、ランドをハグした。ただ、細かい部分で1点、ふたりの意見は異なっていた。ロゴの「e」にランドは渋めの黄色を使っていたが、ジョブズはもっと明るいふつうの黄色がいいと思ったのだ。ランドはダンと机をたたくと、

「私はこの道に入って50年。どうすべきかはよくわかっている」

と宣言する。ジョブズが折れた。

こうして新会社はロゴを得ると同時に社名が「Ｎｅｘｔ」から「ＮｅＸＴ」となった。ロゴにここまでこだわる必要などないと思う人もいるだろうし、まして、10万ドルは高すぎると思う人が多いだろう。しかしジョブズは、ネクストが世界的なイメージとアイデンティティを持ってスタートするためには必要なことだと考える。製品の設計さえまだしていなくても、だ。マークラが教えてくれたように、人は表紙で書籍を評価する。だから、第一印象からその価値を刷り込めなければ偉大な会社にはなれない。それに、できあがったロゴはとてもクールだった。

おまけとして、ジョブズの名刺もデザインしようとの申し出がランドからあった。できあがった名刺は多彩な活字を使ったもので、ジョブズもとても気に入ったが、「Steven P. Jobs」の「P」のあとのピリオドをどこに置くかでふたりは意見が異なり、長時間にわたって熱い議論を繰り広げた。ランドは、「P」という文字全体のすぐ右脇にピリオドを置いていた。鉛活字で組んだらそうなるという位置だ。スティーブはもう少し左、「P」のまるい部分の下側に置きたいと思った。デジタルならそ

ういう組み方も可能だからだ。

「割合に小さな点にずいぶんと議論していました」

とスーザン・ケアは言う。この点については、最終的にジョブズの意見が通った。

ロゴの雰囲気を現実の製品に反映させるには、信用のおける工業デザイナーが必要だ。数人の候補者と面談してみるが、アップル時代に仕事を頼んだハルトムット・エスリンガーに匹敵するインパクトを与えてくれる者はいなかった。そのエスリンガーは、ジョブズが尽力した結果、シリコンバレーにフロッグデザイン事務所を置き、よい条件でアップルの仕事をしている。ネクストの仕事をしてもよいとIBMに言わせるのもちょっとした奇跡だったし、現実は歪曲できると信じるジョブズでなければまず無理だっただろう。しかし、エスリンガーにネクストの仕事をさせてもよいとアップルを説得することに比べれば、できて当然に思える話だ。

だからといってあきらめるジョブズではない。アップルがジョブズを訴えたわずか5週間後の1985年11月初旬、ジョブズは特別免除を求める手紙を、アップルの顧問弁護士としてジョブズに対する訴えを起こしたアイゼンシュタットに送った。

「先週末、ハルトムット・エスリンガーと話をしたところ、なぜ私が、ネクストの新製品について彼およびフロッグデザインと仕事をしたいと考えているのか、その理由をあなたに書いて送るべきだと提案されました」

理由としてジョブズがあげたのは、アップルが今後どういう製品を出すのか自分は知らないがエスリンガーは知っているから、だった。

「アップルが出す製品デザインの方向性についてネクストはなにも知りませんし、フロッグデザイン以外の設計事務所も知りません。そのため、たまたま、似たような外観の製品ができてしまうおそれがあります。言い換えれば、そのような事態が生まれないよう、ハルトムットに調整してもらうことが、アップルにとってもネクストにとっても一番いいものと思われます」

ジョブズのずうずうしさに開いた口がふさがらなかったアイゼンシュタットは、よそよそしい返事を出す。

「アップルが社外秘とする企業情報を利用する方向の事業を進めようとされていることについて、すでに、アップルの顧問弁護士として懸念を表明しております。あなたからいただいたレターは、その懸念をわずかでも和らげるものではありませんでした。逆に、私の懸念は強くなったと言わざるをえません。あなたは『アップルが出す製品デザインの方向性についてなにも知らない』と書かれていますが、これは事実と異なる主張です」

アイゼンシュタットにとって最大の驚きは、ウォズニアックのリモコンの仕事をフロッグデザインにやめさせたジョブズが、そのあとわずか1年もたたずにこういう要求を送ってきたことだった。

エスリンガーと仕事をするためには、アップルが起こした訴訟を解決する必要があるとジョブズも気づいた（これ以外にもさまざまな理由があった）。幸いなことに、スカリーも解決したいと考えていた。こうして1986年1月、示談が成立する。損害賠償はなく、アップルが訴訟を取り下げるかわり、ネクストは製品をハイエンドのワークステーションとして販売する、大学に直接販売する、1987年3月以前には出荷しないなど、ネクストが各種の制限に合意するという内容だった。アップルの要求により、ネクストのマシンは「マッキントッシュと互換性のあるオペレーティングシステムを使わない」ともされた。この点については、逆を要求したほうがよかったという考え方もあるが。

示談が成立したあとも、エスリンガーがアップルとの契約を少しずつ減らそうと決心するまで、ジョブズはエスリンガーにモーションをかけ続けた。こうしてフロッグデザインは、1986年末にネクストの仕事をはじめる。ポール・ランドと同じようにエスリンガーも、好きなように仕事をする裁量権を求めた。

「スティーブに対しては、場合によって強く出る必要があります」

エスリンガーはランドと同じようにアーティストであり、ジョブズも、ほかの人間なら認めない特権をエスリンガーになら認める姿勢を示した。

コンピュータの形は完璧な立方体とする。1辺1フィートで角はすべて90度とする。ジョブズはこう宣言した。立方体が好きなのだ。厳粛であると同時に、おもちゃっぽい香りもある。このネクストキューブは、機能の前に形状を決めるという通常とは逆のコンセプトをジョブズ流に体現した製品である。バウハウスなどの機能主義的デザイナーの主張に沿った製品なのだ。ふつうはピザボックス型ケースに収まるように作られる回路基板も、立方体に収めるために構成を変更し、多段型としなければならなかった。

完全な立方体というのは、作るのも難しかった。鋳造で部品を作る場合、金型からはずれやすくするため部品の角は90度よりほんの少し大きくするのが通例である（ケーキ型も角が90度より少し大きくなっているが、そのほうがケーキが取り出しやすいからだ）。しかし、立方体の純粋さや完璧さをだめにする「抜け勾配《こうばい》」はなしにするとエスリンガーは指示し、これをジョブズも熱烈に支持した。結局、65万ドルもの費用をかけた金型を使い、特殊加工を得意とするシカゴの工場で側面を別途作らなければならなかった。このころ、完全無欠を求めるジョブズの情熱は暴走状態にあった。金型が原因でケースに細いラインが入っていることに気づいたときは、シカゴまで飛び、最初からやり直して完璧に仕上げるようにと職人を説得した。ふつうなら仕方がないとあきらめる程度の不具合だったのだが。これには驚いたと、シカゴの工場でエンジニアをしていたデイビッド・ケリーは言う。

「有名人が飛んでくるなんて、金型職人はまず思っていませんからね」

このほか、加工会社に15万ドルの研磨機を購入させ、金型の合わせ目に生じるラインをすべて取りのぞくようにも命じた。マグネシウムケースの色はつや消しの黒でなければならないとジョブズが主張したので、傷などの不具合が目立つという問題も生じた。

モニタースタンドも難物だった。エレガントにカーブしている上、チルト（画面の向きを上下に調整する機能）できるようにしなければならないとジョブズが要求したのだ。ビジネスウィーク誌の取材にケリーはこう答えている。

「理性の声になろうとするわけですよ。でも、『スティーブ、それはコストがかかりすぎます』とか『それは無理です』と言うと、『この役立たずが』と言われてしまいます。彼と話していると、なんだか、すごく頭が悪いような気になってしまうのです」

こうして、ケリーたちのチームは毎晩遅くまで残業し、美的なアイデアを一つひとつ、実用的な製品にする方法を考えていった。マーケティング担当として入社面接を受けた人物によると、面接でジョブズは、もったいをつけて布のカバーをはずし、カーブしたモニタースタンドを見せたという。将来的にモニターがつく場所には軽量コンクリートブロックがついていた。なにが起きているのかわからずまごつく彼をよそに、ジョブズはチルトメカニズムの説明を熱心にしたらしい（このメカニズムは、ジョブズが自分の名前で特許を取っている）。

キャビネット背面の隠れる部分にもよい木材を使うことが大事だという父親を見習い、ジョブズは執念といえるほど強く、見えない部品も正面と同じように美しく仕上げるべきだと考えていた。この点も、足かせがなくなったネクスト時代には、極端なレベルで追求した。マシン内部にも高価なメッキねじを使った。キューブケースの内面もつや消しの黒で仕上げるべきだとさえ主張した。修理の人間しか見ない場所だというのに、である。

当時、エスクァイア誌の記者をしていたジョー・ノチェラは、ネクストのスタッフミーティングにおけるジョブズの激しさをこう記している。

このスタッフミーティングでジョブズがじっとしていたと表現するのはあまり正しくない。そもそも、ジョブズはじっとしていることがめったにない。動きまわることで場を支配するのが彼のやり方だと言ってもいいだろう。椅子に膝をついていたかと思うと前かがみになる。次の瞬間には立ち上がり、すぐ後ろの黒板になにかを書きはじめる。癖も多い。爪をかむ。話している人が不安になるほど真剣な目で見つめる。わずかながらはっきりと黄ばんでいる両手は、常に動いている。

なかでもノチェラの印象に強く残ったのは、ジョブズが「わざとではないかと思うほど愛想がない」点だった。ばかげていると思うことをしゃべった人物に対する評価を言わずにすますか否かという程度の話ではなく、相手をおとしめ、はずかしめて、自分のほうが頭がよいと示したい、そう思って常に用意をしている、いや、意地悪な意気込みをいつも持っているという感じだった。

ダニエル・ルインが組織図を配ったときも、ジョブズは天を仰ぎ、

「なんだこの図は」

と口を挟んだ。また、ヒーローからくそったれまで機嫌が大きく変動するのは、アップル時代から変わらない。財務の担当者に、

「この取引はクズだ」

と言った翌日、同じ件について、

「この件についてはは本当にいい仕事をしてくれた」

と褒めたこともある。

ネクストが最初に雇った10人のうちのひとりは、パロアルトに置いた最初の本社の内装を担当するインテリアデザイナーだった。なかなかいいデザインの新築ビルをリースしたというのにジョブズはほとんどすべてをリフォームしてしまった。壁はガラスに、カーペットは硬材の明るいフローリングにかえた。1989年には手狭になってレッドウッドシティーへ移転したが、そのときも同じことをしている。新築ビルだというのに、入り口ホールをかっこよくするためエレベーターの移設までジョブズは求めた。このロビーの中央には、浮かんでいるように見える階段をイオ・ミン・ペイの設計で作った。建築業者からは無理だと言われたが、ジョブズはできると言って譲らず、作らせたのだ。

このタイプの階段は、のちに、アップルの看板的存在の店舗にも採用される。

苦難の日々

ネクスト創業から数ヵ月、ジョブズとダニエル・ルインはあちこちの大学をまわり、意見をたずねて歩いた（ほかの社員も連れて行くことが多かった）。ハーバードを訪れたときは、ロータス社会長のミッチ・ケイパーとハーバードレストランで夕食をともにした。ケイパーがパンにたっぷりとバターを塗るのを見たジョブズは、

「血中コレステロールという話、聞いたことがありますか？」

とたずねる。

「取引をしないか？　私の食べ方をとやかく言わないでくれたら、君の性格には触れないようにするよ」

これはもちろんジョークで、ロータス社はネクスト用の表計算ソフトを作ると合意してくれた。ただし、ケイパーはのちに、

「人付き合いがうまい人間じゃないね」

とジョブズについてコメントしているが。

ネクストのマシンにはクールなコンテンツをバンドルしたいとジョブズが望んでいたので、エンジニアのひとり、マイケル・ホーリーはデジタル辞書を開発した。そしてある日、シェイクスピア全集を購入し、その組版に、オックスフォード大学出版局で働く友人がかかわったことを知る。ということは、作品集の元になったコンピュータテープがあるはずで、それをネクストのメモリーに搭載することも可能なはずだ。

「スティーブに相談するとそれはいいということで、オックスフォードまでいっしょに出張しました」

1986年春のうららかな日、オックスフォードの中心にある出版社の壮大なビルを訪れたジョブズは、オックスフォードのシェイクスピア全集の著作権料として2000ドルプラス販売されたコンピュータ1台あたり74セントを提示した。

「これはいい話だと思いますよ。お金も入りますし、時代の先頭をゆくことにもなります。このようなことはいままでおこなわれていませんからね」

両者は基本的に合意し、あとは、バイロン卿がかつて通ったという由緒あるバーでビールを飲みながらスキトルズというゲームもした。最終的に、ネクストには、辞書、類語辞書、オックスフォード

引用句辞典もバンドルされ、検索可能な電子ブックというコンセプトの先駆けとなった。

チップは既製品ではなく、さまざまな機能をまとめたカスタムチップを設計するようジョブズは求めた。それだけでも大変なのに、チップの機能をひっきりなしに変更してしまう。1年ほど経過すると、これが大幅な遅れを生むであろうことがはっきりする。

マッキントッシュと同じように未来的な完全自動化工場を作ることにもこだわった。マッキントッシュの経験からは学ばなかったようで、今回も、同じ間違いを犯す——しかも、もっと激しくだ。配色を繰り返し繰り返し変更し、そのたび、工作機械やロボットの塗装をやり直した。壁は、マッキントッシュ工場と同じ博物館のような白にした。そのほか、大企業の本社と見間違うような革張りの椅子（1脚2万ドル）を用意したり、階段を特注で作ったりした。全長50メートルの組み立てラインは、見学窓からの見栄えがよいという理由で、回路基板が右から左へと流れるようにした。部品がなにもついていない回路基板が一端から入り、20分後、完成品として反対側の端から出てくる。途中、人が手を触れることはない。組み立てはいわゆるカンバン方式で、各マシンは、次のマシンが次の部品を受け取る準備ができたら所定の作業をおこなう仕組みとなっていた。

社員にはあいかわらず厳しくあたった。このあたり、基本的には上手にこなしていたとトリブルは言う。

「魅了したりみんなの前で屈辱を与えたりと、だいたいはかなり効果的でした」

うまくいかない場合もあった。デービッド・ポールセンというエンジニアはネクストに入社して10ヵ月、毎週90時間も働いた。しかし、ある金曜日の午後、仕事部屋に入ってきたジョブズにおまえたちはなってないと言われ、辞めたという。どうしてそこまで厳しくするのかとビジネスウィーク誌にたずねられたとき、ジョブズは、会社を良くするためだと答えている。

「質の判断基準というのも、僕が責任を持つべきもののひとつだと思う。卓越さが求められる場に慣れていない人もいるからだ」

士気高揚やカリスマ性もあいかわらずだった。視察も多かったし、合気道の師範が訪れることもあった。研修旅行もおこなった。海賊旗を掲げる気概もあった。『1984年』CMや「ようこそ、IBM殿。心から歓迎申し上げます」という新聞広告を作った広告代理店、シャイアット・デイ社との契約をアップルが打ち切ったとき、ジョブズはウォールストリートジャーナル紙に全面広告を掲載した――「おめでとう、シャイアット・デイ社。心からお祝い申し上げます……なぜなら、アップルのあとにも人生があると私なら請け合えるからです」

アップル時代からもっとも変わっていないのは、ジョブズがまとう現実歪曲フィールドだったかもしれない。

現実歪曲フィールドは、1985年末にペブルビーチで開かれた第1回社外研修会でも登場した。わずか18ヵ月後にはネクストコンピュータの出荷を開始すると宣言したのだ。それが不可能なのはすでにあきらかだったが、もっと現実的に出荷目標を1988年にすべきだというエンジニアからの提案をジョブズは一蹴する。

「そんなことをすれば、世界はじっとしておらず、技術的なチャンスをつかみそこねて、いままでやってきたすべてをトイレに流さなければならなくなるぞ」

マッキントッシュ時代からの古参でジョブズにたてつく根性を持つひとり、ジョアンナ・ホフマンが反論する。

「現実歪曲はやる気を起こさせる面があって、それはいいことだと思います。しかし、製品の設計に影響を与える日にちの設定に現実歪曲を適用すると、めちゃくちゃなことになってしまいます」

ホワイトボードの前に立つジョブズはうなずかない。

「地面のどこかに杭《くい》を打ち込む必要があると僕は思うし、このチャンスを逃したら我々は信用を失いはじめると思う」

全員がうすうす感じてはいたが、じつはこのとき、製品出荷が遅れると資金が底をつくおそれがあったのだ。ジョブズは700万ドルの個人資産をつぎ込んでいたが、あと18ヵ月で製品を出荷して売り上げを立てなければいけない状況だった。

3ヵ月後の1986年頭に同じくペブルビーチでおこなわれた2回目の研修会を、ジョブズは「ハネムーンは終わった」という標語ではじめた。同年9月にソノマで3回目の研修会がおこなわれるころには、スケジュールはすべて吹っ飛んでおり、金づまりは避けられないと思われた。

助けに現れたペロー

1986年末、ジョブズは、ネクストの株式の10パーセント、300万ドルを投資しないかという趣意書をベンチャーキャピタルに送った。つまり会社全体の価値は3000万ドルということになるが、この数字はどこからともなくジョブズがひねり出したものだ。ここまでの投下資金は700万ドルだったし、小粋なロゴとしゃれたオフィス以外に見るべきものはほとんどなかった。売り上げもなければ製品もない。どちらもいつ登場するかさえわからない。この状況では、ベンチャーキャピタリストが皆、投資を見送ったのも当然だろう。

だが、ひとりだけ、心を打たれたカウボーイがいた。エレクトロニックデータシステムズを創業し、24億ドルでゼネラルモーターズ社に売却した、小柄でけんかっ早いテキサス人、ロス・ペローである。ペローはたまたま、ジョブズとネクストを取り上げた公共放送ネットワークPBSのドキュメンタリー、『アントレプレナー』を１９８６年11月に見た。ジョブズら一党に自分と近いものを感じ、「彼らの言葉を先取りできるほど」思考が似ていたという。これはスカリーがよく使っていた表現に不気味なほど似ている。

翌日、ペローはジョブズに電話をかける。

「投資が必要になったら、いつでも電話しなさい」

実際、ジョブズは投資が必要な状況だった――どうしてもというほどに。しかし、自分を抑えてそういうそぶりを見せない。ジョブズは1週間待ってから電話をする。ペローからはネクストを評価するアナリストが何人か送られてきたが、ジョブズはペローと直接交渉するようにした。ペローは、マイクロソフトに大規模な出資をしなかったことを悔やんでいた。１９７９年、まだとても若かったビル・ゲイツが彼に会いにダラスまで来たが買わなかったのだ。ジョブズに電話をしたちょうどそのころ、マイクロソフトは株式を公開し10億ドル企業となっていた。金儲けのチャンスとおもしろい体験をするチャンスを逃してしまったわけだ。同じ間違いはしたくないとペローは考えていた。

ジョブズは、その少し前、ベンチャーキャピタリストへひそかに提示した4倍もコスト高となる条件を提示した。２０００万ドルで16パーセントの株式をペローに提供する。ジョブズも５００万ドルを追加投資する。ネクストに1億２５００万ドルもの価値があると言っているわけだが、ペローは金勘定で投資をする男ではなかった。ジョブズと会ったペローは、話に乗ると回答。

「私は騎手を選び、騎手が馬を選んで乗る。私は君らに賭けよう。だから、がんばってくれ」

ペローは、２０００万ドルの命綱と同じくらい価値のあるものをネクストにもたらした。報道機関がこぞって言葉を引用するチアリーダー、大人のあいだに信頼感を醸成できる人物だったのだ。たとえば、ニューヨークタイムズ紙は以下のように彼の言葉を報じた。

「スタートアップとしては、コンピュータ業界でこの25年間に私が見た企業のなかで、これほどリスクが少ない会社はなかったというほどです。詳しい人間にハードウェアを見てもらいましたが、皆、とても驚いていました。スティーブとネクストチームほどの完璧主義者はいままで見たことがありません」

社会的・職業的な人脈という面でも、ペローはジョブズを補完した。スペイン国王のファン・カルロスI世のためにゴードン・ゲッティとアン・ゲッティがサンフランシスコで開いた正装のダンスパーティーにも、ペローはジョブズを連れて参加した。王様から会うべき人はいるかと聞かれたペローは、ジョブズを紹介する。ふたりはすぐ、のちにペローが言う「エレクトリックな会話」に突入し、ジョブズがコンピュータの未来を生き生きと紹介した。

最後に王様がなにかメモを書いてジョブズに渡す。

「最後のはなんだ?」

とペローが聞くと、ジョブズは、

「コンピュータを1台、売ったんですよ」

と笑った。

ペローは、このようなジョブズの神話をあちこち語って歩いた。ワシントンのナショナルプレスクラブでは、ジョブズの人生をテキサス調の立身物語にして語った。

……お金がなくて大学に行くこともできず、毎晩、ガレージでコンピュータチップをいじっていたそうです。それが趣味だったので。彼の父親はノーマン・ロックウェルが描く絵にでも登場しそうな人物なのですが、その父親にある日、こう言われました。「スティーブ、売れるものを作るか仕事に就くかしなさい」と。その60日後、父親が作ってくれた木の箱のなかにアップルコンピュータが生まれました。こうして、高卒の男が文字どおり世界を変えたわけです。

この話で正しいところと言えば、ポール・ジョブズがロックウェルの絵に出てきそうというところくらいだろう。もうひとつ、ジョブズが世界を変えるという最後のくだりも正しいかもしれない。ともあれ、ペローはこう信じていた。スカリーと同じように、ペローもジョブズに自分を見ていたのだ。その証拠に、ワシントンポスト紙の記者、デービッド・レムニックにこう語っている。

「スティーブは私によく似ています。我々は同じようにちょっと変なのです。心でわかり合える心友だと言えます」

ゲイツとネクスト

ビル・ゲイツは心友ではなかった。マッキントッシュのときはジョブズの説得に応じてソフトウェアを開発し、大きな利益を手にした。しかしジョブズの現実歪曲フィールドにあらがえる数少ないひとりでもあったゲイツは、結局、ネクスト用のソフトウェアは開発しないと決める。

ネクストについてはときどきカリフォルニアへ行き、デモを見ていたが、どうもぴんと来なかったとフォーチュン誌に語っている。

「マッキントッシュは本当にユニークなマシンでした。でも、スティーブの新しいコンピュータはなにがすごいのかよくわからないのです」

問題の一端は、競い合う巨頭がふたりとも、相手に丁寧な態度を取れないことにあった。1987年の夏にゲイツがはじめてパロアルトのネクスト本社を訪れたとき、ジョブズはゲイツをロビーで30分も待たせた。ジョブズが歩きまわってはいろいろと談笑しているのがガラスの壁越しに見えているというのに、だ。

「ネクストは、一番高いオドワラのにんじんジュースが出ましたし、あれほどぜいたくな技術系企業のオフィスは見たことがありません」

薄ら笑いを浮かべながらゲイツは首を振る。

「それから、スティーブはミーティングに30分も遅れてきました」

ゲイツによると、ジョブズのセールストークはシンプルだったらしい。

「マックはいっしょにやったよな。あれはどうだった？　そうか、よかったか。次はこれをいっしょにやろう。これもすごいものになるよ」

一方、ゲイツもジョブズに対しては負けず劣らず手厳しかった。

「このマシンはガラクタだ。光ディスクは遅すぎるし、くそケースは高すぎる。こんなばかげたものはない」

他のプロジェクトから資源をまわし、ネクスト用アプリケーションを開発するのは、マイクロソフトにとって意味がないと判断し、訪問のたびにそう繰り返した。それだけでなく、そう公言してはばからなかったため、他社もネクスト関連の開発に二の足を踏んだ。インフォワールド誌にもこう語っている。

「あれ向けの開発？　おととい来やがれって感じですね」

とある会議で出くわしたとき、ネクスト用ソフトウェアの開発を拒否するとはどういうことだとジョブズはゲイツをなじった。

「市場を獲得したら検討しますよ」

こう答えたゲイツにジョブズは髪を逆立て、大勢が見ている前で怒鳴り合いとなる。ネクストこそ将来を担うコンピュータだとジョブズはまくしたてる。そうしてジョブズが怒れば怒るほど、例によってゲイツは無表情になってゆく。最後は首を振ると無言で立ち去った。

表面に表れるライバル意識——そして、ときおり見られる嫌々ながらの敬意——の下には、根本的な考え方の違いがあった。ジョブズはハードウェアもソフトウェアもエンドツーエンドですべてを統合すべきという考え方で、だから、ほかと互換性のないマシンを作る。ゲイツは、互換性のあるマシンを多くの会社が作る世界のほうが良いと信じ、かつ、そうすることで利益を上げてきた。つまり、どのハードウェアも標準的なオペレーティングシステム（マイクロソフトのウィンドウズ）が走り、同じアプリケーション（マイクロソフトのワードやエクセルなど）が使える世界だ。ワシントンポスト紙の取材でゲイツはジョブズのマシンをこう評した。

「彼の製品には、非互換性というおもしろい機能が搭載されているのです。既存のソフトウェアはどれも使えません。でもとってもすてきなコンピュータなんです。互換性のないコンピュータを私が設計したとして、あれほどのものが作れるとはちょっと思えません」

1989年、マサチューセッツ州ケンブリッジでおこなわれたフォーラムでは、ジョブズとゲイツが続けて登壇し、競合する世界観を提示した。ジョブズは、コンピュータ業界には数年ごとに新しい波が起きていると指摘。マッキントッシュはGUIで革新的なアプローチを提示した。今度のネクストは光ディスク採用のパワフルなマシンとオブジェクト指向プログラミングで新たな革新的アプローチを提示する。「マイクロソフトという例外をのぞき」、ソフトウェアベンダー各社はこの重要性を理解している――こう結んだ。

このあと登壇したゲイツは、アップルがマイクロソフトウィンドウズという標準に敗れたように、ソフトウェアとハードウェアをエンドツーエンドでコントロールするというジョブズの考え方は必ず失敗するという持論を展開する。

「ハードウェア市場とソフトウェア市場は別々ですから」

ジョブズのやり方ならすばらしいデザインが生まれる可能性があるがと聞かれたゲイツは、壇上にまだ置かれていたネクストのプロトタイプを示しながら、

「黒がいいと言われるなら、塗料を1缶、ご用意しますよ」

と冷ややかに笑った。

IBMとベッドをともにする

ジョブズはゲイツに寝技をしかけることにした。コンピュータ業界のパワーバランスを永久に変えてしまう可能性さえあった出色の技だ。ただそのためには、信念に反することをふたつ、しなければならなかった。ひとつはソフトウェアを他のハードウェアメーカーにライセンスすること、もうひとつはIBMとベッドをともにすることだ。ほんの少しかもしれないが現実的な考え方もできるジョブズは、やりたくないという気持ちを抑え込んで計画を進めた。ただ、心の底では腰が引けていた。この提携関係が短期的なものに終わったのはそのせいである。

きっかけはパーティーだった。ワシントンポスト紙の社主、キャサリン・グラハムの70歳の誕生日を祝うため、1987年6月に開かれた盛大なパーティーだ。来賓はロナルド・レーガン大統領など

６００人。ジョブズもカリフォルニアから、また、ＩＢＭ会長のジョン・エーカーズもニューヨークから参加した。エーカーズにはじめて会ったジョブズは、その機会をとらえ、マイクロソフトをけなしてＩＢＭをウィンドウズから引きはがそうと考えた。

「ソフトウェア戦略全体をマイクロソフトに依存するなど、ＩＢＭは危険な賭けをしていると言わずにすますことができなくて。彼らのソフトウェアは全然良くないと思ったからね」

そのジョブズにエーカーズはこうたずねた。

「あなたのところが助けてくれるのですか？」

喜んだジョブズは、その１～２週間後、ソフトウェアエンジニアのバド・トリブルを伴ってニューヨーク州アーモンクのＩＢＭ本社を訪れる。ネクストのデモにＩＢＭのエンジニアたちはうなった。とくに興味を引いたのは、オブジェクト指向のオペレーティングシステム、ネクストステップだった。オブジェクト指向とはプログラミング手法のひとつで、プログラムを部分的に再利用しやすくなるなどの特長がある。

「プログラミング上の細かな問題でソフトウェア開発のスピードが上がらない場合が多いのですが、ネクストステップはそういう問題のかなりの部分を処理してくれるのです」

と、ＩＢＭワークステーション部門のゼネラルマネジャー、アンドリュー・ヘラーは言う。息子にスティーブと名付けるほど、ジョブズに強い感銘を受けたそうだ。

交渉は１９８８年まで長引いた。ジョブズが細かな点にいちいち文句を言ったからだ。色やデザインで意見が食い違うと会議室を飛び出し、トリブルやダニエル・ルインになだめられて戻ったりした。ＩＢＭとマイクロソフト、どちらが怖いのかもよくわからなくなったようだ。４月にペローがあいだに入ってミーティングを持ち、ようやく決着する。ＩＢＭは、現行バージョンのネクストステップについてライセンスを受け、気に入れば、一部のワークステーションに搭載する。IBMからは125ページの契約書が届いた。ジョブズは読みもせずに捨てると、

「わかってませんね」

と言いながら部屋を出ていった。せいぜい数ページのシンプルな契約書にしろというのだ。1週間ほどで新しい契約書が完成した。

10月にネクストコンピュータを鳴り物入りで発売するまで、この契約はビル・ゲイツに伏せておきたいとジョブズは考えていたが、IBMの要望で早めに発表されることになった。ゲイツは怒った。マイクロソフトのオペレーティングシステムに対するIBMの依存度を引き下げる可能性があると理解したのだ。だから、

「ネクストステップは互換性がまったくありません」

とIBMの重役に訴えて歩いた。

しばらくは、最悪の悪夢をゲイツにもたらしたかと思われた。コンパック社やデル社など、マイクロソフトのオペレーティングシステムに頼ってきたコンピュータメーカーが次々とジョブズのもとを訪れ、ネクストのクローンを製造する権利やネクストステップのライセンスについて話し合いたいと申し入れてきたのだ。ネクストがハードウェア事業から撤退するならかなりの額を支払う用意があるという話もあった。

すべてを手元に置いてコントロールしたいと考えるジョブズにとってこの事態は行きすぎだった——少なくともこのころのジョブズにとっては。クローンの交渉はすべて打ち切る。IBMに対する態度も冷淡になってゆき、それに応じてIBM側の熱も冷めていった。

IBM側で交渉を推進した人物が異動したとき、ジョブズはアーモンクで後任のジム・キャナビー

ノと面談した。人払いをしてふたりだけの面談だ。現在の関係継続と新バージョンのライセンスにはお金が必要だとジョブズは要求。キャナビーノははっきりした回答をせずに面談を終了し、そのうち、ジョブズの電話にも折り返さなくなる。こうして契約は失効した。ライセンス料金として若干の資金は得たが、ネクストが世界を変えるチャンスは失われたのだ。

ネクストコンピュータ発売（1988年10月）

ジョブズは劇場公演のような製品発表をおこなう技を身に付けていたが、1988年10月12日、サンフランシスコのシンフォニーホールでおこなうネクストコンピュータのワールドプレミアは自己最高記録のものにしたいと考えた。疑いのまなざしを向ける人が驚くほどのものにしなければならない。発表会前の数週間は、連日のようにサンフランシスコへ行き、ネクストのグラフィックデザイナー、スーザン・ケア（マッキントッシュでフォントとアイコンを作った女性だ）の自宅にこもって準備を進めた。ケアは、文言から背景に使う緑色の調子にいたるまで、あらゆることにいらつくジョブズを助け、スライドを一枚一枚、完成させていった。予行演習で、ジョブズは、

「この緑はいいよね」

と胸を張った。その場にいた数人のスタッフからは、

「すごくいいグリーンですね」

と賛同するつぶやきがあがる。このように、ジョブズは、エズラ・パウンドの提案を長詩『荒地』に組み入れるT・S・エリオットのようにスライドを作り、磨き、修整していった。

どれほど細かな点も細かすぎることはなかった。招待者のリストもランチのメニュー（ミネラルウ

ォーター、クロワッサン、クリームチーズ、豆もやし）も、ジョブズ自身がチェックした。オーディオビジュアルについてはビデオ映写の会社に6万ドルで支援を要請。ショーのステージ構成については、ポストモダニズムの映画プロデューサー、ジョージ・コーツを雇った。

コーツとジョブズは、当然かもしれないが、飾り気がなくとてもシンプルなステージにすることにした。黒い完璧な立方体は、きわめてミニマリスト的なステージでお披露目をおこなう。黒い背景に黒い布をかけられたテーブル、コンピュータの上にも黒いベールをかけ、飾りとなるのは生花の花瓶がひとつだけ。発表の時点でハードウェアもオペレーティングシステムも完成していなかったので、シミュレーションをすべきだという意見もあったが、ジョブズはこれを却下する。安全ネットなしで綱渡りをするようなものだとわかってはいたが、ライブのデモを選んだのだ。

発表会には3000人以上がつめかけ、列を作って開演2時間前の開場を待った。期待は裏切られなかった――少なくともショーという面においては。3時間にわたる舞台でジョブズは、ニューヨークタイムズ紙のアンドリュー・ポラックが言う「プレゼンテーションのアンドリュー・ロイド＝ウェバー、舞台センスと特殊効果の名手」であることを今回も示した。シカゴ・トリビューン紙のウェス・スミスは、この発表と通常の製品デモは、第2バチカン公会議と単なる教会での集まりくらい違うと表現した。

「戻って来られてうれしいよ」

第一声から大きな歓声があがる。まずはパーソナルコンピュータを支えるアーキテクチャ（基本設計）の歴史をざっとおさらいしたあと、10年に一度か二度しか起きないこと――コンピューティングをがらっと変えてしまうアーキテクチャが登場する瞬間――の目撃者なのだと集まった人々に語った。続けて、ネクストはソフトウェアもハードウェアも、3年をかけて全米の大学から話を聞いた結果、設計されたものだと紹介した。

「その結果わかったのは、高等教育機関が欲しいのはパーソナルなメインフレームだということだ」

例によって大げさな表現もたっぷりあった。製品は「信じられないほどすばらしい」し、「考えうるかぎりの最高」である。見えない部品もその美しさをたたえた。1辺1フィートの立方体に収まる1辺約30センチメートルの回路基板をつまんで見せながら、

「あとでこの基板を見ていただけたらいいなと思う。こんな美しいプリント基板は見たことがないというくらいだからね」

と熱い想いを語る。次はコンピュータにしゃべらせるデモである。再生したのはキング牧師の「私には夢がある」とケネディ大統領の「国がなにをしてくれるかではなく、国のために自分はなにができるのかを考えよう」という、ともに有名な演説だ。音声ファイルを添付した電子メールの送信もおこなった。コンピュータのマイクに顔を近づけ、

「やあ、スティーブだ。歴史的な日にメッセージを送るね」

と自分の声を録音すると会場に拍手を追加してくれと頼み、万雷の拍手を得る。

ジョブズは経営哲学として、ときどきサイコロを転がして新しいアイデアやテクノロジーに「会社を賭ける」ことが大事だと考えている。この哲学に従い、ネクストの発表では読み書き可能な大容量（ただし低速）の光ディスクのみ、バックアップのフロッピーディスクなしという選択をした。

「ネクストの開発をはじめた2年前、我々はひとつの選択をした。新しい技術と出会い、それに会社を賭けると決めたんだ」

のちに、賢い賭けではなかったと判明する選択だったが。

次の機能は、もっと先見の明があるものだった。オックスフォード版のシェイクスピア全集などが

搭載されていることを紹介したのだ。

「世界初のデジタルブックを作った。グーテンベルク以来、印刷書籍の技術はまったく進化していない」

電子ブックのデモには自虐ネタも用意されていた。

「僕を表現するのにときどき使われる言葉に『mercurial』という単語がある」

そこまで言うと会場の反応を待つ。最前列を中心に会場からくすくすと笑いが漏れる。最前列にはネクスト社員とマッキントッシュチームの元メンバーが座っていたからだ。ジョブズはコンピュータの辞書で単語を引くと、意味を読みあげてゆく。

「1．水星の、水星に関係のある、2．水星のもとに生まれた」

下にスクロールしながら、

「みんなが言いたいのは、この3番目の意味だろう。『気分が予測できない変化を示す性格』だ」

さらに笑い声があがる。

「類語辞典を見ると、これの反意語は『saturnine』らしい。さて、これはどういう意味だろう。この単語をダブルクリックするだけで意味が見られる。さあ、これだ……『土星の……気分が冷たく安定している。動きや変化が遅い。陰気でつっけんどんな性格』か」

にやりとしながら、会場内にくすくす笑いが広がるのを待つ。

「うーん、こうして見ると、『mercurial』というのもそんなに悪くないじゃないか」

爆笑が収まるのを待ち、今度は引用辞典を使って現実歪曲フィールドをちゃかす。選んだのは、ルイス・キャロルの『鏡の国のアリス』から、どれほどがんばってもありえないことは信じられないと嘆くアリスに白の女王が投げつけた言葉だった。

「なぜなの？　私なら、朝ご飯の前にありえないことを6つも信じられるのに」

わかる人にはわかるジョークで、最前列から爆笑が起こる。

楽しい演出は、すべて、悪いニュースの口当たりをよくするため、あるいは、そこから注意をそらすためだった。新マシンの価格を発表するところまでくると、ジョブズは、彼が製品デモでよくやる手を使った。まず、さまざまな機能を並べたてて「何千ドルもの価値がある」と説明し、本当はとても高くていいはずのマシンなのだと聞き手に思わせる。そのあと、意外に安いじゃないかと思ってもらうことを期待しつつ、実際の価格を提示するのだ。

「高等教育機関に対して6500ドルという統一価格を提示する」

忠実なファンからは若干の拍手があがった。だが、大学関係者は価格を2000ドルから3000ドルの範囲に抑えるようにと要望していたし、そうするとジョブズは約束したのだと思ってもいた。あぜんとした人もいる。しかも、プリンターは別売りで2000ドルもするし、光ディスクでは読み書きが遅いため、2500ドルの外付けハードディスクの購入が推奨というのだ。

なるべく目立たせないようにしたいとジョブズが思っていた問題がもうひとつあった。

「年明けには、バージョン0・9をリリースする。これはソフトウェアディベロッパーおよび果敢なエンドユーザー向けだ」

会場からは引きつったような笑いが漏れる。ジョブズの言葉を翻訳すると、1989年初頭にマシンとそのソフトウェア――いわゆるバージョン1・0――のリリースはないということだ。明確な日付も発表されなかった。ただ、第2四半期にはという話だけだ。1985年におこなわれたネクストの第1回社外研修会では、ジョアンナ・ホフマンの反論を退けてまで、1987年初頭にはマシンを完成させると譲らなかったというのに。結局、2年以上もの遅れが確実になったわけだ。

発表イベントは、文字どおりアップビートで終了する。サンフランシスコ交響楽団のバイオリニストが、ネクストコンピュータとの共演でバッハの「バイオリン協奏曲第一番イ短調」を披露したのだ。会場は沸きに沸き、その騒ぎのなかで価格とリリースの遅れは忘れられた。イベントのあと、どうしてリリースが遅れるのかと聞かれたジョブズは、こう答えた。

「遅れてなんかないよ。時代に5年は先行している」

のちにジョブズの得意技になる形だが、このときもジョブズは、表紙に載る特集記事にすることを条件に一部報道機関に「独占」インタビューを提供した。ただ、このときは「独占」がひとつ多すぎるという失敗をしてしまう（大きな問題にはならなかったが）。まず、ランチの前にビジネスウィーク誌のケイティ・ハフナーに独占インタビューを約束した。そのあと、同じような約束をニューズウィーク誌とも、また、フォーチュン誌とも結ぶ。ただ、フォーチュンの敏腕編集者、スーザン・フレーカーとニューズウィークの編集者、メイナード・パーカーが夫婦であるのには気づいていなかった。

フォーチュンの編集会議が独占インタビューの話で盛り上がったとき、ニューズウィークから数日早く独占インタビューの記事が出る予定なのをたまたま知っているのだが……とばつが悪そうにフレーカーが口を開いた。このような経緯があったため、結局、ジョブズは2冊の表紙にしか登場しなかった。ニューズウィークは「ミスター・チップ」と題して美麗なネクストにもたれかかるジョブズの写真を表紙に掲載し、「今年最高のマシンだ」と持ち上げた。ビジネスウィークはダークスーツを着て、両手の指先を合わせて伝道者か教授のように高潔に見えるジョブズの写真を掲載した。しかしハフナーは、独占インタビューで操作しようとしていると記事で批判した。

「ネクストは検閲者の目で監視し、社員やサプライヤーの取材を上手に仕分けする。たしかに効果的だが、犠牲が伴う。そのようなやり方は利己的で冷酷であり、スティーブ・ジョブズをアップルであれほどの窮地に追いやった側面を示すものだ。とくに目立つ特徴は、イベントをコントロールしなくては収まらないジョブズの性格である」

発表の興奮が収まると、ネクストコンピュータに対する反応はなくなった。まだ販売もされていないのだから当然だろう。ライバル企業、サンの主任研究員で皮肉が好きなビル・ジョイは、このマシンを「最初のヤッピーワークステーション」と呼んだ。もちろん、心からの賛辞などではない。ビル・ゲイツは、当然といえば当然だが、あいかわらず否定的な姿勢を隠そうともしない。ウォールストリートジャーナル紙の取材にはこう答えている。

「正直なところ、失望しました。1981年、スティーブにマッキントッシュを見せられたときは心から興奮しました。ほかのコンピュータと並べてみれば、それがいままでのどのコンピュータとも大きく違うことがあきらかだったからです」

でも、ネクストのマシンはそうならなかった。

「大きな視野に立ってみればわかりますが、機能のほとんどはありふれたものばかりです」

マイクロソフトとしては、今後もネクストのソフトウェアを開発するつもりはないとも付け足した。ネクストの発表イベント直後、ゲイツはパロディーの電子メールを社員に送っている。「現実は、すべて、完全に停止された」ではじまるメールだ。あれは「自分が書いた過去最高の電子メール」かもしれないと、いまも笑うほどのものだ。

ネクストコンピュータがようやく発売になった1989年半ば、工場は月産1万台の能力があった。しかし、販売は月間400台程度。美しくペイントされたロボットは、工場でぼんやりと時間を過ごし、ネクストはキャッシュの流出が続いた。

第19章

ピクサー テクノロジー・ミーツ・アート

ルーカスフィルムのコンピュータ部門

話は、ジョブズがアップルで地歩を失いつつあった1985年夏のある日にまでさかのぼる。ジョブズは、ゼロックスPARCから移籍してアップルフェローとなったアラン・ケイと散歩をしていた。創造性と技術が交わるところにジョブズの興味があると知っていたケイは、友人のエド・キャットムルを訪ねてみないかと提案する。ジョージ・ルーカスが持つ映画スタジオのコンピュータ部門を束ねている男だ。リムジンを借りてマリン郡まで行き、ルーカスのスカイウォーカー・ランチのはずれ、キャットムルたちのコンピュータ部門があるところへ到着する。

「圧倒されたよ。戻ったあと、買おうとスカリーを説得した。でも、アップルの経営陣は興味を示さなくて。僕をたたき出すのに忙しかったしね」

ルーカスフィルムのコンピュータ部門は大きくふたつに分かれていた。片方は、実写映像のシーンをデジタル化し、クールな特殊効果を追加できる特殊なコンピュータを開発するグループ。もう一方はコンピュータアニメーターのグループで、『アンドレとウォーリーB.の冒険』などの短編を作っていた（この作品は1984年のトレードショーで上映され、ジョン・ラセター監督の名を業界にとどろかせた）。

なお、このころルーカスは、『スター・ウォーズ』の前半三部作を完成させたところだったが離婚でもめており、コンピュータ部門を売却しなければならなくなっていた。ルーカスは、キャットムルに買い手をなるべく早く見つけるようにと指示する。

キャットムルは可能性のありそうなところをあたったが、いずれも話がまとまらなかった。1985年の秋には、いっしょにこの部門を立ち上げたアルビー・レイ・スミスとふたりで買えないかと投資家に声をかけはじめる。その一環でふたりはジョブズにコンタクトを取り、ウッドサイドの自宅を訪問した。ジョブズはしばらくスカリーの背信と愚行について悪態をついたあと、彼らの部門を自分が買おうと提案する。キャットムルとスミスは困った。彼らが求めていたのは資金援助であって新たなオーナーではなかったからだ。だが、すぐに落としどころが見つかる──ジョブズが資金の大半を出して当該部門を購入し、会長となるが、運営はキャットムルとスミスに任せればいいのだ。

「コンピュータグラフィックスに惚れ込んでいたので、どうしても自分で買いたかった。ルーカスフィルムコンピュータ部門の人々と会ったときわかったんだ。アートとテクノロジーを組み合わせるという面で、彼らはずっと先を行ってるって。僕がずっと興味を持っている領域で、ね」

もう数年もしたらコンピュータは100倍もパワフルになる、そうなればアニメーションやリアルな3Dグラフィックスが大きく進む、とジョブズは考えた。

「ルーカスのところの連中が扱っていたのは、すさまじい処理能力を必要とする課題だった。だから、歴史が彼らに味方すると思った。ああいうベクトルは僕の好みだ」

ジョブズが提示した条件は、買い取り額として５００万ドル、それに当該部門を独立の法人とする資金、５００万ドルだった。ルーカスにとっては不満な条件だったがタイミングはいい。交渉がはじまった。ジョブズは態度が大きく挑発的だと思ったルーカスフィルムの最高財務責任者（ＣＦＯ）は、序列をはっきりさせようと一計を案じる。まず、ジョブズを含む関係者を集め、その数分後にＣＦＯが登場して、誰が会議の中心なのかを示そうとしたのだ。しかし、うまくゆかなかったとキャットムルは証言する。

「おかしな具合になりまして……ＣＦＯなしでスティーブが会議をはじめてしまったんです。ＣＦＯが来たときには、もう、スティーブが全体を掌握していました」

ジョブズとジョージ・ルーカスは2回しか会っていないが、そのときルーカスは、あの部門の人間はコンピュータよりもアニメーション映画を大事にしている、アニメーションのためならなんでもするとジョブズに警告したという。のちにルーカスはこう語っている。

「たしかに私は、それがエドとジョンの基本的な目的だと警告しました。でも、ジョブズがあの会社を買ったのは、たぶん、心の底では彼も同じ目的を持っていたからなのでしょう」

最終的な合意は１９８６年1月に成立した。その結果、１０００万ドルを投資するジョブズが会社の株の70パーセントを所有し、残りの株式はエド・キャットムル、アルビー・レイ・スミスから受付にいたる40人の創業社員に分配する。新会社の名称は、中核となるハードウェア、ピクサーイメージコンピュータから取った。最後の交渉は契約書にサインする場所だった。ジョブズはネクストの事務所、ルーカスフィルムはスカイウォーカー・ランチを主張。結局、サンフランシスコの法律事務所となった。

しばらくのあいだ、ジョブズはキャットムルとスミスにピクサーの運営を任せ、あまり口を出さなかった。ほぼ毎月、ネクスト本社で取締役会を開いていたが、そこでもジョブズは財務と戦略に集中した。

しかしまもなく、ジョブズはいろいろなことに口を挟みはじめる。少なくとも、キャットムルやスミスがこうあってほしいと思っていた以上に。そういう性格であり、支配本能が強いからだ。ピクサーのハードウェアやソフトウェアをどうすべきか、理にかなったものからおかしなものまで、さまざまなアイデアを出すようになった。ときどきピクサーのオフィスも訪れたが、そういうときのジョブズは刺激的な存在だったとアルビー・レイ・スミスは言う。

「私の実家は南部バプテスト派で、魅力的ながら堕落した伝道者による伝道集会がよくありました。スティーブはそれを思い出させます。舌先三寸、言葉の網でみんなをとらえてしまうのです。この力には取締役会のときに気づき、キャットムルとのあいだでサインを決めました。誰かがスティーブの現実歪曲フィールドにとらえられ、現実に引き戻さなければならないと気づいたときには、鼻をかくとか耳を引っぱるとかするんです」

ジョブズはハードウェアとソフトウェアの統合を善として高く評価してきたが、ピクサーがイメージコンピュータとレンダリング（コンピュータプログラムを用いて画像や音声などを生成する）ソフトウェアでしてきたのも同じことだった。いや、ピクサーの場合はもうひとつ、アニメーション映画やグラフィックスというクールなコンテンツも組み込まれていた。3つの要素は、いずれも、芸術的創造性と技術系ギークを組み合わせるというジョブズの方針と相性がよかった。のちにジョブズはこう語っている。

「シリコンバレーの連中はクリエイティブなハリウッドの人間を尊敬しないし、ハリウッドの連中は連中で技術系の人間は雇うもので会う必要もないと考える。ピクサーは、両方の文化が尊重される珍しい場所だった」

当面の売り上げはハードウェアから得た。ピクサーイメージコンピュータを12万5000ドルで販売したのだ。販売先はアニメーターやグラフィックデザイナーが中心だったが、すぐに、医療分野（CTのスキャンデータを3Dグラフィックスにレンダリングする）や情報分野（偵察飛行機や偵察衛星の情報をレンダリングする）という特殊な市場を開拓する。国家安全保障局へ販売するためにはジョブズも保安上の人物調査《セキュリティクリアランス》を受けなければならなかったが、この手続きは、担当のFBIエージェントにとってなかなかにおもしろいものだったはずだ。ピクサーの重役が同席しているときFBIからドラッグの使用について問い合わせが入り、ジョブズは「そのクスリを最後に使ったのは……」とか、「そのドラッグは使ったことがない」とか、率直かつ平然と答えたという。

ジョブズは、3万ドル程度で販売できる低コスト版のコンピュータを作るよう、ピクサーに圧力をかけた。マシンのデザインは、高額のデザイン料がかかるというキャットムルとスミスの抗議を退け、ハルトムット・エスリンガーに発注。仕上がりは、エスリンガーの特徴である細い溝が刻まれていたほかは、えくぼのようなへこみを真ん中に持つ立方体というピクサーイメージコンピュータに意外なほど似たものとなった。

ジョブズはピクサーのコンピュータを大衆市場に販売しようと考え、主要都市に営業所を置いた（営業所のデザインもジョブズがチェックした）。クリエイティブな人々がいろいろな使い方を見つけてくれるはずだと考えたのだ。

「人は創造的な動物で、発明した人間が想像もしなかった使い方を見つけてくれる――僕はそう考えている。マックのときはそうだったし、ピクサーのコンピュータでも同じようになるはずだと思ったんだ」

しかし、一般向けの売れ行きはかんばしくなかった。高すぎたし、アプリケーションも少なかったからだ。

ソフトウェアといえば、ピクサーには3Dのグラフィックスやイメージを作るレイズ《Reyes》というレンダリングプログラムがあった。「Renders Everything You Ever Saw」の頭文字で「見えるものならなんでもレンダリングする」という意味が込められている。

ジョブズを会長に迎えてから作ったのが、レンダーマンという言語とインターフェースだ。レーザープリンターの世界でアドビ社のポストスクリプトが標準となっているように、これを3Dグラフィックスのレンダリングにおける標準にしたいとピクサーは考えた。

ハードウェアと同じようにソフトウェアも、専門家だけでなく一般向けにも販売すべきだとジョブズは考えた。法人やハイエンドの専門家のみを対象とする話には、ジョブズはあまり燃えないとピクサーのマーケティング部長、パム・カーウィンも言う。

「スティーブは大衆市場向けのものに強い意欲を持っています。誰もがレンダーマンを使えたらどうなるかというすごいビジョンを持っていました。会議では、いつも、びっくりするような3Dグラフィックスや写真のようにリアルな画像をふつうの人がレンダーマンで作るという話をしていました」

ピクサーチームは、エクセルやアドビイラストレーターなどと違ってレンダーマンは使いやすくないからと、ジョブズに思いとどまらせようとした。するとジョブズはホワイトボードへ向かい、こうすればシンプルで使いやすくなると語りはじめる。

「気づくと、我々は皆、しきりにうなずき、『そうだ、そうすればいいんだ。これはすごい！』と沸きたっているわけです。で、彼がいなくなってしばらく考えると『なんてことを考えているんだ』となる。彼は本当にカリスマ性が強くて、話していると考え方が根本から変わってしまったりするんです」

結局のところ、一般の消費者は高いソフトウェアを買ってまで写真のようにリアルな画像のレンダリングをしたいとは考えておらず、レンダーマンがヒットすることはなかった。

アニメーターが描いた絵を映画用セルのカラー画像にレンダリングする作業を自動化したいと考える会社がひとつあった。ウォルト・ディズニー・カンパニーである。

創業者ウォルトの甥にあたるロイ・ディズニーが取締役会の改革を推進した際、新たにCEOとなったマイケル・アイズナーは、「自分はどういう役割を果たせばよいのか」とたずねた。これにロイ・ディズニーは、「歴史はあるが下り坂となっているアニメーション部門を再生してほしい」と答える。

アイズナーは、まず、工程のコンピュータ化を推進したが、その契約を獲得したのがピクサーだ。この結果、専用ハードウェアと専用ソフトウェアによるCAPS（Computer Animation Production System）というパッケージが生まれた。このシステムは、1988年に制作された『リトル・マーメイド』の最後、トリトン王がアリエルに別れを告げるシーンにはじめて使われた。

ジョン・ラセターとアニメーション

短編アニメーションを作っていたピクサーのデジタルアニメーション部門は、もともと、ハードウェアやソフトウェアのすばらしさを示すために設置されたものだった。

この部門を統轄するジョン・ラセターは、丸い顔とおだやかそうな性格のかげに、ジョブズに匹敵するほどの完璧癖を隠した芸術家である。ハリウッドで生まれ、子どものころから土曜朝のアニメ番組が大好きだった。9年生のとき、読書感想文の課題としてディズニースタジオの歴史をつづった『アート・オブ・アニメーション』を選び、自分はこれに人生を賭けようと決心する。

ハイスクール卒業後は、ウォルト・ディズニー・カンパニーが創設したカリフォルニア芸術大学のアニメーションコースに進学。夏休みなど時間に余裕があるときは、ディズニーの古い作品を観たりディズニーランドのジャングルクルーズでキャストをしたりした。ジャングルクルーズの経験からは、ストーリーを語る場合、タイミングとペースが大事であることを学ぶ。重要だが、フレームをひとつずつ作るアニメーションでは実現が難しいコンセプトだ。

大学3年時には、『レディー・アンド・ザ・ランプ』という短編映画で学生アカデミー賞を獲得した。この短編を観ると、『わんわん物語』などのディズニー映画にラセターが大きな影響を受けていることがわかる。また、ランプのような無生物に人間的魅力を吹き込む才能も垣間見える。卒業後は、当然ながら、ディズニースタジオでアニメーターとなった。

意外なことにこれがうまくいかなかった。

「我々若手の一部は『スター・ウォーズ』レベルの質をアニメーションで実現したいと思ったのですが、上に止められたのです。がっかりしました。そんなとき、上司同士の争いに巻き込まれ、アニメーション部門のトップに首を切られてしまいました」

このおかげで、1984年、エド・キャットムルとアルビー・レイ・スミスは、ジョン・ラセターを『スター・ウォーズ』レベルの質を決める場所、ルーカスフィルムに迎えることに成功する。ただ、コンピュータ部門のコストに頭を痛めていたジョージ・ルーカスがフルタイムアニメーターの採用を承認してくれるかどうか不安だったので、肩書は「インターフェースデザイナー」にした。

ジョブズとラセターは、グラフィックデザインに対する情熱が一致した。

「ピクサーにアーティストは私ひとりでしたから、スティーブのデザインセンスを好ましく思いました」

ラセターは陽気で社交的、誰とでもすぐ仲良くなるタイプで、シャツは花柄のアロハ、オフィスにはよくできたおもちゃをたくさん持ち込むし、チーズバーガーが大好きだった。これに対してジョブズはすぐに突っかかるやせこけたベジタリアンで、身のまわりはできるだけ簡素にしたいタイプだった。しかし相性は抜群によかった。ラセターはいわゆるアーティストであり、それはつまり、ヒーローかまぬけかというジョブズの分類で良いほうに入ることを意味する。ジョブズはラセターに対して丁寧に接し、その才能を心からたたえた。一方ラセターは、芸術を理解し、それを技術や商業と折り合わせる方法を知るパトロンだと正しくジョブズを見ていた。

ピクサーのハードウェアとソフトウェアのすごさを世の中に示すためには、短編アニメーションをラセターに作ってもらい、1986年のシググラフに出展するのがよいとジョブズとキャットムルは考えた。シググラフというのは毎年開催されるコンピュータグラフィックスの会議で、その2年前に『アンドレとウォーリーB.の冒険』が高い評価を得たイベントだ。

ラセターは、このころグラフィックレンダリングのモデルとして使っていたルクソー社の卓上電気スタンドを生きているかのようなキャラクターにすることを考えていた。友人が小さな子どもを連れているのを見て、ルクソー・ジュニアも登場させたらいいと思いつく。その後、試験的に作ったいくつかのフレームを見せたアニメーター仲間からは、ストーリーが大事だとのアドバイスを受ける。ごく短いものだからと思ったが、ほんの数秒でもストーリーは語れると追い打ちをくらった。この言葉をラセターは心に刻む。こうして完成した『ルクソーJr.』は2分強の短編で、ゴムボールを電気スタンドの親子が転がし合っているとボールがしぼんでしまい、子スタンドがしょんぼりする様子が描かれていた。

この短編に心を打たれたジョブズは、厳しい状況が続くネクストのことを少しだけ忘れ、ラセターとともに、8月にダラスで開催されるシググラフへ参加することにした。

「とても蒸し暑くて、外に出るとテニスラケットで殴られたような感じがしました」

とラセターは言う。ジョブズは、来場者1万人のこのトレードショーがとても気に入った。芸術的な創造性に触れると元気になるのだ。それがテクノロジーと関係があればなおさらだった。

映画が上映される部屋には入場を待つ長い列ができていたが、おとなしく並ぶタイプではないジョブズはうまく言いつくろって先に入ってしまう。上映された『ルクソーJr.』はスタンディングオベーションが続き、この年最高の映画に選ばれた。上映が終わったとき、ジョブズも興奮していた。

「イエーイ！　わかるぞ！　これがなんなのか、ちゃんとわかるぞ！」

のちにはこうも語っている。

「あのとき、技術を示すだけでなく芸術性まで表現できていたのは僕らの映画だけだった。マッキントッシュがそうだったように、ピクサーもそういう組み合わせを作るところなんだ」

『ルクソーJr.』はアカデミー賞にもノミネートされ、ロサンゼルスで開催された授賞式にはジョブズも出席した。最終的に受賞にはいたらなかったが、ジョブズは、これから毎年、短編アニメを作ろうと決心する。もちろん、事業的な根拠などなかったわけだが。

このあとピクサーは厳しい時代を迎え、ジョブズは情け容赦のない大幅予算カットを断行する。そして、そこまでして節約したお金を次の短編に使いたいとラセターに頼まれ、承諾するのだ。

『ティン・トイ』の成功

ピクサーでは人間関係がすべてスムーズだったわけではない。この仕事をキャットムルといっしょに立ち上げたアルビー・レイ・スミスとはひどいぶつかり方をした。テキサス州北部の田舎でバプテスト派の家庭に育ったスミスは、自由な精神を持つヒッピーのようなコンピュータ画像処理のエンジニアとなった。大柄でよく大笑いをするし、人間的な魅力もたっぷりと持っていた——それにふさわしい自我も。目立つ人だとパム・カーウィンは言う。

「アルビーはいつも輝いています。血色がよく、人なつっこい笑いが特徴的で、会議ではいつも多くの人に囲まれているのです。アルビーのようなタイプはスティーブの神経を逆なでしがちでしょう。ふたりともビジョナリーでエネルギーにあふれ、自我が強いのです。アルビーは、エドほど、いろいろなことに目をつぶって平穏無事にやってゆこうとはしませんからね」

スミスには、ジョブズがカリスマ性と自我の肥大で力を乱用する人間だと見えた。

「テレビ伝道師のような人物ですね。まわりの人々を操ろうとするのですが、私は奴隷になろうとしませんでした。だから、我々はぶつかったのです。このあたりの対応は、エドのほうがずっと上手でした」

ジョブズは会議の冒頭に、わざと怒らせるようなことや本当ではないことを言って、場を掌握しようとする。そのようなとき、スミスはいつも、大笑いしてからにやにや笑うという方法でつっ込む。これも、ジョブズにはおもしろくなかった。

新しいピクサーイメージコンピュータに使う回路基板の開発が遅れたとき、ジョブズは、取締役会でスミスたちピクサー幹部をがみがみ叱った。ネクストも回路基板の完成が大きく遅れていた時期で、スミスはその点を指摘した。

「ネクストはもっと遅れているじゃないか。だからこのくらいでもういいだろう?」

ジョブズはキレた（スミスによると「完璧に非線形だった」）。攻撃されていると感じたり対決姿勢になったりしたとき、スミスは南西部の訛りが出る。からかうようにこれをまねる戦法をジョブズはとった。

「あれはごろつきの戦い方で、私も全力でやり返しました。ふと気づくと、10センチもないくらいの距離で怒鳴り合っていました」

ジョブズは会議中、ホワイトボードにとてもこだわるので、スミスは大きな体でジョブズを押しのけるようにホワイトボードの前に立ち、そこにいろいろと書きはじめた。

「そんなことしちゃだめだ!」

「はぁ?　あんたのホワイトボードに書いちゃいかんって?　あほか」

ジョブズは会議室から飛び出していった。

結局、スミスはピクサーを退職し、画像をデジタル的に描いたり編集したりするソフトウェアの会社を興す。そちらでピクサー時代に開発したコードを一部使いたいと思ったが、ジョブズに拒否されてしまう。キャットムルによるといろいろ大変だったらしい。

「最終的にはアルビーの希望どおりになりましたが、1年ほどストレスがひどく、肺の感染症にかかってしまいました」

この会社はのちにマイクロソフトに買収され、なかなかの結果を出した。会社を立ち上げてジョブズに売却した場合とゲイツに売却した場合の比較ができたことだろう。

状況がいいときにも怒りっぽいのだから、ピクサーの事業がハードウェアもソフトウェアもアニメーションもすべて赤字続きとなったとき、ジョブズは怒りまくった。

「いろいろと計画は出てくるけど、結局、僕がお金をつぎ込み続けるしかなかった」

さんざん毒づくが、最後は小切手を切った。アップルを追放され、ネクストも失敗しそう。3撃目までくらうわけにはいかなかったのだ。

損失を抑えるため、ジョブズは大規模な人員削減を決断し、彼らしい共感欠損症候群で実施した。辞めさせる人に寛大な花道など、感情的にも金銭的にも用意する気がなかったとパム・カーウィンが言うほどの厳しさだ。退職金なしで即時解雇を主張するジョブズをカーウィンは駐車場に誘い、歩きながら、少なくとも2週間前の告知が必要だと訴えた。

「わかった。じゃあ、告知は2週間前の日付にさかのぼって出そう」

カーウィンはモスクワ出張中のキャットムルに必死で連絡を取った。戻ったキャットムルは、わずかながらも退職金を用意するなど、事態を少しだけ収めることに成功する。

インテルのコマーシャル制作をピクサーのアニメーションチームで請け負う交渉をしていたとき、ジョブズはいらつき、インテルのマーケティング部長を叱りとばしながらCEOのアンディ・グローブに直接電話をかけたこともある。当時ジョブズのメンターだったグローブは、インテルのマネジャーが正しいと言ってジョブズに道理を教えようとした。

「あのときは社員を支持しました。スティーブはサプライヤーのように扱われるのがきらいなんですよ」

ピクサーは、平均的な消費者をターゲットとしたパワフルなソフトウェアを開発した——少なくとも、デザインすることについてジョブズと同じような情熱を持つ平均的な消費者を対象に。このころもまだ、スーパーリアルな3D画像を家庭で作れればデスクトップパブリッシングの世界に普及するはずだと思っていたのだ。

開発したソフトウェアのひとつ、ショープレースは、作製した3Dオブジェクトの陰影を調整し、どのような角度でも正しい影が表示されるようにできた。これはとてもクールだとジョブズは思ったが、ほとんどの消費者は、こんな機能はなくてもかまわないと感じたようだ。情熱に目がくらんで道を誤ったのだ。たしかに驚くような機能がたくさん用意されていたが、そのため、ジョブズがいつも要求するシンプルさがなくなってもいた。結局、ピクサーはアドビにかなわなかった。アドビ社の製品は、機能的にはたいしたことはないが、ピクサー製品ほど複雑でも高価でもなかったのだ。

ハードウェアが沈んでもソフトウェアが沈んでも、ジョブズは、ピクサーのアニメーションだけは守り続けた。ジョブズにとって、これは、心に深い喜びをもたらしてくれる魔法のような芸術の孤島であり、なにがなんでもこれだけは育てよう、これに賭けようと考えていた。

1988年春、キャッシュ不足が深刻化し、全社的に支出の大幅な削減を命じなければならなくなる。つらい会議が終わったとき、ラセターたちアニメーショングループは、次の短編のお金を出してくれとなかなか口に出せなかった。ついに切り出すが、ジョブズは難しい顔で黙ったまま。30万ドル近い資金がポケットから出てゆく話なのだ。

ようやく口を開くと、絵コンテはあるのかと聞く。キャットムルとアニメーション部門へ行き、ラセターの説明を受けると――絵コンテにあわせてせりふをしゃべり、すごい作品になると情熱的に語る姿を見ると――やっと表情が和らいだ。ラセターが大好きな昔ながらのおもちゃを題材とした話だった。ストーリーは、ティニーというワンマンバンドのおもちゃの視点で進む。かわいいけど恐ろしい赤ん坊に出会い、ソファの下に逃げ込むと、そこには同じように脅えたおもちゃがたくさん集まっていた。しかし、転んで頭を打った赤ん坊を見て、元気づけようとティニーは戻ってゆく。

ジョブズは資金提供に同意する。

「ジョンがすることに間違いはないと信じていたからね。あれは芸術だ。彼はそこにこだわっていたし、僕もこだわっていた。いつもイエスと答えたよ」

説明を終えたラセターに対するコメントは短かった。

「ジョン、すごいものにしてくれ。頼んだよ」

この『ティン・トイ』は、1988年のアカデミー賞短編アニメーション賞を獲得する。コンピュータで作られたアニメ初の快挙だった。祝賀会として、ジョブズはラセターたちをサンフランシスコのベジタリアンレストラン、グリーンズに連れて行った。ラセターは、テーブルの真ん中に置かれたオスカー像をつかみ、高々と掲げると、

「あなたが求めたのは、すごい映画を作れ、それだけでした」

とジョブズに乾杯した。

CEOにマイケル・アイズナー、映画部門のトップにジェフリー・カッツェンバーグを据えたディズニーの新体制は、ラセターをディズニーに呼び戻したいと考えた。『ティン・トイ』を見て、おもちゃを主題に生き生きした世界や人間らしい感情にあふれたアニメーションが作れるのではないかと思ったのだ。しかしラセターはジョブズの信頼に深く感謝しており、自分がコンピュータアニメーションで新しい世界を作る場所はピクサーしかないと考えていた。

キャットムルによると、ラセターは、

「ディズニーに戻れば監督になれるでしょう。でも、ここに残れば歴史が作れます」

と語ったという。仕方がないので、ディズニーはピクサーに制作を依頼する方向へ舵を切ったとカッツェンバーグは証言する。

「物語という面でも技術という面でも、ラセターの短編は本当にすばらしいものでした。だから、なんとかディズニーに戻ってもらおうと努力したのですが、スティーブとピクサーに恩があると断られてしまいました。勝てない相手なら味方にするのが得策というわけで、ピクサーと協力し、おもちゃの映画を作ってもらう方法を探すことにしました」

ここまでにジョブズは５０００万ドル近い自己資金をピクサーにつぎ込んでいた。アップルで得たお金の半分以上だ。ネクストも赤字だった。

転んでもただでは起きないのがジョブズだ。１９９１年、ピクサー社員が全員、ストック・オプションを放棄するなら私財を追加投入すると約束した。一方、芸術と技術の融合については夢を見続けていた。ふつうの消費者がピクサーのソフトウェアで３Ｄ映像を作るようになるという予想ははずれたが、優れた芸術とデジタル技術を組み合わせれば従来のアニメーション映画を一変させられるという直感は、まさに先見の明と言えるものだった。１９３７年、ウォルト・ディズニーが『白雪姫』を生み出して以来、最大というほどの変化をアニメーション映画にもたらしたのだ。

当時をふり返り、「こうなるとわかっていたらもっと早くにアニメーションに集中し、ハードウェアやソフトウェアをなんとかしようとはしなかっただろう」とジョブズは言う。しかし同時に、ハードウェアやソフトウェアの事業が失敗するとわかっていたらピクサーを買わなかったのも事実だ。

「人生はなにが幸いするかわからないもので、たぶん、あれはあれでよかったんじゃないかと思う」

第20章 レギュラー・ガイ 凡夫を取り巻く人間模様

ジョーン・バエズ

まだマッキントッシュの仕事をしていた1982年、ジョブズは有名なフォークシンガー、ジョーン・バエズに出会う。きっかけは、彼女の妹、ミミ・ファリーニャが、刑務所に提供するコンピュータの寄付を求めた慈善団体のトップを務めていたからだった。数週間後、ふたりはクパチーノでランチをともにする。

「とくに期待はしてなかったんだけど、彼女はとても頭がいいしおもしろくてね」

そのころジョブズは、レジス・マッケンナで出会った美女、バーバラ・ヤシンスキーと付き合っていた。ふたりでハワイに行ったりサンタクルーズ山脈の麓《ふもと》にある家にいっしょに住んだりしたほか、バエズのコンサートにもいっしょに行ったことがある。ヤシンスキーとの交際が下火になるにつれ、ジョブズはバエズと付き合いはじめる。ジョブズは27歳、バエズは41歳だったが、その後何年間かふたりは交際する。当時について、ジョブズは遠い目をしながら語った。

「たまたま知りあった友だちが恋人になり、真剣に付き合う結果になったんだ」

リード・カレッジ時代からの友人、エリザベス・ホームズは、ジョブズがバエズと付き合ったのは、彼女が美しくおもしろくて才能があるのもさることながら、ボブ・ディランの恋人だったからだと考えている。

「スティーブは、ディランとのつながりに強く惹かれていました」

バエズとディランは1960年代のはじめごろ、恋人同士で、その後も、1975年のローリングサンダーレビュー（ジョブズは海賊盤の録音を持っていた）などのツアーを友人としていっしょにおこなっている。

ジョブズと出会ったとき、バエズには反戦活動家、デビッド・ハリスとの結婚で生まれた14歳の息子、ガブリエルがいた。ランチの話題として、バエズは息子にタイピングを教えているところだと話す。

「タイプライターを使って？」

バエズはそうだと答える。

「でも、タイプライターはもう時代遅れだよ？」

「タイプライターが時代遅れならどうだって言うの？」

気まずい沈黙が訪れた。バエズはのちにこう回想している。

「そうたずねた瞬間、答えは決まっていることに気づいたわ。質問が肩にのしかかっているみたいで、ぞっとしちゃった」

後日、ジョブズはバエズを伴ってマッキントッシュのオフィスに登場し、プロトタイプを見せた。徹底した秘密主義のジョブズが外部の人間にマックを見せるなどありえないとチームは自分たちの目を疑ったが、その相手がジョーン・バエズだったことはさらに大きな驚きだった。ジョブズはガブリエルにアップルⅡを、のちにバエズにマッキントッシュをプレゼントする。ときどき、バエズのところを訪れ、お気に入りの機能を実演するなどしてくれたとバエズは言う。

「親切で辛抱強かったけど、でも、あまりによく知っているだけに、わたしに教えるのはいろいろと大変だったみたい」

ジョブズは億万長者になったばかりのころで、バエズは世界的な有名人だがつつましく、お金もそれほどなかった。バエズは当時もジョブズがよくわからなかったし、30年近くたったいまも不思議らしい。付き合いはじめたころ、夕食を食べながらジョブズがラルフ・ローレンとポロショップの話をはじめたことがあったという。彼女は、その店に足を運んだことがないと答えた。

「あそこに、君にとても似合いそうな真っ赤なドレスがあるんだ」

そう言って、ジョブズは、スタンフォードモールのポロショップに彼女を連れて行く。

「すごい、信じられない、わたしは世界有数のお金持ちと付き合っていて、そのきれいなドレスをわたしに着てほしいと彼は望んでるんだって思ったわ」

店に着くと、ジョブズは自分用のシャツを何枚か買い、きっと似合うと言って彼女に赤いドレスを見せる。彼女もそう思った。

「コレ、買ったら？」

えっと思ったバエズは高すぎてとても買えないと答える。ジョブズはなにも言わず、ふたりは店を後にした。この件は、いまだに気になるらしい。

「あんな感じで一晩中語られたら、買ってくれると思うのが当然じゃない？　これが〝赤いドレスの謎〟よ。どう思う？　わたしはどうにも納得がいかないわ」

コンピュータはくれるがドレスは買ってくれない。花を持ってきてくれることはあるが、そういうときは必ず、会社のイベントで使ったものだと言う。

「恋がしたいのに恋を恐れていたんだと思う」

ネクスト時代には、音楽機能がすごいんだと、ウッドサイドにあるバエズの自宅までコンピュータを見せにきたこともある。

「コンピュータにブラームスの四重奏を演奏させ、そのうちコンピュータは人間よりも演奏が上手になる、曲の解釈やカデンツァさえ人間より上手になると、そう言うのよ」

バエズはぞっとしたそうだ。

「彼は興奮して心から大喜びしているのだけれど、わたしは逆に怒り狂い、なにをどうしたら音楽をそんなふうに冒瀆《ぼうとく》できるのって思ったわ」

そのころジョブズは、バエズとの交際についてデビ・コールマンやジョアンナ・ホフマンに漏らし、10代の息子がいて、子どもがもっと欲しいと思う時期をおそらくは過ぎてしまった女性と結婚できるのだろうかと悩みを打ち明けたりしている。ホフマンはこう語っている。

「ディランのような真に『政治的な』メッセージを歌うシンガーではなく、さまざまな『争点』を歌にしているだけのシンガーだと彼女を低く評価しようとすることがありました。彼女は芯の強い女性で、スティーブは自分が上だと見せたかったのです。それから、スティーブはいつも子どもが欲しいと言っていて、でも、彼女とではそうならないはずだとわかっていました」

結局、3年ほどで付き合いを解消し、ふたりは単なる友だちとなる。当時についてジョブズはこう語る。

「彼女を心から愛していると思っていたけど、ただ、大好きだっただけなんだ。いっしょになるという話はなかった。僕は子どもが欲しかったし、彼女はこれ以上いらないと思っていたからね」

1989年の回想録でバエズは離婚について語り、再婚しなかった理由にも触れている。

「わたしはひとりでいるタイプで、だから、そのあとはずっとそうしてきたの。脇道にそれることもあったけど、まあ、ピクニックみたいなものね」

なお、この本の謝辞には「ワードプロセッサーをキッチンに置き、わたしにむりやり使わせたスティーブ・ジョブズ」にも感謝するとの一言が記されている。

ジョアンとモナを捜しあてる

アップル追放の1年後、ジョブズが31歳のとき、たばこが好きだった母親のクララが肺がんを患った。ジョブズは臨終の床についた母親とゆっくり話をしながら、それまでは聞きたくても聞けなかったこともたずねた。

「おやじと結婚したとき、お袋は処女だった?」

もうしゃべるのもつらい状態だったが、母親はほほえみ、じつはその前に結婚していたことがあり、前夫は戦争から帰ってこなかったのだと語った。

ふたりがジョブズを養子に迎えたときのことも、いろいろと話してくれた。

そのころジョブズは、自分を養子に出した生みの母親を捜し出すことに成功する。この探索は、1980年代のはじめごろからひそかに続けていた。最初は私立探偵を雇ってみたが、有益な情報はなにも得られなかった。次に、自分の出生証明書にサンフランシスコの医師の名前があることに気づく。

「電話帳に載っていたので電話をしてみた」

とジョブズは言う。だめだった。火事で当時の記録は焼けてしまったというのだ。じつはこれはうそで、ジョブズが電話をした直後、この医師は手紙を封筒にいれ、「私が死んだらスティーブ・ジョブズに送ること」と書いた。少しあと、この医師が亡くなり、手紙は残された妻からジョブズへと届けられる。そこには、生みの母親はウィスコンシン出身の大学院生で名前はジョアン・シーブル、未婚の母だったと書かれていた。

さらに何ヵ月か、私立探偵を雇って調べさせた結果、生みの親を見つけることができた。ジョアンは、ジョブズの生物学的父親であるアブドゥルファター・ジョン・ジャンダーリと結婚し、モナという妹をもうけていた。しかし5年ほどでジャンダーリが家を出てしまい、ジョアンは華やかなアイススケートのインストラクター、ジョージ・シンプソンと再婚する。この結婚も長くは続かず、1970年からいろいろとあった末、ジョアンとモナはロサンゼルスにやってくる（ふたりはいまもシンプソン姓を名乗っている）。

生みの母親を捜していることを、ジョブズは、自分が本当の両親だと考えるポールとクララに知られないように気をつけた。気遣いとは無縁のような人物であるだけに、ふたりをいかに大事にしていたかがわかるだろう。両親を傷つけたくなかったのだ。だから、1986年にクララ・ジョブズが亡くなるまで、ジョアン・シンプソンに連絡しようとはしなかった。

「僕にとってはふたりこそが両親であり、ふたりを親だと思っていないのではないかと感じさせるようなことはしたくなかった。ふたりを深く愛していたから、捜していることを知られたくなかった。調べた記者がいても記事にさせなかったほどだ」

クララが亡くなったとき、ついに決心して父のポール・ジョブズに話したところ、心配はいらないから連絡してごらんと背中を押される。

こうしてジョブズはジョアン・シンプソンに電話をかけ、自分が誰なのかを告げるとロサンゼルスまで会いに行った。動機は主に好奇心だったそうだ。

「人を特徴づけるのは生まれよりも育ちだと信じていたけど、それでも、生みの親についていろいろと考えてしまうのは当たり前だろう」

養子に出されたことは気にしていないとジョアンを安心させたいとも思っていた。

「生みの母親がどうしているのかも確かめたかったし、ありがとうとも言いたかった。堕《お》ろされずにすんでよかったと思うからね。23歳でいろいろと大変な思いをして僕を産んでくれたんだから」

ロサンゼルスの自宅でジョブズに会ったジョアンは、胸がいっぱいになった。有名なお金持ちだとは知っていたが、その経緯はよくわかっていなかった。次から次へと感情があふれはじめる。養子縁組の書類にサインするよう圧力をかけられた、それでも、新しい両親のもとで赤ん坊が幸せに暮らしていると言われるまでサインしなかった。どうしているかずっと心配していたし、自分はひどいことをしたと後悔してきた。そして、繰り返し繰り返し謝る。大丈夫だよ、すべていい形になったんだからとジョブズが安心させても謝り続けた。

ようやく落ちついたジョアンは、ジョブズにはモナ・シンプソンという実の妹がいて、マンハッタンで小説家として身を立てようとしていると告げた。それまで兄がいるとモナには打ち明けていなかったが、この日、電話で少なくとも部分的に知らせることにした。

「あなたにはお兄さんがいるの。すてきな人で有名人よ。ニューヨークへ連れて行って会わせてあげる」

モナはそのとき、『ここではないどこかへ』の仕上げで大変な時期だった。母親とふたり、ウィスコンシンからロサンゼルスまでの遍歴をつづった小説だ。この小説を読んだ人なら、兄のことをモナに教える母親のやり方が変わっていたのにも驚かないだろう——名前は教えず、ただ、貧乏だったけどお金持ちになった、かっこよくて有名人、長い黒髪でカリフォルニアに住んでいるとしか語らなかったのだ。

そのころモナはジョージ・プリンプトンの文芸雑誌、パリ・レビューで働いていた。職場は、マンハッタンはイーストリバーの近くにあるジョージ・プリンプトンのタウンハウスの1階にある事務所である。兄がいると告げられた彼女は、同僚と、誰だろうかと話し合った。人気が高かったのはジョン・トラボルタだった。ほかにも、俳優の名前が何人もあげられた。「アップルコンピュータをはじめたひとりかも」と言った人はいたが、その名前を思い出せた人はいなかった。

対面の場はセントレジスホテルのロビーだった。ジョアンに紹介された兄は、本当にアップルをはじめたひとりだった。

「兄はとにかくざっくばらんですてきな、ごくふつうの優しい人でした」

しばらくロビーに座って話をしたあと、ジョブズは妹とふたりだけで散歩に出た。ジョブズは、自分とあまりによく似ている妹がいたことにわくわくしていた。ふたりとも芸術に強い興味があり、鋭い観察眼を持っている。強い感受性と意志も共通していた。夕食に向かう途中では建物の同じ部分や同じオブジェに注目し、それについていろいろと語り合った。

「妹は作家だったよ！」

ジョブズは大喜びで、そう、アップルの仲間に叫んだという。

１９８６年末、プリンプトン主催で『ここではないどこかへ』の出版記念会が開かれたとき、ジョブズはニューヨークまで行き、モナをエスコートした。生まれや出会った経緯などを考えれば当然ともいえる複雑なところはあったが、ふたりはどんどん親しくなる。

「僕が登場し、母親が僕と仲良くするのを、モナは、必ずしも喜んでいなかったようだ。でも、知り合うにつれてとてもいい関係になっていったし、彼女は僕の家族だ。彼女なしの人生というのは考えられない。あれ以上の妹は想像もできない。同じく養子の妹、パティとはあまり親密じゃないし」

同じようにモナもスティーブを深く愛しており、彼の奇癖をあまりに正確に描いた『レギュラー・ガイ（A Regular Guy）（凡夫）』という小説を書いたりもしたが、ひたむきにかばったりもする。

ふたりがいつもけんかするのはモナの服装についてだ。いつも悪戦苦闘する小説家らしい服装で、もっと「魅力が十分な」服を着ろとジョブズに怒られるのだ。いいかげんにしてと手紙を書いたこともある。

「私は若い作家で、自分の人生を生きている。だいたい、モデルになるわけじゃないんだから」

返事はなかった。しかしその少しあと、イッセイミヤケの店から箱が届く。技術的な香りが感じられる簡素なデザインでジョブズお気に入りのブランドだ。

「わざわざ買いに行ってくれ、私に似合う色のすごくいい服を選んでくれたのです。サイズもぴったりでした」

とくに気に入ったパンツスーツは同じものが3組も送られてきた。

「モナにはじめて贈ったスーツはいまもよく覚えている。麻のパンツとジャケットで色はくすんだ淡いグリーン。彼女の赤みがかかった髪の毛に映えてとてもすてきだった」

一方、モナ・シンプソンは、5歳のころにいなくなった父親を捜していた。マンハッタン在住の有名作家、ケン・オーレッタとニック・ピレッジの紹介で、探偵事務所を開いた元警官を紹介してもらう。

「彼にはなけなしのお金を渡しました」

しかし、手がかりも得られない。次に頼んだのはカリフォルニアの私立探偵で、こちらは陸運局のデータからアブドゥルファター・ジャンダーリがサクラメントにいることを突きとめてくれた。シンプソンはこの成果をジョブズに伝え、ふたりの父親であるはずの人物に会いに行こうと誘った。

だがジョブズは会おうとしなかった。

「父親らしいことはしてもらっていない。だからといって含むところはない。僕はこうして生きていられて幸せだからね。でも、モナにもちゃんとしてあげなかったのは許せない。彼は妹を捨てたんだ」

ジョブズ自身、リサを認知せずに捨て、そのころ、娘との関係を修復しようとしていたわけだが、だからといってジャンダーリに理解を示しはしなかった。

シンプソンはひとりでサクラメントに向かう。

「とても緊張しました」

父親は小さなレストランで働いていた。娘が訪ねてきたのはうれしいようだが、奇妙に思うほど受け身な感じがした。いろいろと話をして、ウィスコンシンを出たあとは教職を辞め、レストランをはじめたこと、二度目の結婚は短く、年上の裕福な女性と結婚した3番目は長く続いたが子どもはいなかったことなどを聞く。

自分のことは話さないでくれと頼まれていたので、ジョブズの話は出さなかった。ところが父親のほうから、じつはシンプソンの前に男の子がいたとつぶやく。

「その子はどうなったの？」

「あの子にはもう会えないよ。どこに行ったかわからないんだ」

シンプソンははっとしたが、なにも言わなかった。

ジャンダーリは、以前に経営していたレストランの話をはじめる。ふたりが座っているサクラメントの小汚い店と違っていい店だったという。サンノゼの北の方にある地中海料理のそのレストランを見せたかったとも言われた。

「あれはいい店だった。テクノロジーの世界で成功した人がたくさん来ていたよ。あのスティーブ・ジョブズだって来たよ」

シンプソンの驚いた顔を見て、父親は、

「本当だよ。よく来ていたよ。いい人でね、チップもはずんでくれたよ」

と付け加える。モナはスティーブ・ジョブズはあなたの息子よ！　と叫びそうになったが、あやういところで声を飲み込んだ。

父親との話が終わると、レストランにあった公衆電話からこっそりとジョブズに連絡し、バークレーのエスプレッソローマカフェで会う約束を取り付ける。個人的・家族的なこの話にある意味ふさわしいと言えるかもしれないが、ジョブズは、クリスアンのところから、小学校に通うようになったリサを連れて現れた。夜10時近かったが、シンプソンは父親から聞いた話を語りはじめる。サンノゼ近くのレストランの話は、当然ながら、ジョブズも驚いた。では、あの人物が血のつながった父親だったんだと思い出すことさえできた。

「あれには驚いた。そのレストランには何回か行ったことがあって、オーナーのことも覚えている。

シリア人だった。握手もしたよ」

それでもジョブズは、父親に会おうとはしなかった。

「あのころ僕はもう金持ちになっていて、ゆすったり、メディアに特ダネを売り込んだりするんじゃないかと信用できなかったんだ。だからモナには、僕のことは話さないでくれって頼んだ」

モナ・シンプソンは頼まれたとおりにしていたが、あるとき、ふたりの関係に言及しているオンライン記事にジャンダーリが気づいてしまう（参考図書でシンプソンがジャンダーリを父親としていることをあるブロガーが見つけ、それならジョブズの父親でもあると気づいたのだ）。

何年もあとのことで、そのころジャンダーリは4回目の結婚をして、ネバダ州リノのすぐ西にあるブームタウンホテル&カジノで飲食物のマネジャーとして働いていた。２００６年、結婚したばかりの妻、ロシーユを連れてシンプソンのもとを訪れたとき、ジャンダーリはこのことをたずねた。

「スティーブ・ジョブズがどうのこうのという、この話はなんだい？」

シンプソンは事実だと認め、ジョブズは会いたくないみたいだと付け加えた。ジャンダーリは納得したらしい。モナが語る。

「父は思いやりがあって話がとても上手な人です。でも、ものすごく消極的なのです。その話は二度と出ませんでした。スティーブに連絡を取ることもありませんでした」

この父親捜しをもとに、シンプソンは2冊目の小説、『父を捜して（The Lost Father）』を１９９２年に書き上げる（表紙はネクストのロゴをデザインしたポール・ランドにジョブズが頼んだが、シンプソンによると「あまりにひどくて使わなかった」そうだ）。シンプソンはシリアのホムスや米国に散ったジャンダーリ家の人々も捜し出し、２０１１年現在、シリア系のルーツについての小説を書いている。

ジョブズもそのうちジャンダーリに会う気になるだろうとシンプソンは思っていたが、時間がたてばたつほど、その気は薄れたようだ。2010年にシンプソンの誕生日を祝うため、息子のリードを伴ってディナーに訪れたときも、リードは血のつながった祖父の写真を眺《なが》めたりしたが、ジョブズは見向きもしなかった。シリアの血にも興味はないようだ。中東が話題にのぼっても興味を示さないし、彼らしい強烈な意見が飛び出すこともない。2011年、アラブの春がシリアに広がったあともだ。

「あそこでなにをすべきか、本当にわかっている人はいないんじゃないかと思う」

エジプト、リビア、シリアへの介入をオバマ政権は強化すべきだと思うかと聞いてみたが、

「してもだめ、しなくてもだめだろう」

としか返ってこなかった。

一方、血のつながった母親、ジョアン・シンプソンとはいい関係を保っており、毎年クリスマスは、ジョアンとモナもジョブズ宅で過ごしている。かけがえのない時間だが、ジョブズはときに感情的できつい面もある。ジョブズをとても愛している、養子に出してごめんなさいとジョアンが泣いてしまうことが多いのだ。

そういうとき、ジョブズは大丈夫だからとなぐさめる。

「気にすることはないよ。僕はとてもいい子ども時代を過ごした。万事うまくいったんだ」

リサ

一方、リサ・ブレナンはいい子ども時代を過ごせなかった。小さなころ、父親が会いに来てくれることはほとんどなかった。

「僕は父親になりたくなかった。だからならなかったんだ」

とのちにジョブズは語っているが、その声に後悔の色はわずかしか感じられない。それでも、ときどきは気になったらしい。リサが3歳のとき、リサとクリスアンに買ってあげた家のそばをジョブズが通りかかり、立ち寄ったことがある。誰なのかリサはわからなかったが、その人は玄関先で母親と立ち話をしていた。そういうシーンが年に1回か2回、あったという。連絡なしにふらりとジョブズが現れ、リサの学校などの話をして、メルセデスで去ってゆく。

1986年、リサが8歳になるころから、ジョブズは頻繁に姿を見せるようになった。マッキントッシュを必死で推進する任務も終わったし、そのあとにあったスカリーとの権力争いも終わったころだ。仕事がネクストに移り、職場は静かで友好的になったし、場所もパロアルトでクリスアンとリサが住むところに近くなった。また、3年生から4年生になるころには、リサは頭がよく、美的感覚にも優れていることがあきらかで、とくに文章力が優れていると先生たちに評価されていた。気が短くて元気、そして、父親と同じように挑戦的なところも少しだけあった。眉のあたりや中東系の香りがする骨張ったところなど、見た目も父親似の部分があった。

ジョブズがオフィスにリサを連れてきて、皆を驚かせたこともある。リサは、「見て見て！」と言いながら廊下で側転をしていた。ひょろ長くて人付き合いのよいエンジニアで、ネクスト入社後にジョブズの友人となったアビー・テバニアンは、皆で夕食に行く途中、クリスアンの家に寄ってよくリサを拾っていったと記憶している。

「リサにはとても優しくて。スティーブはベジタリアンだしクリスアンもそうでしたが、リサは違いました。それでもよかったらしくて、チキンを頼んだらどうだいなんて言ってましたよ」

チキンは、ベジタリアンで自然食品を神聖視する両親のあいだを行ったり来たりするリサにとってささやかなぜいたくとなった。当時について、リサはのちにこう書いている。

「食料品は、いつも、髪を染めた人が見当たらない、酵母のにおいがするお店で買っていました。プンタレッラとか、キノアとか、セロリアック、キャロブナッツなどです。でもときどきは変わったものも試してみました。チキンがずらりと串焼きされているお店で香辛料が効いた熱々のチキンを紙袋にいれてもらって車に戻り、手づかみで食べたりしたのです」

父親は自分が食べるものにもっと厳格で、狂信的とも言えるほどだった。バターが使われているとわかってスープを吐き出すのを見たこともあると言う。アップルでは若干ゆるんでいた時期もあったが、その後はまた絶対菜食主義に戻っていた。これが、苦行とミニマリズムがのちの感動を高めるという人生哲学によるものだと、リサは小さなころから気づいていた。

「すばらしい収穫は粗末なものから生まれる、喜びはがまんから生まれる、と父は信じていました。物事はその反対へ振れるという、ほとんどの人が知らない法則を理解していたのです」

同じように、いつもはそばにおらず、基本的に冷たいからこそ、ときどき父親が見せてくれる温かさが格別にうれしいものとなる。

「いっしょに住んではいませんでしたが、父はときどき家に立ち寄ってくれました。ぞくぞくするような瞬間、いえ、時間をもたらしてくれる神でした」

リサはすぐ、話し相手を務められるようになり、ふたりで散歩をしながらいろいろと話をするようになった。パロアルト旧市街の静かな道でローラーブレードをしたり、ジョアンナ・ホフマンやアンディ・ハーツフェルドの家を訪れたりもした。ホフマンのところにはじめて連れてきたとき、ジョブズは「リサだ」としか言わなかったが、それが誰なのかすぐにわかったとホフマンは言う。

「娘だとすぐにわかりました。あごを見ればわかります。あのあごは特徴的ですから」

自身も両親が離婚し、10歳まで父親を知らずにつらい思いをしたホフマンは、いい父親になってあげてとジョブズにアドバイスをする。ジョブズはこの忠告に従って良かったとのちに感謝した。

ジョブズはリサを連れて東京へ行き、機能美にあふれたホテルオークラに泊まったことがある。エレガントな寿司店で、ジョブズは穴子を頼んだ。大の好物で、これだけはベジタリアン側に入れている一品だ。穴子は塩とたれ、2種類が出てきた。温かい穴子が口のなかで崩れるほろりとした感覚をいまもよく覚えているとリサは言う。穴子といっしょにふたりの距離も崩れていった。

「父といてあれほどゆったり落ちついた気分になったのは、穴子のお皿を前にしたあのときがはじめてでした。冷たいサラダのあとの温かな許し、度を過ごしたのは、閉ざされていた部分が開かれたことを意味します。すてきな天井のもと、小さな椅子に、穴子があって私がいて、父は自分を少し緩めていたのです」

しかし、いつも甘く、輝いていたわけではない。ジョブズは、ほかの人に対するのと同じようにリサに対しても気まぐれだった。受容と拒絶を繰り返し、楽しくいっしょに遊んだかと思うと、次のときには冷たかったり顔さえも見せなかったりした。近くで見ていたハーツフェルドはこう証言する。

「リサは父親との関係に自信が持てずにいました。多くの人が来る予定だったリサの誕生日パーティーにスティーブがものすごく遅れて来たことがあります。なかなか来ない父親にリサは不安でしょんぼりしていました。でも、スティーブの顔を見たら大喜びしました」

そのスティーブに対抗するかのように、リサはしだいに気むずかしくなっていく。ふたりの関係は、ずっとローラーコースターのようだった。どちらも頑固なので、いったん下るとなかなか上向かない。けんかすると何ヵ月も口さえきかなかったりするのだ。どちらも自分から折れ、謝ったり仲直りをしたりするのが下手で、これはジョブズが健康問題で苦労していた時期もかわらなかった。

２０１０年の秋、箱に入った古い写真を私に見せてくれたとき、まだ幼いリサを訪ねたときの写真が出てきた。

「もっと行ってやればよかったんだろうな」

そうつぶやくジョブズは、もう、1年も娘と話をしていなかった。電話か電子メールで連絡してみたらと私が提案すると、遠くを見る目でこちらを見ただけで、古い写真をがさごそかきまわす作業に戻ってしまった。

大嵐のような恋愛

女性に対して、ジョブズは情熱的なことが多い。ドラマチックに恋に落ち、こんなことがあった、あんなことがあったと、いいことも悪いことも友だちに話すし、大勢を相手にのろけることも多い。

そんなジョブズが１９８３年夏に出会ったのがジェニファー・イーガンだ。シリコンバレーでおこなわれた小さなディナーパーティーにジョーン・バエズと出席したとき、隣に座ったペンシルバニア州立大学の学生である。夏休みの職業体験でサンフランシスコに来ていたイーガンのほうは、ジョブズが誰なのかよくわかっていなかったらしい。今後もバエズとずっとふたりで歩いてゆくことはないとわかったころで、イーガンに惹かれたジョブズは連絡先を調べ、テレグラフヒル近くにあるベジタリアンスフレの専門ビストロ、カフェジャクリーンに誘った。

それから1年ほどふたりは付き合い、ジョブズは東海岸まで通ってデートをした。ボストンのマックワールドでも、「愛する人に会うため、フィラデルフィア行きの飛行機に間に合うように急がなければならない」などと話し、会場を大喜びさせた。ジョブズがニューヨークに来るとき、イーガンが列車で来てカーライルホテルやアッパーイーストサイドにあるジェイ・シャイアットのアパートに泊まり、カフェルクセンブルクで食事をしたりした。リフォームを予定しているサンレモのアパートもよく訪れたし、オペラを観に行ったことも（少なくとも1回は）あった。

ふたりは夜によく電話で何時間も話をした。話題のひとつはジョブズの「信念」だった。仏教を学んだジョブズはモノへの執着を断ち切ることが大事だと信じており、消費の欲望は不健全で、悟りを開くためには非執着・非物質主義の生活としなければならないと考えていた。モノを欲しがり手に入れることの問題点を禅の師匠、知野弘文が語った法話のテープを送ったりもした。これに対しイーガンは、コンピュータなど多くの人がどうしても欲しいと思う製品を作るのは、その考え方に反しているのではないかと反論。

「この二項対立にスティーブはいらついて、ずいぶんと議論しました」

この問題は、所有欲をひかえるべきとする感性よりも、自分が作ったモノに対する誇りが上まわって決着がつく。マッキントッシュが発売された1984年1月、イーガンは冬休みでサンフランシスコに帰省していた。そこに、有名になったスティーブ・ジョブズが、箱に入った新品のマッキントッシュを持って突然登場し、イーガンの寝室に設置していったため、夕食に集まっていた母親の友だちは、皆、びっくりした。

ジョブズはイーガンにも、自分は長生きしないだろうと打ち明けた（ごく少数の友だちにしか打ち明けていない）。だから自分はせっかちで、先を急ぐのだと。

「やりたいことを急いでやらなければならないと感じていたようです」

ふたりの関係は、1984年秋、しばらく結婚する気はないとイーガンがはっきりさせた結果、先細りとなった。

その少しあと、スカリーとのいがみ合いがはじまりつつあった1985年はじめごろ、ジョブズは、とある会議に向かう途中、非営利組織にコンピュータを提供するアップル財団に立ち寄る。その事務所に、ヒッピーを思わせる自然な純粋さのオーラとコンピュータコンサルタントのしっかりした感性とを併せ持つ、ブロンドが美しいしなやかな女性がいた。ピープルズ・コンピュータ・カンパニーで働いた経験のあるティナ・レドセだ。

「いままで出会った中で一番美しい女性だ」

とジョブズが言うほどの女性である。

ジョブズは翌日、電話でディナーに誘うが、恋人と暮らしているからと断られる。数日後、今度は近くの公園へと散歩に誘い、もう一度ディナーに誘うと、今度は行ってもいいか恋人に聞いてみるという答えが返ってきた。彼女はとても正直で率直だった。ディナーのあとには、自分の人生がぐちゃぐちゃになりそうだと泣き出してしまう。そのとおりだった。その少しあと、レドセは、家具がほとんどないウッドサイドの館に居を移すのだ。

「本当に愛したのは彼女がはじめてだった。僕らはとても深くつながっていた。彼女以上に僕のことをよくわかってくれる人なんていないいんじゃないかと思う」

いろいろと問題のある家庭で育ったレドセに、ジョブズは、養子に出された痛みを聞いてもらったりした。

「わたしたちは、どちらも子ども時代に傷ついた経験を持っています。ふたりとも社会にはなじめないタイプであり、だから、ふたりで生きていくんだと言われました」

ふたりとも人前でも気にしない情熱的なタイプで、ネクストのロビーでいちゃつく姿を多くの社員が記憶している。けんかも同じで、映画館でも来客の前でもかまわずしていた。それでもジョブズはレドセの純粋で自然なところをいつも高く評価し、スピリチュアルな言葉で表現していた。別世界の人のようなレドセにジョブズがのぼせたのは、弱い部分や神経症的なところにスピリチュアルな意味を見出す傾向がスティーブにあるからだと、現実的なジョアンナ・ホフマンは見ている。

１９８５年、アップルでの権限を失い、欧州を旅して傷を癒やそうとしたジョブズにレドセも同行した。セーヌ川にかかる橋の上では、このままフランスにとどまったらどうか、移住してしまったらどうか、ずっとこっちで暮らしたらどうかなどと話し合った。まじめに考えていたというよりも恋人同士の会話としてではあったが、レドセはかなりその気になっていた。ジョブズは違った。手ひどくやられてはいたが、志まで折れてはいなかったのだ。

「僕という人間は、僕がすることを映すものなんだ」

のちにふたりは別々の道を歩むが、スピリチュアルなつながりは保つ。そして、25年後、レドセはパリでの会話を心打たれる電子メールにしてジョブズに書き送った。

１９８５年の夏、わたしたちはパリで橋の上にいましたね。空はどんよりと曇っており、ふたりともすべすべの石でできた欄干にもたれながら緑色の川の流れをじっと見ていました。あのとき、あなたの世界は千々に割れた状態で、そこからどういう姿が現れるのかは、あなたが次になにを選ぶか次第でした。わたしはあの過去から逃げたかった。だからわたしとパリで新しい暮らしをはじめないか、過去の自分を捨て、いままでと違う人間にならないかと誘ったのです。壊れてしまったあなたの世界の真っ黒で底が見えない裂け目からはい出し、新しい誰か、誰も知らない人間としてごくふつうに暮らしたらどうか——質素な夕食をわたしが作り、毎日、いっしょにいる生活、ゲームそのもの以外に目的などなく、ゲームを楽しむ子どものように暮らしたらいいのではないかと思ったのです。薄ら笑って「僕になにができる？　僕のようなヤツを雇う人はいないよ？」と言う前、そのことを考えてくれたはずだとわたしは思っています。

波瀾万丈の未来がまたわたしたちをつかまえる前のあの瞬間、そういうふつうの暮らしをおだやかなおじいさん、おばあさんになるまで続け、フランス南部の農場でひ孫に囲まれてひっそりと昔を想い返し、ああ、焼きたてのパンのようにあたたかくて十全だった、わたしたちの小さな世界は辛抱と気安さが漂う場所だったと思えたらいいなと、あのとき思ったのです。

ふたりの関係は、がくんがくんと上がったり下がったりしながら5年続いた。レドセは、家具が少ないウッドサイドの家がきらいだった。ベジタリアン料理や家事をしてもらうため、シェ・パニーズで働いたこともあるヒッピーの若者カップルが雇われていたが、そのせいで自分はじゃま者だと感じていた。パロアルトに借りたままの自分のアパートに戻ることもあった。ジョブズと大げんかをしたときなどだ。寝室への廊下の壁に「ネグレクトも虐待よ」と書いたこともある。

ジョブズにぞっこんだったが、同時に、あまりの配慮のなさに困り果ててもいた。あれほど自己中心的な人を愛するのは大変だった、気遣いができないらしい人に心から気を配るのは誰にとっても大変すぎると、のちに漏らしてもいる。

ふたりは本当に多くの面で異なっていた。ハーツフェルドも、

「冷酷から親切という基準で並べると、ふたりは両極と言っていいくらいでした」

と言うほどだ。レドセは誰に対しても親切だ。物乞いがいればお金をあげるし、自分の父親と同じように精神的な障害を抱える人を助けるボランティアにも積極的だった。リサにクリスアンまで、自

分といるときに気まずい思いをしないよう、なにくれとなく心を配った。ジョブズがリサと過ごす時間を増やすようになったのも、レドセのおかげだといえるだろう。しかし、ジョブズのような野心や闘志はなかった。彼女をスピリチュアルな存在だとジョブズに感じさせた霊妙な性格であるからこそ、ふたりは波長が合わなかったのだ。その点はハーツフェルドも首肯《しゅこう》する。

「ふたりの関係はいつも大嵐のようでした。ふたりの性格が性格ですから、数えきれないほど多くのけんかをしたのです」

美的感覚についても考えが根本的に異なっていた。普遍的な理想の美というものが存在し、それを人々に教えるべきだと考えるジョブズに対し、美的感覚はあくまで個人的なものだとレドセは考えていた。ジョブズはバウハウスムーブメントの影響を受けすぎていると見ていたのだ。

「美とはどういうものなのか世間に知らしめなければならない、どういうものを好むべきなのか人々に教えなければならないとスティーブは考えていました。わたしはそのように思いません。自分の内なる声に、また、お互いの声にじっと耳をすませば、生まれながらに持つ真なるものが浮かび上がってくるはずだと思うのです」

ずっといっしょにいるといろいろうまくゆかない。しかし、離れるとジョブズが彼女に焦がれてしまう。１９８９年夏、ジョブズがついに結婚を申し込むがレドセは断らざるをえなかった。とても耐えられないと友だちに漏らしたらしい。ジョブズとの関係は、自分が育った問題山積の家庭に似すぎていた。性格が違うからこそ惹かれあったわけだが、この組み合わせはあまりに激しやすい。

「偶像『スティーブ・ジョブズ』の妻には向かないのです。いろいろな意味で。私的な関係では、あの人の残酷なところが耐えられませんでした。あの人を傷つけたくはないけれど、でも、その横に立ち、あの人がほかの人々を傷つけるのを見るのも嫌でした。つらくて、疲れ切ってしまうのです」

ジョブズと別れたあと、レドセはメンタルヘルスに関するカリフォルニアのネットワーク、オープンマインドの創設にかかわった。そのとき自己愛性人格障害について学び、ジョブズはこれだったんだと納得したという。

「腑に落ちることばかりで、いろいろ大変だったこともみんな説明がつくのです。だから、あの人にもう少し親切になってほしいとかもう少し自分中心なところを減らしてほしいとか思うのは、目の不自由な人にいろいろちゃんと見てほしいと願うようなものだったのだとよくわかりました。娘のリサへの接し方もようやく理解できました。たぶん共感が問題だったんだと思います。共感する能力があの人に欠けていたことが」

その後レドセは結婚してふたりの子どもを産み、そして、離婚する。一方ジョブズは幸せな結婚生活を送りつつも、ときどき、彼女に対する思慕をあらわにしてきた。

がんとの闘いがはじまると、レドセはふたたびジョブズを支える。付き合っていたころを思い出すと、いろいろと想いがあふれるようだ。

「価値観が違いすぎて、わたしたちが望んだような関係にはなれなかったけれど、何十年も前、あの人に対して感じた愛情や心配はいまも続いているのです」

ジョブズも同じように感じていたようだ。ある日、リビングに座って彼女のことを語ってもらっていたら、突然、泣き出してしまった。

「彼女ほどピュアな人はめったにいないんだ」

涙がほほを伝う。

「スピリチュアルなところのある女性《ひと》で、僕らのつながりもどこかスピリチュアルだった」

彼女とともに歩めなかったことをずっと悔やんできたし、彼女も残念に思っているはずだとも言う。ただ、そういう運命だった。そう、ふたりとも考えている。

ローリーン・パウエル

過去にデートしてきた女性を見れば、ジョブズの好みはあきらかだろう。頭はよいが控えめ。ジョブズにたてつく気概を持つが、騒ぎを超越する禅的なところもある。教育程度が高くて人に頼らないが、ジョブズや家庭と折り合いをつける意志も持つ。現実的なのに浮き世離れしたところもある。ジョブズの手綱を取る力がある一方、自己が確立されていて常に手綱を取らなくても大丈夫。さらには、美人で細身のブロンド、ユーモアに寛容で有機栽培のベジタリアン食が好きならばなおよしといったところだろう。

ティナ・レドセと別れた少しあと、1989年の10月に、まさしくそのような女性がジョブズの人生に登場する。

正確に言うなら、そのような女性がジョブズのクラスに登場した、である。スタンフォード大学ビジネススクールが木曜夜におこなっていた講座、「ビュー・フロム・ザ・トップ」にジョブズが登壇したときのことだ。その女性、ローリーン・パウエルはビジネススクールの新入生だった。友だちに誘われて講義を聴きに来たが、着いたのが少し遅かったこともあって席がなく、通路に座った。ところがそこに座ってはいけないと注意されたので、友だちとふたり、最前列の関係者席に移動する。案内されたのはジョブズの隣だった。

「右隣にきれいな子がいたので、紹介を待つあいだ、その子とおしゃべりをしていた」

とジョブズは言う。冗談の応酬もあった。ローリーンは、「くじ引きであなたの隣を引きあてた、あなたがディナーに招待してくれるのが賞品よ」と口からでまかせを言った。

「彼はとても魅力的でした」

講演後、演壇のはしでジョブズが学生と話をしていると、いったんは部屋を出たパウエルが学生たちの後ろまで戻り、しばらくたたずんだあとまた部屋を出て行った。これに気づいたジョブズは、話しかけてきた学部長を無視して彼女を追う。駐車場で追いつき、

「すみません、くじ引きで、僕がディナーに誘うことになったという話、ありませんでしたっけ?」

と声をかけると、パウエルが吹き出した。

「土曜日でいかがでしょう?」

OKの返事と電話番号をもらうと、ジョブズはウッドサイドの先、サンタクルーズ山脈の中腹にあるトーマス・フォガティというワイナリーに向かいかける。ネクストの教育機関営業グループがディナーに集まっているはずだったからだ。しかし、ジョブズは車をUターンさせた。

「教育グループよりも彼女とディナーのほうがいいじゃないかと思ったんだ。だから彼女の車のところへ戻り、今晩はどうかと聞いたよ」

気持ちのよい秋の夜、ふたりは、パロアルトのファンキーなベジタリアンレストラン、セントマイケルズアリーに行き、4時間も長居する。

「それ以来、僕らはいっしょというわけさ」

このとき、ネクスト教育グループのひとりとして、アビー・テバニアンもワイナリーレストランでジョブズを待っていた。

「スティーブはあまりあてにならないことがありますが、このときは、話の感じからなにか特別なことがあったのだろうと思いました」

深夜に帰宅したパウエルは、バークレーに通う親友のキャスリン（キャット）・スミスの留守電にメッセージを残した。

「びっくりするようなことがあったの。あの人と会ったなんて、きっと信じてもらえないわ」

スミスは翌朝、電話を折り返し、詳しく話を聞いた。

「スティーブのことは知っていたし、とても興味を持っていました。私たちはビジネススクールの学生でしたからね」

アンディ・ハーツフェルドなど一部には、パウエルが出会いを仕組んだのではないかと考える人もいる。

「ローリーンはいい人ですが、抜け目のない面もあります。スティーブとのことは、最初から狙っていたのではないでしょうか。大学でパウエルのルームメイトだった人物によると、ローリーンはスティーブが表紙の雑誌を持っており、いつか彼に会いたいと言っていたそうです。もし、スティーブが操られたのだとしたら、それはそれで皮肉なことだと言えるでしょう」

パウエル本人はこれを否定する。聴講に行ったのも友だちに誘われたからだったし、その日はスピーカーを誤解してもいたというのだ。

「スピーカーがスティーブ・ジョブズだというのは聞いていましたが、私の頭に浮かんでいた顔はビル・ゲイツでした。ふたりを混同していたようです。あれは1989年でスティーブはネクストにいましたし、私にとってはどうでもいいような人だったのです。とくに話を聞きたいとも思わなかったのですが、友だちがどうしてもというので私もいっしょに行ったのです」

ジョブズはパウエルについてこう語る。

「僕が心から愛した女性はふたりだけ、ティナとローリーンだけだ。ジョーン・バエズも愛していると思ったけど、大好きなだけだった。まずティナ、そしてローリーン。それだけだ」

1963年、ニュージャージー州に生まれたローリーン・パウエルは、小さなころから自立した子どもだった。父親は海兵隊のパイロットで、カリフォルニア州サンタアナで起きた事故で英雄的な死を迎えた。故障した飛行機を着陸させようと誘導中、接触事故が起きたが、そのとき緊急脱出して自分の命を守るのではなく、飛び続けて住宅地への墜落を避けたのだ。母親は再婚したが、これは失敗だった。それでも離婚するわけにはいかなかった。家族を支えられる方法がほかになかったからだ。それから10年、ローリーンと3人の兄弟は行儀よくふるまい、問題を抑え込むように緊張のみなぎる暮らしを続けた。

「このとき、常に自立していたいと思うようになりました。この考え方に私は誇りを持っています。お金は自立の道具であり、私という人間を構成するものではないのです」

ペンシルバニア州立大学を卒業したあとはゴールドマン・サックスで固定給のトレーディングストラテジストとして働き、膨大な額の取引を会社勘定でおこなった。上司のジョン・コーザインには引きとめられたが、この仕事はやる意義がないと退職する。

「お金は儲かるかもしれませんが、会社の資本形成をしているだけですからね」

3年で辞めた彼女は、イタリアのフィレンツェで8ヵ月暮らしてからスタンフォード大学ビジネススクールに入学した。

木曜夜のディナーのあと、パウエルは、土曜日にパロアルトのアパートへジョブズを招待した。キャット・スミスもバークレーから駆けつけ、ルームメイトのふりをしてジョブズに会った。ふたりはとても情熱的だったとスミスは言う。

「ずいぶんとキスしたりいちゃついたりしていました。彼はもう夢中で、『どう思う？　彼女は僕のこと、好きかな？』なんて、私のところにまで電話をしてくるほどでした。偶像とも言われる有名人がこんな電話をしてくるというなんともおかしな状況だったのです」

1989年の大みそか、3人はバークレーにあるアリス・ウォーターズの有名レストラン、シェ・パニーズに出かけた。11歳になったリサもいっしょだった。ところがディナーの途中、なにかが原因でジョブズとパウエルがけんかしてしまう。ふたりは店で別れ、パウエルはキャット・スミスのアパートに泊まることにした。翌朝9時、ドアがノックされたのでスミスが開けると、霧雨のなか、自分で摘んだ花を持つジョブズが立っていた。

「ローリーンに会わせてくれるかい？」

ジョブズはパウエルが寝ている寝室に入っていった。服を取りに寝室へ入るわけにもいかず、スミスはそのままリビングでじっと待つ。2時間ほどのち、あきらめてナイトガウンの上にコートを羽織ると、ピーツコーヒーへご飯を食べに行った。

ジョブズが部屋から出てきたのはお昼すぎだった。

「キャット、ちょっと来てもらえるかな？」

全員が寝室に集まった。

「君も知っているように、ローリーンは父親が亡くなっているし母親もここにはいない。だから君にたずねようと思う。ローリーンと結婚しようと思うんだ。祝福してくれるかい？」

スミスはベッドにのぼり、考えてみた。

「あなたはいいの？」

彼女の親友だ。だから君に

パウエルがうなずく。

「じゃあ、そういうことね」

しかし、それですべてが決まったわけではなかった。ジョブズはなにかにすさまじく集中したかと思うと、急にそっぽを向いたりする。仕事では、自分がやりたいとき、やりたいことに集中し、それ以外にはまわりがどれほど奮闘しても注意を払わず反応しない。

私生活も同じだった。キャット・スミスやパウエルの母親など、いっしょにいる人々が恥ずかしくなるほど激しく人前でいちゃつくこともあった。家具の少ないウッドサイドの邸宅で、朝、ファイン・ヤング・カニバルズの「シー・ドライヴス・ミー・クレイジー」をテープデッキで流して起こしたりもした。そうかと思うと、まったく無視したりするのだ。

「スティーブは彼女が宇宙の中心というくらい強烈に集中したかと思うと、まるで冷たくなって距離を置き、仕事に集中したりするんです。彼の集中力はレーザービームみたいな感じで、これが当たっているあいだは彼の注目を全身に浴びるわけです。でもそれがどこか別のところに向くと、ただただ暗くなってしまいます。これにローリーンはずいぶんと振りまわされました」

1990年の初日にプロポーズし、承諾されたあと、ジョブズは数ヵ月もその話に触れなかった。パロアルトのとある砂場で囲いに腰かけて話をしていたとき、いったいどうなっているのとつめ寄ったキャット・スミスに、ジョブズは、ローリーンが自分の暮らしや自分という人間とやってゆけると確かめる必要があるのだと釈明している。9月には、待ちくたびれたパウエルが家を飛び出し、翌月、ダイヤモンドの婚約指輪をもらって戻るという事件もあった。

12月、ジョブズはお気に入りのリゾート、ハワイ島のコナ・ビレッジにパウエルを連れて行った。はじめて訪れたのはアップルで大変な思いをしていた9年前。逃げ出す場所として秘書に選んでもらったのがここだったのだ。

ザ・ビッグアイランドと呼ばれるハワイ島のビーチに、屋根をヤシの葉でふいたバンガローがぽつんぽつんと建っており、ジョブズは着いた瞬間、気に入らないと思った。ファミリーリゾートで、食事はほかの人たちといっしょにレストランで食べる。しかし、数時間も滞在すると、楽園だと思うようになった。簡素な美しさに心を動かされ、それからはチャンスがあるたび訪れるようになる。

12月、パウエルと訪れたコナ・ビレッジは格別だった。ふたりの愛は深まり、たしかなものとなっていた。そしてクリスマスイブの夜、ジョブズはふたたび、正式にプロポーズする。少しあとには、ふたりの背中を押す別の出来事も判明する。ハワイでパウエルが妊娠したのだ。

「どこでああなったのか、正確にわかっているよ」

とジョブズは笑う。

結婚式（1991年3月18日）

パウエルが妊娠しても、それですべてがスムーズに動き出すわけではなかった。1990年の最初と最後に劇的なプロポーズをしたというのに、ジョブズがなぜか結婚に後ろ向きとなり、怒ったパウエルは家を出てアパートに戻ってしまう。

ジョブズはしばらく不機嫌にしたり無視したりしていたが、そのうち、ティナ・レドセにバラを贈ったり自分のところに戻らないかと説得したり、それこそティナと結婚してもいいかもしれないなどと言いはじめた。自分でもどうしたいのかわからなくなったらしく、どうすべきか友だちやちょっとした知り合いにまでたずねて皆を驚かせた。

ティナとローリーン、どちらがきれいか？　どちらのほうが好きか？　どちらと結婚すべきだと思うか？　そういう質問をしてまわったのだ。モナ・シンプソンの小説『レギュラー・ガイ』で、ジョブズをモデルとした登場人物は「どちらが美しいと思うかと100人以上の人にたずねてまわった」とされている。もちろんこれは小説で、実際には100人以下だと思われるが。

最後には正しい選択をする。友人にもそう語っているが、もしもレドセがジョブズとよりを戻せば、彼女も結婚も破綻しただろう。レドセはスピリチュアルな面で魅力的だったが、パウエルとジョブズにはもっとしっかりしたつながりがあった。彼女が大好きで、愛していて、尊敬していて、彼女といると安心できる。神秘的なところは感じないかもしれないが、彼の人生にとって賢明な錨《いかり》となる人物だった。これまで彼が付き合ってきた女性は、クリスアン・ブレナン以下、その多くが感情的にもろいところや不安定な部分を抱えていたが、パウエルは違う。

「スティーブがローリーンと結婚したのは幸運だったと思います。彼女は頭がよく、スティーブに知的な刺激を与えるとともに、上下に激しく揺れる彼の嵐のような性格に耐え、それを支えることができますから。神経症的なところがないのでティナなどのように神秘的な雰囲気はありませんが、それを気にするのはばかげています」

とジョアンナ・ホフマンは言う。アンディ・ハーツフェルドも同感らしい。

「ローリーンはティナにかなり似ていますが、中身は、しっかり装甲を身に付けたまったくの別人です。だからあの結婚はうまくいったのです」

このあたりはジョブズ自身もよくわかっていた。だから、ジョブズが感情的に激しいにもかかわらず、この結婚は長続きしたのだ。誠実と信義を旨とし、激しい上下動や感情的に複雑な状況をも乗り越えてこられたのだ。

アビー・テバニアンは、ジョブズも独身との決別を祝う、いわゆる〝バチェラーパーティー〟を開くべきだと思ったが、これが意外に難物だった。ジョブズはパーティーがきらいだったし、そういう男友だちもいなかった。新郎の付添人となるベストマンさえいなかったのだ。

結局、テバニアンとリチャード・クランダルだけでパーティーをすることになった。クランダルはリード大学コンピュータサイエンス学科の教授で、そのころはネクストで働いていた。リムジンをチャーターしてテバニアンらがジョブズの家に着くと、パウエルがスーツに付けひげで自分も行くと出てきた（もちろんジョークだ）。

3人の独身男がサンフランシスコの街に繰り出す。酒を飲むものがひとりもおらず、盛り上がらないこと確実というパーティーに向けて。

フォートメイソンにあるジョブズお気に入りのベジタリアンレストラン、グリーンズは予約が取れなかったため、テバニアンはホテルの高級レストランを予約していた。

「ここでは食べる気がしないな」

まだパンがテーブルに置かれただけのところでそう言うと、ジョブズはみんなを立たせ、店から出て行く。テバニアンは真っ青になった。ジョブズのこういう行動にまだ慣れていなかったのだ。ジョブズが向かったのは、ノースビーチにあるベジタリアンスフレ専門店、カフェジャクリーンだった。お気に入りのすてきな店だ。食事がすむとリムジンでゴールデンゲートブリッジを渡り、サウサリートのバーに行く。バチェラーパーティーらしくテキーラのショットを注文したが、全員、なめただけだった。

「あまりバチェラーパーティーらしくなかったかもしれませんが、スティーブの場合、あれが精いっぱいでした。ほかになにかしようという人もいませんでしたしね」とテバニアンはほほえむ。ジョブズも感謝しており、テバニアンの嫁に妹のモナ・シンプソンはどうかなどと提案した。実際にそういう話にはならなかったが、提案が気持ちの表れであったことは確かだろう。

このころパウエルは、結婚後の生活を予感させる経験をいろいろとしている。結婚式の準備で、招待状のカリグラフィーを頼んだ人物が打ち合わせに来たときもそうだった。椅子がなかったので、彼女は床に座ってサンプルを並べた。ジョブズはそれをしばらく見ていたが、ふっと部屋から出て行ってしまう。なかなか戻ってこないのでパウエルが捜しに行くと、ジョブズは自室に引っ込んでいた。

「追い返せ。あんなモノはとても見ていられない。あれはゴミだ」

1991年3月18日、36歳のスティーブン・ポール・ジョブズは27歳のローリーン・パウエルをめとった。場所はヨセミテ国立公園のアワニーロッジ。1920年代に造られた建物で、石材、コンクリート、木材をふんだんにつかい、アールデコとアーツアンドクラフツムーブメント、そして、国立公園局が大好きな石作りの巨大な暖炉からなる設計である。その売りは景観だ。床から天井まで届く大きな窓があり、そこからハーフドームやヨセミテ滝が見えるのだ。

列席したのは50人ほど。スティーブの父親のポール・ジョブズも妹のモナ・シンプソンもいた。シンプソンが連れてきた婚約者のリチャード・アペルは弁護士だったが、のちにテレビ向けコメディー作家となる(人気コメディアニメ『ザ・シンプソンズ』にも作家として参加し、主人公ホーマーの母親に自分の妻の名前を付けた)。会場までの交通はチャーターバス。すべてをコントロールしなければ気がすまないジョブズの指定だった。

式はサンルームでおこなわれた。外は大雪で、グレーシャーポイントがかすかに見えていた。執りおこなったのはジョブズが禅を学んできた曹洞宗の僧侶、知野弘文で、木魚をたたき、銅鑼《どら》を鳴らし、香をたいてお経をあげたが、なにを言っているのか出席者のほとんどは理解できなかった。テバニアンなど「酔ってるのかと思いましたよ」と言うくらいだ。もちろん、ちゃんとした読経だった。ウェディングケーキは、ヨセミテ渓谷の端にある花こう岩の峰、ハーフドームの形をしていた。ただし、絶対菜食主義のレシピで卵や牛乳なども使わないものだったため、とても食べられないと思った人が多かった。

式のあとは皆でハイキングに行った。パウエルの兄弟は雪合戦をはじめたが、3人ともがっちりした体格で、タックルをしかけ合って大騒ぎとなる。ジョブズが妹にささやいた。

「モナ、わかるだろ？　ローリーンは美形のプロフットボール選手、ジョー・ネイマスの子孫で、僕らは自然保護の父、ジョン・ミューアの子孫なんだ」

家族の家

夫と同じようにパウエルも自然食品に関心がある。ビジネススクールに通っていたとき、ジュース会社のオドワラでアルバイトし、オドワラ初のマーケティング計画策定にかかわったこともある。経済的な自立が大事だと母親から学んでいたパウエルは、ジョブズと結婚したあと、自分もキャリアを持とうと考え、オーガニックなインスタント食を作り、北カリフォルニアの店舗に卸す会社、テラベラを創業する。

自宅は、ぽつんと1軒だけ建っていて、お化け屋敷のような雰囲気さえ感じるウッドサイドの邸宅ではなく、パロアルト旧市街の、子連れに人気のエリアに控えめですてきな家を買い、そちらに住むことにした。このあたりはベンチャーキャピタリストのビジョナリー、ジョン・ドーア、グーグル創業者のラリー・ペイジ、フェイスブック創業者のマーク・ザッカーバーグ、それにアンディ・ハーツフェルドにジョアンナ・ホフマンと、そうそうたる人々が住む地域だが、どの家も華美ではないし、高い塀や長いアプローチで家が見えなくなっていたりもしない。歩道のある静かな通りに家がずらりと並んでいる——そういうところだった。

「子どもが友だちの家まで歩いて行ける場所に住もうと思ったんだ」

とジョブズは言う。

建物のスタイルはミニマリストでもなければモダニストでもなく、ジョブズが建てたらこうはならないだろうと思うタイプだ。大きく特徴的な邸宅でもなく、通りを行く人が思わず立ち止まって見てしまうこともない。1930年代にこの家を建てたデザイナーは、この地域で活躍していたカー・ジョーンズという人物で、英国かフランスの田舎を思い起こさせる「ストーリーブックスタイル」の家を得意としていた。

赤れんがにむき出しの梁の2階建てで、屋根は美しくカーブを描くこけら葺《ぶ》きだ。全体的な雰囲気は、あちこちが張り出したコッツウォルズコテージか、あるいは、裕福なホビットの家かという感じである。カリフォルニアらしいところは、両翼に囲まれるようにミッションスタイルの中庭がある点。気取らないリビングはアーチ天井の吹き抜けで、床はタイルとテラコッタだ。片方の壁には、天井まで届く三角形の窓がある。もともとは教会のようにステンドグラスがはまっていたが、ジョブズが透明なガラスに交換した。このほか、キッチンもリフォームし、ピザ用の薪釜と細長い木製テーブルを置いた。家族が集まる場所だ。リフォームは4ヵ月の予定だったが、ジョブズがあれこれ変更しためため16ヵ月もかかったそうだ。裏手の小さな家も買い、建物を壊して庭にした。パウエルが丹精込めた美しい庭で、季節の花や野菜、ハーブなどがたくさん植えられている。

ほかで使っていたレンガや電柱の木材を上手に使い、シンプルでしっかりした構造に仕上げるカー・ジョーンズの手腕にジョブズは感銘を受けたという。キッチンの梁は、この家が建てられた当時、建設中だったゴールデンゲートブリッジの基礎コンクリートの型枠に使われた木材だ。ジョブズは、そのような点を一つひとつ教えてくれた。

「彼は独学の優れた職人なんだ。金儲けより創意工夫を大事にした人で、金持ちにはなれなかった。カリフォルニア州から出たこともなかった。さまざまなアイデアは図書館の本やアーキテクチュラルダイジェストから得たらしい」

ジョブズの趣味で、ウッドサイドの家には家具が必要最小限しかなかった。寝室にはチェストとマットレス、ダイニングのはずの部屋にはカードテーブルと折りたたみ椅子が何脚かあるだけだった。すばらしいと思うものしか置きたくないため、いろいろな家具を買ってくるという話にならないのだ。

しかし、ごくふつうの家に妻と住み、もうすぐ子どもも生まれるのでは多少の譲歩が必要だ。これが大変だった。ベッドとドレッサー、それにリビング用のステレオはすぐに買ったが、ソファなどは時間がかかった。じっくり話し合う必要があったとパウエルは言う。

「私たちは家具とはなんぞやという話を8年もしました。ずいぶんと時間をかけ、なんのためにソファを買うのかといったことを考えたのです」

家電製品の購入も哲学的な作業で、衝動買いなどありえなかった。たとえば新しい洗濯機の場合は次のような状況だったとジョブズはワイアード誌に語っている。

結局、米国メーカーの洗濯機や乾燥機はどれもダメだった。欧州メーカーのほうが優れていた。時間は倍かかるけどね。でも、水は4分の1しか使わないし、服に残る洗剤もずっと少ない。なんといっても、服が傷まないのが大きい。少ない洗剤、少ない水で服がずっときれいに、ふっくら洗いあがるし、服が長持ちするんだ。どこを重視してどこはあきらめるのか、トレードオフを家族で検討した。デザインの話が多かったけど、僕ら家族がどこに価値を見出すのかという話も多かった。1時間半ではなく1時間で洗濯が終わることを一番重視するのか。服の肌触りがとてもソフトで長持ちすることを一番重視するのか。水の使用量が4分の1ですむことを重視するのか。こういう話を夕食のたび、2週間くらい話し合ったよ。

落ちついたのは、ドイツはミーレ社製の洗濯乾燥機だった。ジョブズにとってはかなり楽しかったらしい。

「洗濯乾燥機では、長年、ハイテクで味わった以上の興奮を味わわせてもらったよ」

アーチ天井のリビングにジョブズが飾っているアートは、冬のシエラネバダの夜明けをカリフォルニア州ローンパインから写したアンセル・アダムスの写真、1枚だけである。もともとアダムスが自分の娘用にプリントした巨大なものを買ったのだ。ハウスキーパーがぬれぞうきんで拭いてしまったときは、アダムスと仕事をしていた人を探し出して家に来てもらい、表面をわずかに削って再生したという。

この家はあまりに控えめで、妻とともに訪れたビル・ゲイツが驚き、

「ここに家族全員で住んでるのかい?」

と聞いたという逸話もある。このときゲイツは、シアトル近くに6000平方メートルあまりの大邸宅を建設中だった。アップルに復帰し、世界有数の大富豪となったあとも、ジョブズの家にはセキュリティシステムもなければ住み込みの使用人もいない。それどころか、昼間は裏口のドアに鍵をかけてもいないらしい。それでも問題はほとんどなかった。

例外は、悲しいことにビュレル・スミスだった。マッキントッシュの仕事をしていたもじゃもじゃ頭で丸ぽちゃのソフトウェアエンジニアで、アンディ・ハーツフェルドの相棒だった男だ。アップルを辞めたあと、スミスは精神疾患をわずらってしまった。ハーツフェルドと同じ通りに住んでいたが、病気が悪化すると裸で外をうろついたり、車や教会の窓を壊して歩いたりするようになる。強い薬を使ってもなかなか完全にはコントロールできなかった。悪魔が戻ってきて、夜、ジョブズの家に出かけては石を投げて窓ガラスを割ったり、とりとめのない手紙を残したり、サクランボ形のかんしゃく玉を投げ込んだりしたこともある。このときスミスは逮捕されるが、起訴はされずに治療が強化された。この事件について、ジョブズは、次のようにコメントしている。

「ビュレルは無邪気でおもしろい男なんだけど、4月のある日、急におかしくなっちゃったんだ。とても悲しいことだしぞっとしたよ」

強い薬物による治療が続くスミスはその後、完全に自分の世界に入ってしまい、2011年の現在もパロアルトの街を徘徊《はいかい》している。ハーツフェルドとさえ口をきかない。ジョブズはスミスを気にかけており、なにかできることはないかとハーツフェルドにたずねることも多かった。そんなある日、自分の名前さえ名乗れなかったため、スミスが拘置所に入れられるという事件が起きた。その3日後に知ったハーツフェルドは、釈放にジョブズの力を借りる。そのとき、ジョブズはこうたずねてハーツフェルドを驚かせた。

「もし僕が同じようになった場合、ビュレルと同じように僕の世話もしてくれるかい？」

ジョブズは、パロアルトから山側に15キロメートルほど行ったところにあるウッドサイドの邸宅も手放していない。１９２５年に建てられた、14ベッドルームもあるスパニッシュ・コロニアル様式のこの家は壊し、3分の1ほどと小さく、ごくシンプルな日本風のモダンな家を建てたいと考えていた。しかし、あちこち傷みが目立つ、この古い邸宅を保存すべきと考える人々との法廷闘争に20年以上もかかってしまった（２０１１年にようやく取り壊しの許可を得たが、そのときには、新しい家を建てる気もなくなっていた）。

ウッドサイドの邸宅は半ば放置の状態だったが、そのプールなどは、家族のパーティーなどで使うことがあった。

ビル・クリントン大統領とヒラリー・クリントンがスタンフォード大学に通う娘を訪問した際に泊まったのも、この邸宅の敷地にある１９５０年代のランチハウスだ。母屋にもランチハウスにも家具がなかったため、パウエルが家具店や美術商に頼んで一時的に家具などを入れてもらった。

クリントン夫妻はここを数回訪れているが、モニカ・ルインスキーの一件が起きたあと、絵が1枚、なくなっていることに最終チェックをしていたパウエルが気づく。どうしたのかとシークレットサービスにたずねると、脇に呼ばれ、「それはハンガーにかかったドレスの絵で、ルインスキーの一件では青いドレスが問題となっていたことから、隠したほうがいいと判断した」と小声の説明が返ってきたという。

リサを引き取る

リサが8年生のとき、先生からジョブズに連絡が入った。母娘のあいだに深刻な問題があり、母親と別居したほうがよいのではという話だった。ジョブズはリサと散歩しながら状況をたずね、自分のところに来ないかと提案する。リサは14歳になろうとするところでもう子どもではなく、2日間考えた上で承諾した。使いたい部屋は決まっていた。父親のすぐ隣だ。前に訪ねたとき、たまたま家に誰もおらず、その部屋の床に寝転がって雰囲気をつかんであったのだ。

それからしばらくは大変だった。数ブロック離れたところに住むクリスアン・ブレナンがやってきて庭でわめくこともあった。そのような言動やリサが引っ越す原因とされたことについて、クリスアン本人にたずねたところ、そのころ自分のなかでなにが起きたのか、自分でもよくわからないとのことだった。そして、後日、これを読めば、あのころのことがある程度はわかってもらえるはずだと、彼女から長文の電子メールが送られてきた。

スティーブがどのようにして、ウッドサイドの家を取り壊す許可をウッドサイド市から取り付けたかご存じですか？　あの家には歴史的価値があり保存したいという人々がいたのですが、スティーブは壊して新しい家と果樹園にしたいと考えていました。だから、何年もかけて荒れ放題にし、わざと保存できなくしたのです。望むものを手に入れるため彼が使った方法は、関与も抵抗もなるべく減らすというもの。家の手入れをせず、もしかすると何年も窓を開けたままにしていたから、家が自然に倒れたのです。頭がいいでしょう？　その結果、彼は自分の計画どおり、スムーズに進められるようになりました。

リサが13歳から14歳のころ、同じような方法でスティーブはわたしの力そして平穏を少しずつ弱め、リサが彼の家に移るようにしむけたのです。まずある方法でスタートしたのですが、それ

から別のもっと簡単ながらわたしに対する破壊力が強く、リサにも問題の多い方法へと移行しました。人としてすばらしいおこないだとは言えないかとは思いますが、ともかく、彼は自分が望むものを手に入れたのです。

このあとリサは、パロアルトハイスクールの4年間をジョブズとパウエルの家で過ごし、リサ・ブレナン＝ジョブズという名前を使いはじめる。ジョブズはいい父親になろうと努力したが、よそよそしく冷たい態度を取ってしまったことも少なくない。そういうとき、リサは近所の親しい家族のところに泊めてもらったりした。パウエルもリサを支えようと努力し、学校行事もほとんど彼女が出席した。

高校最後の年、リサはその才能を開花させつつあった。ザ・カンパニーレという学校新聞の共同編集者となり、クラスメートで、自分の父親にはじめての仕事をくれた男の孫、ベン・ヒューレットらとともに、教育委員会が管理職の給与をひそかに引き上げた事実を暴いたりした。大学は東海岸に行きたいと思い、ハーバードに願書を提出する。父親が出張中だったので、彼の筆跡をまねてサインをし、無事に1996年クラスとして入学を許可された。

ハーバードでも、学内新聞のザ・クリムゾンと、当時は文芸雑誌だったハーバード・アドボケイト誌に参加する。恋人と別れたあと、1年間、ロンドンのキングズ・カレッジに留学したりもした。父親との関係は大学時代も大荒れで、帰省すると、夕食になにが出されたかや腹違いの弟や妹にちゃんと気を配っているかなど、小さなことでけんかをはじめ、何週間も、場合によっては何ヵ月も口をきかなくなったりした。口論がひどくなると仕送りが止められることもあり、そういうとき、リサはアンディ・ハーツフェルドなどからお金を借りてしのいだ。学費を払ってもらえそうになかったときには、ハーツフェルドが2万ドルを用立てている。

「あのときはお金を貸したといってずいぶん怒られましたよ。でも翌朝、早くに電話をしてきて、会計士に命じて私の口座に送金したと連絡してきました」

リサが2000年にハーバードを卒業したときも、招待されなかったからと、ジョブズは式に出席しなかった。

いいときもあった。たとえばある夏休み、帰省したリサが電子フロンティア財団のチャリティーコンサートで歌ったときなどがそうだ。場所は、グレイトフル・デッドやジェファーソン・エアプレイン、ジミ・ヘンドリックスなどが使って有名になったサンフランシスコのフィルモアオーディトリアム。そこで、彼女はトレイシー・チャップマンの「トーキン・バウト・ア・レヴォリューション」を歌った（「貧しい人々が立ちあがり／得るべきものを手に入れる……」）。その後ろには、1歳の娘、エリンを抱いた父親の姿があった。

ジョブズとリサの関係は、彼女がマンハッタンでフリーランスライターとして働きはじめたあとも乱高下が続いた。ジョブズがいらつき、リサとの関係がこじれた原因のひとつにクリスアンの問題もある。クリスアンが使えるようにとジョブズが購入しリサの名前で登記した70万ドルの家を、クリスアンは名義を書き換えさせて売り、そのお金を宗教家との旅行やパリ滞在に使ってしまった。そのお金がなくなるとサンフランシスコに戻り、「ライトペインティング」と曼陀羅《まんだら》のアーティストを名乗った。

「私は『つなぐ者』であり、人間性の進化の未来、高みに上った地球に貢献するビジョナリーです」と彼女のウェブサイトには書かれている（ハーツフェルドが作ってあげたものだ）。

「絵を描き、絵とともに暮らすことで、私は神聖なるときめきの形と色、音を体験するのです」

クリスアンが感染症や歯の治療をしなければならなかったとき、ジョブズはそのお金を与えず、怒ったリサが1年以上も口をきかなくなったこともある。そういうことが何度も繰り返されたのだ。

モナ・シンプソンはこのようなエピソードに想像力を加味し、3冊目の小説『レギュラー・ガイ』を書いて、1996年に上梓《じょうし》した。主人公はジョブズがモデルとなっており、ある程度は現実を反映してもいる。

たとえば、高い才能を持つ友人が骨がだめになってゆく病気となったとき、特殊な車をそっと買ってあげるといった隠された気前の良さも描かれているし、リサとの関係についても最初に認知を拒んだことを含めていろいろと描写されている。もちろん、創作もかなり入っている。クリスアンはリサがごく小さいときに運転を教えたが、小説で5歳の「ジェーン」がトラックを運転して山を越え、ひとりで父親を捜しに行くといったことはなかった。また、ジャーナリストなら「良すぎて裏取りしたくない」などと思いそうな記述もある。たとえば、ジョブズをモデルとした男を紹介する最初のつかみ、「トイレを流すひまもないほど忙しい男だった」などだ。

一見すると、この小説はかなりとげとげしい感じがする。主人公は「ほかの人々の希望や思いつきに合わせる必要性」に気づけないし、清潔さも昔のジョブズと同じくらいあやしいもので「デオドラントは信じていなかったし、食べ物に気をつけ、ペパーミントカスチール石けんを使えば、汗もかかないし、においもしないといつも言っていた」。しかしさまざまなレベルで叙情的かつ緻密な小説でもあり、やがては、自分が創業したすばらしい会社を追われ、一度は捨てたがじつは娘がとても大事なのだと主人公が気づく。最後は、彼が娘とダンスをするシーンだ。

ジョブズはこの小説を読んでいないと言う。

「僕がモデルだという話は聞いたし、それが本当ならきっと頭にくるはずだし、妹相手に頭にきたくはないから読まなかったんだ」

しかしジョブズは、この本が出版された少しあと、ニューヨークタイムズ紙の記者、スティーブ・ローアの取材に、あの主人公は自分がモデルだと思うと答えている。

「癖なんかまで含めて、25パーセントくらいは僕だね。どの25パーセントかは教えないよ」

パウエルによると、ジョブズはちらっと見ただけで、自分の代わりに読んでどう考えるべきかを教えてくれと彼女に頼んだらしい。

リサは出版前に原稿をシンプソンからもらったが、そのときは最初の部分しか読めなかったと言う。

「最初の数ページを読んだだけで、私の家族、私の体験、私の物、私の考え、ジェーンという登場人物に反映された私自身が次々に飛び込んできました。そして、真実と真実のあいだに創作が、私にとってはうそが挟まっていました。真実とあまりに近いだけに危険できわだつうそが」

この原稿にリサは傷つき、ハーバード・アドボケイト誌の記事にその理由を書いた。初稿はとても手厳しいものだったが、出版前に少しトーンダウンする。親しい関係だと思っていたシンプソンに裏切られたと感じたのだ。

「あの6年間、モナがネタを集めていたなんて知らなかった。彼女に悩みを打ち明け、なぐさめてもらったりアドバイスをもらったりしたとき、彼女がそんなことをしていたなんて私は知らなかった」

最後は、リサもシンプソンと仲直りする。本について話し合うためコーヒーショップへ行き、最後まで読めなかったとリサが打ち明け、結末は気に入るはずだとシンプソンは答えた。このあと、リサはシンプソンとついたり離れたりという関係になるが、その距離は父親よりも近いものだった。

子どもたち

1991年、ジョブズとの結婚式の数ヵ月後、パウエルが子どもを産んだが、その子は、2週間、「ベイビーボーイジョブズ（ジョブズの男の子）」と呼ばれた。名前を決めるのは、洗濯機を選ぶよりもほんのわずかしか易しくなかったからだ。ようやく決まった名前はリード・ポール・ジョブズ。ミドルネームはジョブズの父親から取ったもので、ファーストネームは語呂《ごろ》がいいからで、ジョブズが通った大学から取ったわけではない（ジョブズもパウエルもそう主張している）。

リードはいろいろな面で父親似だった。頭がよくて痛烈なところがあり、眼光は鋭くうっとりするような魅力もある。行儀がよくて控えめなところは父親と違う。創造性も豊かで、コスプレでずっとキャラクターになりきるなど、ちょっと行きすぎるところもあった。また、科学への関心が高い、すばらしい子どもでもあった。父親そっくりの視線で相手を射貫くこともできるが、心がとても優しく、無慈悲なところはまったく感じられない。

ふたりめのエリン・シエナ・ジョブズは1995年に生まれた。おとなしめの女の子で、父親の注意を十分に引ききれないこともある。デザインとアーキテクチャに対する興味を父親から受け継いだが、同時に、子どもたちに関心を示さないことのある父親に傷つかないよう、感情的に距離を置く術を身に付けてもいた。

一番下の女の子、イブは、1998年生まれだ。気が強く、陽気なかんしゃく玉で、愛に飢えてもおらず臆病でもなく、父親の扱いを心得ていて、父親相手に交渉したり（勝つこともある）、父親をからかうことさえある。「この子はいつかアップルを経営するようになるだろう、大統領にならなければね」と父親がジョークを言うほどだ。

ジョブズは息子のリードとはとても仲が良いが、娘たちとは少し距離がある。また、ほかの人々を相手にする場合と同じように、子どもたちにも注目するときがあるが、ほかのことに気を取られて完全に無視してしまうことも同じくらいある。

「仕事に集中すると、娘たちのために時間を使わなくなってしまうのです」

とパウエルは言う。

いつも子どもたちと向きあっているわけではないのにいい子に育ったとジョブズが喜んだことがある。これはパウエルにとって、にっこりする面とちょっとむっとする面のあるコメントだった。リードが2歳のとき、もう少し子どもが欲しいと思ったパウエルは自分のキャリアをあきらめたからだ。

1995年、オラクルCEOのラリー・エリソンが主催して、ジョブズの40歳を祝うパーティーが開かれ、テクノロジー界のスターや有力者が数多く集まった。エリソンはジョブズと仲が良く、家族ぐるみの付き合いがあり、よく、豪華クルーザーにジョブズ家を招待した。そのエリソンをリードは「お金持ちのお友だち」と呼ぶようになる。裏返せば、彼の父親が富を誇示しないことを意味するわけで、なかなかにおもしろい表現だ。仏教を通じてジョブズは、モノを持つと人生は豊かにならず、逆に乱れてしまうことが多いと学んだ。

「僕以外のCEOはみんな、セキュリティに気をつかっているし、自宅にもセキュリティが設置されている。そんな暮らしってないよね。そんな環境で子育てはしたくないと僕らは思ったんだ」

第21章 『トイ・ストーリー』バズとウッディの救出作戦

ジェフリー・カッツェンバーグとの確執

「不可能なことをなし遂げるのもおもしろい」

ウォルト・ディズニーの言葉だ。このような心構えはジョブズが好むところでもある。もともとジョブズは、デザインを重視し細かいところまで突きつめるディズニーの姿勢を高く評価しており、ディズニーが創設した映画スタジオとピクサーは相性がいいはずだと感じていた。

ウォルト・ディズニー社はピクサーのCAPSを導入し、ピクサーコンピュータ最大の顧客となっていた。そんなある日、ディズニー映画部門のトップ、ジェフリー・カッツェンバーグがジョブズをバーバンクのスタジオに招き、導入した技術が実際に使われているところを見せてくれた。あちこちでディズニー社員の説明を受けて見学していたジョブズは、カッツェンバーグにこうたずねた。

「ディズニーはピクサーとの取引に満足していますか?」

心からといった感じで、満足しているとの答えが返ってきた。

「では、我々ピクサー側の人間も、ディズニーとの取引に満足していると思いますか?」

それはそうだろうとカッツェンバーグは思った。

「我々は満足していません。ディズニーと映画を作りたいのです。そうできれば満足するでしょう」

カッツェンバーグは前向きだった。ジョン・ラセターの短編アニメに心を打たれ、ディズニーに呼び戻そうとしたが、断られた経緯もある。映画制作の提携について相談するためキャットムル、ジョブズ、ラセターらピクサーチームが来社し、会議室のテーブルについたとき、カッツェンバーグは、ラセターに向かい、率直な意見を口にした。

「ジョン、君が帰ってきてくれないと言うから、こういう形で進めることにしたんだ」

ディズニーという会社とピクサーには似たところがあるように、カッツェンバーグとジョブズにも似たところがあった。ふたりともそうしようと思えばとても魅力的にもなれるし、その一方で、気分や利害からそのほうが好都合なときは攻撃的にも(あるいはもっとひどくも)なれる。ピクサーを辞めようとしていたアルビー・レイ・スミスも、この会議に参加していた。

「カッツェンバーグとジョブズはよく似ていると思いました。驚くほど言葉巧みな暴君、です」

カッツェンバーグはこれを自任しており、ピクサーチームにこう宣言した。

「皆、私のことを暴君だと思っている。そのとおり、私は暴君だ。だが、だいたいは私が正しい」

ジョブズの言葉だと言われても納得しそうな一言だ。

カッツェンバーグとジョブズ、情熱にあふれたふたりの交渉は何ヵ月も続いた。カッツェンバーグは3Dアニメーションを作るピクサーの技術に関する権利をディズニーに提供しろと要求するが、ジョブズは拒否。この点はジョブズが勝利した。一方ジョブズは、映画やそのキャラクターについて権利の一部をピクサーに寄こせと主張、ビデオ化の権利や続編についても両社の相談とすることを要求した。

「それが御社の望みなら、話はここまでとしてお帰りいただこう」

こうカッツェンバーグに言われ、ジョブズは動けなかった。ここは負けを認めざるをえない。緊迫した雰囲気のなか、大物ふたりが相手の剣を受け流し、突きを繰り出す様にラセターはくぎ付けとなった。

「スティーブとジェフリーの交渉は、見ているだけですごいと思ってしまいました。フェンシングの試合のようでした。しかも、ふたりとも名人級なのです」

しかし、カッツェンバーグの腰にあったのはサーベルで、ジョブズはフェンシング用の模擬刀、フォイルだった。なにしろピクサーは倒産寸前で、この契約の必要性はディズニーよりもピクサーのほうがはるかに高かった。また、ディズニーは事業に必要な資金を全額出すことが可能だったが、ピクサーにはできなかった。このような背景のもと、1991年5月、最終的に合意した契約は、映画とキャラクターの所有権はすべてディズニーとし、ピクサーには興行収入の約12・5パーセントを支払うというものだった。ディズニーはまた、制作上の権限、わずかな違約金で制作を打ち切る権利、追加で2本の映画をピクサーに作らせるオプション（義務ではない）、今回の映画に登場したキャラクターを使った続編を制作する権利（ピクサーの関与は問わない）をも持つことになった。

ジョン・ラセターが提示したアイデアは『トイ・ストーリー』だった。その背景には、製品には本質、つまり、その製品が作られた目的があるという、ラセターとジョブズが持つ信念があった。モノが感情を持つなら、その本質を全うしたいという想いが基本にあるはずだ。たとえばグラスの目的は「水を保持する」こと。だから、水がいっぱい入っていれば幸せだし、空《から》なら悲しくなるはずだ。

コンピュータスクリーンの本質は人とのインターフェースになること。一輪車の本質はサーカスで乗ってもらうこと。そしておもちゃの場合、その目的は子どもに遊んでもらうことであり、彼らがもっともおそれるのは捨てられたり、新しいおもちゃに取って代わられたりすることだ。だから、お気に入りの古いおもちゃときらめくような新しいおもちゃがコンビを組むバディムービーなら、本質的にドラマとなる。持ち主の子どもと別れてしまったおもちゃが奮闘するという形ならなおさらだ。企画書にはこう書かれていた。

「誰だって、子どものころ、おもちゃをなくすというつらい経験をしたことがあるだろう。このストーリーは、おもちゃの視点から、『子どもたちに遊んでもらう』という、自分にとってもっとも大事な本質を失い、それを取り戻そうとする様を描く。これがおもちゃの存在意義であり、彼らの存在を支える感情的な基礎である」

主人公ふたりは紆余曲折ののち、バズ・ライトイヤーとウッディに決まった。ラセターらは新しい絵コンテや短い映像を作っては、2～3週間ごとにディズニーへ見せに行く。映像については、早い段階からピクサーの技術がきわだっていた。たとえば、ドレッサーの上でウッディが動きまわり、そのチェックのシャツにブラインド越しの陽光が陰影を作っているシーンなど、人の手では描き切れない映像がサンプルとして提出された。

しかし、プロットでディズニーをうならせるのは難しかった。プレゼンテーションのたび、そのほとんどがカッツェンバーグに却下される。細かな点についていろいろな指摘や批判が浴びせられるので、大勢がクリップボードを持って控え、カッツェンバーグの提案や思い付きのすべてをフォローアップできるように必死でメモを取った。

カッツェンバーグは、主人公ふたりのキャラクターをもっととげとげしくしろと強く要求した。

『トイ・ストーリー』というアニメーション映画だが、子どもだけを対象としたのではだめだと力説したのである。

「最初はドラマもなければリアルストーリーもない、対立の構図もないという状態でした。ストーリー展開に力がなかったのです」

『手錠のまゝの脱獄』や『48時間』など、性格が大きく異なるふたりが協力せざるをえなくなり、しだいに絆《きずな》を結んでゆくクラシックなバディムービーを見て勉強しろという提案もあった。「角《エッジ》」と呼ぶものも求めた。つまり、おもちゃ箱の新参者、バズに対するウッディの態度を嫉妬深く、卑劣で意地悪なものにしろというのだ。バズを窓から突き落としたあと、「食うか食われるかの世界なのさ」とつぶやくといった具合に。

カッツェンバーグらディズニー役員との打ち合わせをへて、ウッディは魅力の大部分をはぎ取られてしまった。たとえば、ベッドから他のおもちゃを放り出し、助けてこいとスリンキーに命じるシーンがある。スリンキーがためらうしぐさを見せると「誰がおまえに考えろと言った？ このスプリングヴィンナーが」とかみつく。スリンキーは、ピクサーチームが自問するようになる疑問をつぶやく。「カウボーイっていうのはどうしてこうおっかないんだ？」

ウッディの声を担当したトム・ハンクスも、「こいつは本当に嫌なヤツだな」と漏らしたほどだ。

うずく制作の血

ラセターたちピクサーのチームは、1993年11月に映画の前半を完成させ、バーバンクでカッツェンバーグらディズニー役員を前に上映をおこなった。長編アニメーション部門のトップ、ピーター・シュナイダーは、社外の人間にアニメーションを作らせるというカッツェンバーグの方針からしてあまり気に入っていなかったが、この映画はひどすぎると宣言し、制作の中止を命じた。カッツェンバーグも同意せざるをえず、

「どうしてこんなにひどいものになったんだ?」

と同僚のトム・シューマッハにたずねた。

「彼らの映画ではなくなったからでしょう」

ジェフリー・カッツェンバーグの指示に従った結果、プロジェクトがおかしなほうに進んでしまったというわけだ。

ラセターも同意見だった。

「私もその場にいましたが、スクリーンに映るものを見てとても恥ずかしく感じました。それまで見たこともないほど卑劣で不幸なキャラクターが満載のストーリーだったのです」

ラセターは、ピクサーに持ち帰り、脚本を修正させてほしいとディズニーに頼む。

ジョブズはエド・キャットムルとともにエグゼクティブプロデューサーに名前を連ねていたが、クリエイティブな面にはあまり関与しなかった。センスやデザインを中心に自分が中心でなければ気がすまない彼の性格を考えると、これは驚くべきことだ。それだけ、ラセターたちピクサーのアーティストを尊重していたのだろう(ラセターとキャットムルがうまく立ちまわったという面もあるだろう)。

一方、ディズニーとの調整には力を入れており、ピクサーチームも深く感謝していた。カッツェンバーグとシュナイダーから『トイ・ストーリー』中止という指示を受けたとき、ジョブズは、自分の個人資産で制作を続行させた。ジョブズも、原因はカッツェンバーグにあったとする。

「あいつが『トイ・ストーリー』をおかしくしたんだ。ウッディを嫌なヤツにしたがったのはあいつ

だ。だから、制作中止となったとき、僕らはあいつをたたき出し、『こんなのが作りたかったわけじゃない』と、僕らがやりたいようにやることにしたんだ」

3ヵ月後、新しい脚本が完成した。ウッディは、アンディのおもちゃたちを力で抑える暴君から賢いリーダーに変貌。新しい仲間のバズ・ライトイヤーに対する嫉妬も好意的に描かれ、ランディ・ニューマンが歌う「すべてがストレンジ」の雰囲気となった。ウッディがバズを窓から落とすシーンも、(ラセターの最初の短編映画にちなんだ) ルクソー・スタンドを使ったウッディのいたずらによる事故ということにされた。カッツェンバーグらもこの脚本を承認し、1994年2月、映画の制作が再開される。

ジョブズのコスト管理能力には、カッツェンバーグも舌を巻いた。

「ごく初期の段階でも、スティーブはコストをとても気にしていて、少しでも効率的に物事を進めようとしていました」

それでも、ディズニーが約束した1700万ドルの制作予算では不足すると判明する。カッツェンバーグがウッディをとげとげしくしすぎた結果、大幅な修正が必要になったことも原因のひとつだ。ジョブズは予算の増額を要求する。

「約束したはずだ。事業の進め方については君たちに任せる。そして君たちは、我々が提示した金額で制作すると」

カッツェンバーグにこう切りかえされたジョブズは怒った。電話や直接会いに行くなどの方法で、「スティーブにしかできないほど苛烈に」とカッツェンバーグが表現するほどの勢いで、カッツェンバーグに再考を迫る。もともとのコンセプトをカッツェンバーグがぐちゃぐちゃにしてしまい、やり直さなければならなくなったから制作費がオーバーしている、だからディズニーの責任だ、とジョブズは主張した。カッツェンバーグも黙ってはいない。

「ちょっと待て！　我々は君たちを支援しようとしたんだ。クリエイティブな支援を我々から受けた上、その費用を我々に払えと？」

自分の思いどおりにならなければ気がすまないふたりが、どちらが相手の世話をしてやったのかを言い争うという不毛な状態だった。

なんとか収まりをつけたのは、ジョブズよりそつのないエド・キャットムルだった。

「私は制作側の人より、ジェフリーを高く買っていましたから」

とキャットムルは言う。ともあれ、この一件で、ジョブズは、ディズニーに対してもっと強くなる方法を模索しはじめる。制作を委託されるだけでは不満で、自分がコントロールしたい。そのためには、プロジェクトの資金をピクサーも出せるようにならなければならないし、ディズニーとの契約も見直さなければならない。

制作が進むにつれ、ジョブズは自分の血が騒ぐのを感じた。それまでジョブズは、ピクサーを買わないかとホールマークカードやマイクロソフトなどに持ちかけていたが、ウッディやバズが生き生きと動きまわるのを見て、自分は映画産業を根底から変えようとしているのかもしれないと気づいたのだ。映画のシーンがひとつずつ、できていく。ジョブズは、それを繰り返し見るとともに、友人を招き、新たに見つけた情熱について熱く語った。

付き合わされたひとり、ラリー・エリソンはこう語る。

「上映版の『トイ・ストーリー』が完成するまで、いったいどれだけ多くのバリエーションを見たかわからないね。最後は、これはなんの拷問だ？　と思ったほどだよ。出かけていっては、10パーセントよくなった最新版を見るんだ。スティーブはストーリーも技術もちゃんとしようと夢中で、完璧に達していない要素に満足することがなかったな」

1995年1月にマンハッタンはセントラルパークのテントで報道関係者を集めておこなわれた『ポカホンタス』の試写会に招待されて出席したとき、ジョブズは、ピクサーへの投資が最終的に利益を上げる可能性があるという直感はやはり正しいのかもしれないと感じた。このイベントで、ディズニーCEOのマイケル・アイズナーは、『ポカホンタス』のプレミアは、セントラルパークのグレートローンに10万人を集め、高さ25メートルほどの巨大スクリーンに上映すると発表した。ジョブズ自身、すばらしいステージを作るショーマンだが、その彼が度肝を抜かれる計画だった。バズ・ライトイヤーの決めぜりふ、「無限の彼方へ　さあ行くぞ!」が突然、気になりはじめた。

ジョブズは、『トイ・ストーリー』が公開される11月にピクサーの株式を公開しようと考えた。しかし、ふつうなら「是非!」と言うはずの投資銀行がいずれも無理だと言ってくる。ピクサーはそれまで5年間も赤字を垂れ流してきたからだ。それでもジョブズはやると譲らない。ラセターは遅らせたほうがいいと思った。

「とても心配で、2本目の映画ができるまで待つべきだと進言しました。でも、スティーブの決断でやることになりました。そのお金が必要だ、その半分を使って自分たちの映画を作り、ディズニーと契約交渉をやり直すんだ、と言って」

無限の彼方へ　さあ行くぞ!

1995年11月、『トイ・ストーリー』のプレミアイベントは2ヵ所でおこなわれた。

ひとつはディズニーが主催したもので、古い歴史をほこる豪華な映画館、ロサンゼルスのエル・キャピタンでおこなわれ、すぐ横には映画のキャラクターが登場するびっくりハウスも作られていた。ピクサーにもかなりの枚数のパスが渡されていたが、来客のほとんどはディズニーが選んだ人々で、ジョブズは顔さえも出さなかった。そのかわり、翌晩に同じくサンフランシスコにある有名映画館、リージェンシーを借りて自分たちのプレミアを開催する。トム・ハンクスやスティーヴ・マーティンのかわりにラリー・エリソン、アンディ・グローブ、スコット・マクニーリ、そしてもちろんスティーブ・ジョブズとシリコンバレーの有名人が集まった。

これはジョブズのショーだ。映画の紹介も、ラセターではなくジョブズがおこなった。

ふたつのプレミアは関係者の心に広がるわだかまりを浮き彫りにした。『トイ・ストーリー』はディズニーの映画なのかピクサーの映画なのか。ピクサーはアニメーションのコントラクターとしてディズニーの映画制作を助けているだけなのか。それとも、ディズニーは配給とマーケティングを担当してピクサーが映画を送り出すのをサポートしているだけなのか。その中間のどこかが正解なのだが、問題は、マイケル・アイズナーとスティーブ・ジョブズなど、我の強い関係者がそのような提携関係で満足するか否かだった。

『トイ・ストーリー』の公開によって、この賭け金が大きくつりあがる。大成功したのだ。

最初の週末で制作費に匹敵する3000万ドルという全米興行収入をあげ、最終的には『バットマン　フォーエヴァー』や『アポロ13』を上まわる全米1億9200万ドル、世界3億6200万ドルという成績でこの年最大のヒット作となった。レビューをまとめて見られるサイト、ロッテントマトによると、73件のレビューすべてが好評価だったという。タイム誌のリチャード・コーリスは「今年最高の創意工夫が満載されたコメディー」と評したし、ニューズウィーク誌のデービッド・アンセンは「驚異だ」、ニューヨークタイムズ紙のジャネット・マスリンは「いかにもディズニーらしい巧みな作品で」子どもから大人まで楽しめるとした。

ジョブズにとって癇に障るのは、マスリンなどのレビューワーが、ピクサーの台頭ではなく、「ディズニーの伝統」という取り上げ方をしたことだった。マスリンのレビューには、ピクサーの名前さえ出てこない。この認識を変えなければならない――ジョブズはそう考えた。だから、ジョン・ラセターとともにチャーリー・ローズ・ショーに出演したとき、『トイ・ストーリー』はピクサーの映画だと強調するとともに、新しいスタジオが生まれようとしているのだと歴史的な意義をも打ち出した。

「『白雪姫』が発表されて以来、大手スタジオがいくつもアニメーションに進出しようとしましたが、大成功の長編アニメーション映画を作ったスタジオはいままでディズニー以外にありませんでした。つまり、ピクサーが2番目のスタジオとなったわけです」

そのディズニーも、今回はピクサー映画の配給会社にすぎないとジョブズは力説した。もちろん、マイケル・アイズナーは違う見方をする。

「彼は『我々ピクサーが本物であんたらディズニーの連中はくそったれだ』と言いつのっていました。でも、『トイ・ストーリー』を成功させたのは我々です。映画の制作も支援しましたし、マーケティングからディズニー・チャンネルまで、あらゆる部門を総動員してヒット作にしたのです」

誰の映画なのかという基本的な問題は、舌戦ではなく契約で決着を付けるべきだとジョブズは考えた。

「『トイ・ストーリー』が成功したあとで思った。買い取りの仕事をするだけの会社ではなく、映画スタジオになりたいなら、ディズニーとの契約をやり直す必要があるとわかったんだ」

ディズニーと対等になるにはお金がいる。つまり、IPOを成功させる必要があった。

株式公開は、『トイ・ストーリー』公開のちょうど1週間後だった。ジョブズは映画の成功に賭けた。危険な賭けだったが、結果はこちらも大成功だった。

アップルＩＰＯと同じように、株が売り出される午前7時、主幹事のサンフランシスコ事務所で祝賀会が催された。当初計画では確実に売れるように公募価格を14ドルとしていたが、ジョブズが22ドルを主張。成功すればピクサーに入るお金が多くなるからだ。ふたを開けてみると、ジョブズさえ想像もしなかったほどの成績だった。ネットスケープ社を超え、この年最大のＩＰＯとなったのだ。最初の30分で株価は45ドルまで急騰し、買い注文が多すぎて取引制限が適用されたほどだった。この日は49ドルまでつけ、最終的には39ドルで引けた。

同じ年のはじめごろ、ジョブズは、投入した５０００万ドルさえ回収できればいいとピクサーの買い手を探していた。公開初日、彼が持つ株（ピクサーの80パーセント）はその20倍以上、12億ドルの価値を持つようになった。これは、１９８０年のアップルＩＰＯでジョブズが得た資産の5倍ほどにあたる。

ただ、本人は「お金にあまり価値を感じない」とニューヨークタイムズ紙のジョン・マルコフに語っている。

「クルーザーを買うこともないからね。お金のためにやっているわけじゃない」

ＩＰＯの大成功で、ピクサーはディズニーの資金に頼らず映画を作れるようになった。これこそ、ジョブズが欲しかった札《ふだ》だ。

「制作費用の半額が負担できれば利益も半分を要求できる。じつはもっと大事なことがあった。僕としては共同でブランド展開したかった。つまり、ピクサーの映画であると同時にディズニーの映画だとしたかったんだ」

ジョブズはすぐにアイズナーを訪問し、ランチを食べながら今後について話し合おうとした。アイズナーはその厚かましさに驚く。映画は3本の契約で、まだ1本しか制作していないのだ。

両者とも核兵器なみの切り札があった。そのころカッツェンバーグはアイズナーと仲たがいをして退社し、スティーヴン・スピルバーグ、デビッド・ゲフィンと3人でドリームワークスSKGを創設していた。

ピクサーとの契約見直しに応じないなら、3本でディズニーとさよならして別のスタジオと仕事をする、カッツェンバーグのところでもいい、とジョブズは斬り込む。対するアイズナーは、それなら、ラセターが生み出したウッディやバズなどのキャラクターを使い、『トイ・ストーリー』の続編を自分たちで作るとやり返す。これはきつい一発だったとジョブズも認める。

「それは自分の子どもにいたずらをされるようなものだ。そういう可能性があるとわかったとき、ジョンが泣き出したほどだ」

結局、両者は緊張緩和策を打ち出す。その後制作する映画についてはピクサーが半額を負担し、その見返りとして利益も半分を受け取ることにアイズナーは合意した。

「僕らがそれほど多くのヒットを飛ばせるとは思わず、費用の節約になると考えていただろうね。結果として、僕らピクサーにとってこの契約はとてもいいものだった。10本連続で大ヒットになったからだ」

アイズナーとしてはかなり不満だったが、共同ブランディングについても最後は合意した。

「あくまでディズニーの映画であり、ディズニーが提供するものだと主張したのですが、最後は譲歩しました。ディズニーの文字の大きさをどうするか、ピクサーの大きさをどうするかなどと、まるで